PEQUENOS TRAUMAS

DRA. MEG ARROLL

PEQUENOS TRAUMAS

SUPERANDO AS BARREIRAS EMOCIONAIS QUE AFETAM A NOSSA SAÚDE MENTAL

TRADUÇÃO
Elisa Nazarian

1ª edição
1ª reimpressão

Vestígio

Copyright de texto e ilustrações © Dra. Meg Arroll 2023
Exceto as páginas 68, 80, 217, 223, 244, 250, 265, por Liane Payne © HarperCollins Publishers LLC 2023
Copyright desta edição © Editora Vestígio 2023

Título original: *Tiny Traumas*

DIREÇÃO EDITORIAL
Arnaud Vin

CAPA
Diogo Droschi

EDITORA RESPONSÁVEL
Bia Nunes de Sousa

PROJETO GRÁFICO E DIAGRAMAÇÃO
Christiane Morais de Oliveira

PREPARAÇÃO DE TEXTO
Barbara Parente

REVISÃO
Julia Sousa
Samira Vilela

Dados Internacionais de Catalogação na Publicação (CIP)
Câmara Brasileira do Livro, SP, Brasil

Arroll, Meg
  Pequenos traumas : superando as barreiras emocionais que afetam a nossa saúde mental / Meg Arroll ; tradução Elisa Nazarian. -- 1. ed.; 1. reimp. -- São Paulo : Vestígio, 2024.

  Título original: *Tiny Traumas*
  ISBN 978-65-6002-002-3

  1. Autoestima 2. Psicologia 3. Saúde mental 4. Trauma (Psicanálise) I. Título.

23-150713   CDD-158

Índice para catálogo sistemático:

1. Saúde mental : Psicologia 158

Eliane de Freitas Leite - Bibliotecária - CRB 8/8415

A **VESTÍGIO** É UMA EDITORA DO **GRUPO AUTÊNTICA**

São Paulo
Av. Paulista, 2.073 . Conjunto Nacional
Horsa I . Salas 404-406 . Bela Vista
01311-940 . São Paulo . SP
Tel.: (55 11) 3034 4468

Belo Horizonte
Rua Carlos Turner, 420
Silveira . 31140-520
Belo Horizonte . MG
Tel.: (55 31) 3465 4500

www.editoravestigio.com.br
SAC: atendimentoleitor@grupoautentica.com.br

Para meu pai, de uma gentileza maravilhosa
e de bom coração; puxa, como sinto a sua falta.

INTRODUÇÃO

N ão é nada importante, nada enorme, mas você não consegue identificar o que é. De certo modo, você se sente "pra baixo" – oprimido(a), subvalorizado(a), mal-amado(a). Você tem uma família bem razoável, um trabalho que dá para levar (afinal de contas, é um emprego), um grupo de amigos acima da média. Tem comida na mesa, um teto, conforto, então, na hierarquia das necessidades, você está se saindo bem. Mas, de certo modo, você não se sente realmente... f-e-l-i-z. E não é essa a meta que a "sociedade" estabelece para nós, seja ela impingida pelos nossos pais, professores, amigos, seja no local de trabalho ou praticamente em todo lugar?

Nada tão ruim aconteceu em sua vida... mas é exatamente isso: aprendemos a ignorar os Pequenos Traumas que gradual e insidiosamente deixam em nós um espaço oco, que se relacionam a uma tendência a melancolia constante e persistentes fagulhas de ansiedade, tudo envolto em um filme da vida perfeita de outras pessoas nas redes sociais.

A grande maioria dos meus clientes não sofreu nenhum trauma grave em seu começo de vida, como abuso físico ou sexual, nem viveu em uma zona de guerra ou vivenciou, na infância, a morte de quem cuidava deles, mas sempre há leves fissuras e ligeiros solavancos ao longo do caminho que deixam uma marca. Feridas pequenas, causadas de maneira quase imperceptível por normas sociais sutis que nos ensinam a "manter a calma e seguir em frente", acumulam-se em nosso cerne emocional e crescem como juros de cartão de crédito. Por fim, esse arsenal de sedimentos psicológicos impacta em nosso bem-estar, e, embora isso possa não ser desgastante (ainda), muitos de nós percebem sua força gravitacional convertida em cansaço, baixo nível de ansiedade e falta de confiança. Ignorar o auge dos Pequenos Traumas é por nossa conta e risco, uma vez que, quando não identificados, podem levar a muitos dos nossos problemas atuais de saúde mental e física.

Felizmente, muitos de nós não vivenciam um Grande Trauma recorrente, nem múltiplos traumas e abusos que poderiam concorrer para problemas psicológicos graves.

Perderemos pessoas queridas, cerca de metade de nós se divorciará, muitos sofrerão doenças ou danos físicos, e é sabido que esses Grandes Traumas podem levar a problemas de saúde mental diagnosticáveis, como ansiedade e depressão. Mas isso não explica o que vejo na minha clínica quase todos os dias. Em vez disso, são as experiências mais sutis – como desarmonia entre pais e filhos, assédio moral de falsos amigos, humilhação em sala de aula, instabilidade causada por mudanças geográficas frequentes (com mudanças de escolas e empregos), cultura de desempenho ou tentativa constante de equilibrar o orçamento – que resultam em uma leve sensação de "nem adianta tentar". Sentir-se um lixo na maior parte do tempo, definhar, ter uma ansiedade altamente funcional e um perfeccionismo mal ajustado não são, no entanto, quadros que seu médico conseguirá diagnosticar ou tratar. Isso não se encaixa nos critérios ativos e sistemáticos das enciclopédias médicas. Quando o seu médico pergunta se algum acontecimento significativo ocorreu em sua vida no último ano, a resposta pode muito bem ser "não". Assim, as pessoas são deixadas à deriva em uma existência com questões que não são "sérias" o suficiente, mas que são profundamente extenuantes. Isso acontece porque não reconhecemos o impacto insidioso dos Pequenos Traumas.

Costumo me referir aos Pequenos Traumas apenas como Pequenos Ts, uma vez que essa experiência tão universal tem o direito de ser usada e comentada na linguagem comum diária. Porque são as pequenas coisas que dão importância à vida, mas também são as pequenas coisas cotidianas que esgotam nossa vitalidade, nosso brilho e potencial. No entanto, se tomarmos consciência de nossos próprios Pequenos Ts, podemos usá-los a nosso favor, construindo uma imunidade psicológica sólida que nos protegerá do impacto devastador de futuros Grandes Traumas.

Isso porque você realmente importa. Escute o que estou dizendo: você é importante, sim. Muito mais do que percebe neste momento. E, ao final deste livro, não apenas começará a acreditar nisso como também aquelas ansiedades e frustrações diárias começarão a se dissipar. Confie em mim, sou psicóloga, mas não do tipo que você pode imaginar. Não tenho um sofá, uma barba, não faço acenos judiciosos com a cabeça. Penso que não deve haver vergonha em nossas experiências, nossos erros ou mesmo em nossos pensamentos mais tenebrosos. Este livro trata do que sei ser verdade em meus mais de vinte anos de experiência em estudos e prática.

Cada pessoa com quem trabalhei tem algum tipo de Pequeno T, dos quais existem inúmeros exemplos. No entanto, as consequências dos Pequenos Ts tendem a aflorar e se fazer presentes de maneira reconhecível. Neste livro, compartilharei com você o conjunto de Temáticas de Pequenos Ts que identifiquei. Uso o termo "temática" por não serem quadros clínicos em si, embora possam afetar pessoas em padrões comuns. Uma (talvez mais) dessas temáticas pode lhe ser familiar, e é possível que você se sinta como a única pessoa no mundo que sofra disso, mas bem aqui, neste momento, quero que saiba que essas temáticas, males, ou seja lá como quisermos chamar esse conjunto de sinais e sintomas em cada capítulo, são, na verdade, muito comuns. Uma vez que não temos definições médicas, não posso fornecer com exatidão porcentagens ou um número de quantas pessoas sentem-se assim, mas, pela minha experiência e pelas minhas observações, posso lhe dizer: se você não tiver uma das Temáticas de Pequenos Ts, alguém que você conhece, alguém que lhe é muito próximo, terá.

Ao guiá-lo(a) por esses pontos críticos do Pequeno T, tal como pânico de baixa gravidade, sensação de nunca ser bom o bastante e até problemas de saúde como insônia, ganho de peso e fadiga crônica, eu, logicamente, lhe indicarei maneiras práticas e tangíveis de lidar com essas questões, de modo que você possa recuperar o controle da sua vida e deixar de ser um prisioneiro do Pequeno T. Hoje em dia não é tão fácil acessar um atendimento psicológico de qualidade, mas sabemos, por meio de estudos, que a biblioterapia – o que você está fazendo neste exato momento, ao ler este livro – pode ajudar na redução dos sintomas.

Como todos nós temos que lidar com problemas difíceis da vida, que são complexos e cotidianos, façamos com que isso seja tão simples e fácil quanto possível. Para isso, usarei meu método dos três passos, focado na solução.

A ABORDAGEM CAA

- **Passo 1 – Conscientização:** descobrir sua constelação singular de Pequenos Ts e como isso anda afetando suas experiências a fim de assumir o controle da sua vida.
- **Passo 2 – Aceitação:** em geral, essa é a parte mais desafiadora do processo, a fase que muitas pessoas tentam passar por cima. No entanto, sem aceitação, o Pequeno T continuará a influenciar a sua vida desnecessariamente.
- **Passo 3 – Ação:** no entanto, não basta a aceitação; você precisa adotar certas medidas para criar, ativamente, a vida que deseja.

É importante, ao menos no começo, enquanto vai se familiarizando com o processo, que você siga esses passos em ordem. Com frequência, vejo na minha clínica pessoas incrivelmente frustradas por terem se atirado direto às técnicas de Ação, o que equivale a pôr um esparadrapo sobre um arranhão sujo sem antes lavá-lo – a sujeira e a terra ficam presas e acabam causando infecção, deixando a pessoa com problemas mais sérios do que o ferimento inicial. De modo semelhante, em geral, sem que antes haja alguma conscientização do Pequeno T e o cultivo de uma Aceitação do que aconteceu em sua vida, o benefício de partir para a Ação tem duração curta. Por outro lado, algumas pessoas realmente têm um alto grau de Conscientização, em particular aquelas que tentaram uma série de técnicas psicológicas e de autoajuda, mas também vão diretamente da Conscientização para a Ação sem passar pelo estágio da Aceitação. Isso não é, de forma alguma, uma falha do indivíduo; vivemos em sociedades aceleradas, de gratificação imediata, portanto faz sentido todos nós querermos uma solução tão breve quanto os vídeos do TikTok. Contudo, assim como com qualquer habilidade, depois que você se acostuma com o processo vai achar mais fácil passar pelos estágios e dominará a Abordagem CAA.

Só mais uma observação antes de propriamente começarmos. Uma das perguntas mais comuns que me fazem é "Quanto tempo vai demorar o processo?", e a única resposta precisa é que isso varia de pessoa para pessoa. Assim como uma recuperação física leva algum tempo, a recuperação emocional e psicológica precisa de tempo e espaço para acontecer. Quanto mais profundo o corte, ou, nesse caso, quanto maior o número e o grau de Pequenos Ts, mais trabalho poderá ser necessário da sua parte para a recuperação. E é bastante trabalho, ou melhor, esforço, mas garanto que vale a pena. Porque você merece.

No entanto, isso leva a uma realidade um tanto dura: embora os Pequenos Ts não sejam culpa sua, a única pessoa que pode fazer algo a respeito é você. Agora, neste exato momento, você já deu o primeiro passo vital para lidar com as dificuldades generalizadas que vejo semanalmente em meu consultório, e estarei ao seu lado nessa jornada. Você não está só.

Então, começarei com um pouco mais de informação sobre o que são os Pequenos Ts, e por que eles são importantes, para dar início ao processo primordial da Abordagem CAA – despertar a Conscientização.

OS PEQUENOS TRAUMAS E POR QUE SÃO IMPORTANTES

Neste capítulo, exploraremos:

- Como o trauma afeta a saúde física e mental
- A diferença entre Grandes Traumas e Pequenos Traumas
- As muitas e variadas formas do Pequeno T
- O sistema imune psicológico
- Como podemos usar os Pequenos Ts como anticorpos psicológicos

Neste primeiro capítulo, verificaremos as diferenças entre Grandes Traumas e Pequenos Traumas, uma vez que todas as nossas experiências nos moldam. Não há como negar isso. É útil defini-los para explicar por que tantos de nós se sentem um pouco mal em grande parte do tempo. Também verificaremos várias causas de Pequenos Traumas, com exemplos do mundo real, para colocar no contexto esse tipo de agressão emocional, que tipicamente se esconde em plena vista. Na verdade, esse é um dos motivos pelos quais ele pode ser tão prejudicial.

A psicologia é uma ciência relativamente nova, que só vem sendo estudada com métodos sólidos no último século, então, por favor, perdoe-nos por levar certo tempo para nos familiarizarmos com traumas de nível baixo. O primeiro passo é observar o que está acontecendo no andar térreo, por assim dizer, e se certificar de que aquilo que profissionais como psicólogos estudam e pesquisam é um reflexo claro da vida das pessoas.

Se quiser, pode compartilhar os seus exemplos com as hashtags #PequenoT e #TinyT para contribuir com a reunião de evidências e ajudar outras pessoas a se sentirem menos sozinhas.

Sendo assim, comecemos.

Grandes Traumas e a saúde

Até relativamente pouco tempo, estudiosos e psicólogos tendiam a focar em acontecimentos negativos importantes ocorridos na vida das pessoas. Faz sentido, já que são eles que causam transtornos psicológicos graves, para os quais as pessoas buscam ajuda profissional. Neles se incluem estados de saúde mental limitantes (e às vezes com riscos dolorosos à vida), tais como depressão grave, ansiedade generalizada, transtorno de estresse pós-traumático e todo um conjunto de outras variáveis, documentadas na bíblia de saúde mental chamada *Manual Diagnóstico e Estatístico de Transtornos Mentais (DSM)*. Na última versão do manual, assim como nas anteriores, os Grandes Traumas eram um elemento entre muitas das condições listadas – situações claramente terríveis, que sabemos que com frequência levam a problemas de saúde mental e física. Vivenciar uma zona de guerra; sofrer abuso sexual, físico ou emocional na infância; ser vítima de estupro ou molestação; passar por desastres naturais, tais como incêndios, terremotos, tornados e furacões; ou enfrentar atos de violência como um assalto à mão armada ou terrorismo – tudo isso constitui os Grandes Traumas.

Na quinta versão mais atualizada do *DSM* (conhecida como *DSM-5*), há 157 transtornos independentes diagnosticáveis, mais de cinquenta por cento além do primeiro volume, publicado pela primeira vez em 1952. Isso significaria que nós, humanos, desenvolvemos esse tanto a mais de patologias de saúde mental? Talvez algumas, mas eu diria que, sobretudo, estamos bem mais aptos a reconhecer e a definir a experiência e o sofrimento, e estamos cientes de que outros acontecimentos, muitos dos quais são mais comuns, podem levar a problemas emocionais e funcionais.

Acontecimentos importantes que a maioria de nós vivenciará mais cedo ou mais tarde

Felizmente, a maioria de nós não vivenciará os graves acontecimentos enquadrados nos Grandes Traumas, mas, a certa altura, todos nós perderemos entes amados, muitos de nós enfrentarão um divórcio, e até ocasiões felizes podem parecer terrivelmente estressantes (nascimentos, casamentos, festas de família). Esses são o que os psiquiatras Thomas Holmes e Richard Rahe cunharam como "os acontecimentos importantes da vida". Os dois médicos debruçaram-se sobre mais de cinco mil conjuntos de observações médicas, para verificar se a vida estressante de pacientes estaria relacionada com problemas posteriores de saúde, e compilaram uma lista de eventos dos mais traumáticos (morte de um cônjuge) até algo menos significativo, mas mesmo assim estressante, tal como descumprir a lei (quem não tem uma multa de trânsito!?). A cada incidente foi vinculada uma pontuação, ou "unidades de mudança de vida". Além da gravidade desses acontecimentos, a quantidade de ocorrências simultâneas, no período de um ano, pareceu ser um indicativo importante de problemas de saúde. Ao somar unidades de mudança de vida dos pacientes, os psiquiatras conseguiram perceber que uma pontuação total de 300 ou mais colocava a saúde das pessoas em risco; entre 150 e 299, havia um risco moderado de desenvolver uma doença; e abaixo de 150 unidades anuais, conferia aos indivíduos apenas um leve risco de problemas de saúde.[1]

Assim, podemos depreender que algumas situações que vivenciamos podem nos tornar vulneráveis a problemas tanto de saúde física quanto mental, especialmente se acontecerem num curto espaço de tempo. Mas o cenário não se limita a isso; ainda que existam muitos estudos que sustentem essa teoria, outros consideram que aqueles que não atingiram "a nota de corte" na escala dos acontecimentos também desenvolvem transtornos. Por que essas coisas podem deixar uma pessoa muito doente, e outra não? Proponho que é aí que o Pequeno T entra em cena.

Pequeno T: o Elo Perdido?

No começo da minha carreira acadêmica, fiz parte de um grupo de pesquisas em doenças crônicas, e desenvolvemos estudos sobre diversos tipos e como essas condições afetavam os pacientes. Foi por isso, na verdade, que comecei a escrever livros, uma vez que os estudantes relacionados com nosso módulo "A psicologia de doenças físicas" tendiam a ter um histórico de problemas de saúde a longo prazo ou, à época, sentiam-se um pouco depressivos e ao mesmo tempo ansiosos (ainda que ver isso em estudantes do terceiro ano de psicologia não fosse exatamente uma surpresa!).

Como resultado, meus colegas e eu começamos a escrever livros para o grande público, em vez de apenas artigos para periódicos científicos ultrapassados. E então começou a ficar realmente claro para mim que os Grandes Traumas significativos, e os acontecimentos da vida sobre os quais os estudiosos falavam, não podiam explicar muitas das condições que estudávamos e com as quais trabalhávamos. Eu já tinha lido sobre os Pequenos Traumas no trabalho da psicóloga Francine Shapiro, agora mais conhecida pela criação da terapia de dessensibilização e reprocessamento através do movimento ocular (EMDR). A Dra. Shapiro expandiu o conceito de trauma para experiências que acontecem com frequência e com a maioria das pessoas, como negligência ou indiferença emocional, humilhação social e problemas familiares, mas isso não refutava a escala de severidade, seja para os Grandes Traumas, seja para os acontecimentos importantes da vida. No entanto, em sua pesquisa e prática, a Dra. Shapiro percebeu que essas agressões menores também poderiam resultar em dificuldades emocionais e/ou físicas de longo prazo. Mas não importa o quanto procurasse nos bancos de dados acadêmicos, foi difícil encontrar algo sobre os Pequenos Traumas nos artigos científicos, relatos clínicos ou até publicações populares. Assim como com tantos tópicos importantes, esse foi um tanto ignorado, desprezado e varrido para debaixo do tapete. Até agora.

Consegui localizar um artigo científico sobre o assunto que observou o Grande T e o Pequeno T em pessoas com síndrome do intestino irritável (SII). Eu esperava ver os mesmos velhos resultados: de que os traumas maiores causavam mais sintomas e tinham um impacto muito mais significativo na vida dos pacientes etc. Em vez disso, eram os pequenos traumas que pareciam predizer sintomas de SII, e não os grandes traumas, ou acontecimentos que os psicólogos aprenderam que levariam a uma saúde debilitada.[2] Pessoas que tiveram pais frios ou distantes estavam mais propensas a ter problemas no abdômen do que as que haviam passado por um abuso completo ou negligência. Achei isso fascinante. Sabe aqueles momentos em que fogos de artifício explodem na sua mente? Não apenas os Pequenos Ts eram importantes, mas ELES ERAM MAIS IMPORTANTES NAQUELES PACIENTES DO QUE OS GRANDES TRAUMAS! Foi com esse lampejo que comecei a ficar um pouco obcecada com os Pequenos Traumas e como poderiam explicar tantos problemas que eu via nos meus alunos de então e, mais tarde, nos meus clientes terapêuticos. Porque, mesmo com as 157 patologias diagnosticáveis no *DSM-5*, não era possível dizer que tínhamos tudo mapeado. A maioria das pessoas que eu atendia na clínica não corresponderia a todos os itens para determinado diagnóstico, mas isso significa que não estivessem necessitando ou não fossem dignas de ajuda? Minha visão é um NÃO em alto e bom som. Todos nós precisamos de ajuda às vezes, mas estamos apenas arranhando a superfície com debates sobre saúde mental e, é claro, como qualquer ciência, isso sempre começa com os exemplos mais óbvios e graves. Depois, no estudo científico, tendemos a chegar a exposições menos impressionantes, mas igualmente merecedoras, de qualquer que seja o tópico de interesse – nesse caso, dor e desequilíbrio emocionais.

Hora de sacudir o barco

Para explicar por que ocorrências menos significativas teriam um impacto tão grande na vida de alguém, gosto de usar a seguinte analogia. Imagine que sua vida é um barco, e você vem navegando ano após ano. Com o tempo, o seu barco bate em algumas rochas, enfrenta fortes tempestades, peixes mordiscam o fundo do casco. Cada um desses pequeninos desgastes, por si só, não é um problema, principalmente se você estiver ciente do dano e tiver as ferramentas para consertar o barco. No entanto, navegar é uma tarefa que demanda trabalho, e às vezes você não nota um vazamento, sobretudo se estiver para lá e para cá, encarando vento e chuva. Normalmente, você só percebe que pode estar em sérias dificuldades quando começa a ter problemas – por exemplo, o barco começa a perder a velocidade sem saber o motivo. Isso, em resumo, é o Pequeno Trauma.

Uma jornada para entender os Pequenos Traumas

Com essa analogia em mente, comecei a reunir algumas experiências que pareciam ser especialmente problemáticas para as pessoas, talvez não por si só, mas quando combinadas com outros Pequenos Ts e até com pressões sociais. Os exemplos no restante deste capítulo não são abrangentes (uma vez que resultariam num livro muito longo, de fato!), mas são alguns dos Pequenos Ts que vejo com mais frequência.

Assim como os eventos importantes, os Pequenos Ts acontecem a certa altura da vida e, depois que causam o primeiro entalhe psicológico, esse trauma de grau baixo é frequentemente reforçado com o passar dos anos. É esse reforço que começa a criar um padrão, podendo resultar tanto num padrão de saúde mental quanto de comportamento. São essas as Temáticas de Pequeno T, mencionadas na Introdução, que exploraremos no restante deste livro. Mas, por enquanto, vamos dar uma rápida passada por alguns Pequenos Ts bem difundidos, com os quais você pode ter alguma familiaridade.

Pequenos Ts da infância

Grande parte do estudo sobre trauma foca na experiência de começo de vida, o que faz sentido, já que é nessa época que as redes neurais estão se formando e, portanto, o que nos acontece pode ter maior impacto. Ninguém, de fato, passa incólume pela infância, e nem deveria, uma vez que essas experiências muito contribuem para nos tornar o que somos.

Para muitas pessoas, eventos ocorridos muitos anos atrás deixam uma marca indelével. Eis alguns exemplos de Pequenos Ts na infância que poderiam lhe parecer familiares, ou a seus entes queridos.

A armadilha dos pais

Os vínculos que formamos com nosso principal cuidador (com frequência a mãe ou o pai, mas poderiam ser pais adotivos, tias, tios, quem quer que cuide de nós quando somos pequenos) levam ao que chamamos de "estilo de apego". No final da década de 1950 e durante as de 1960 e 1970, psicólogos famosos, como John Bowlby e Mary Ainsworth, observaram que as crianças pareciam desenvolver um de quatro padrões distintos de comportamento e temperamento em reação ao ambiente.[3] Veremos isso com mais atenção no capítulo 8, sobre o amor, mas esses estilos de apego têm sido estudados em inúmeros experimentos, que mostram que a maneira com que um cuidador reage a um bebê ou a uma criança pequena determina o grau de segurança que ela se sentirá no mundo. Um apego seguro é encontrado em famílias que dão às crianças reações consistentes e sensíveis, ao passo que se forma um apego evitativo quando os pais são um tanto distantes ou distraídos. Isso é importante, já que levamos esses modelos para nossos relacionamentos adultos, maduros. Às vezes é bom, outras vezes nem tanto, porque qualquer coisa que não seja um apego seguro (os outros dois tipos são apego ambivalente e apego desorganizado) pode nos levar às situações insatisfatórias que, boa parte do tempo, fazem com que nos sintamos péssimos.

Também é assim que o Pequeno T pode passar por gerações. Nossos próprios cuidadores podem ter numerosos Pequenos Ts que nunca tiveram a chance de explorar. Ou pode haver problemas práticos que fazem com que as crianças se sintam um tanto solitárias de vez em quando. Por exemplo, muitos de nós foram "crianças que têm a chave casa", que chegavam da escola e se viravam sozinhas até os pais chegarem do trabalho em tempo integral. Não existe um Grande T aqui. Muitos pais e cuidadores simplesmente precisam trabalhar por muitas horas e/ou em horários atípicos para pagar as contas e manter um teto sobre a família, porque atualmente o custo de vida está muito alto em muitos países. Na verdade, é assim que a própria sociedade cria Pequenos Ts para inúmeras pessoas.

Mas antes que os acusadores de plantão se pronunciem, não estou dizendo que isso por si só deixe as pessoas com profunda angústia psicológica. No entanto, é importante, uma vez que alguns desses padrões aparecem nos relacionamentos adultos, não apenas em envolvimentos românticos, mas em amizades e interações sociais. Ao entender essa programação, podemos começar a mudar o roteiro, caso ele esteja nos trazendo problemas.

Ou é possível que você e seus cuidadores tivessem personalidades bem diferentes. Algumas pessoas têm pais que parecem alienígenas, e não são de maneira alguma parecidos com os filhos. Há o pai extrovertido que leva o filho a todo jogo de futebol e ao grupo de escoteiros, quando tudo que o menino quer é escrever suas histórias debaixo do edredom com uma lanterna. Ninguém poderia dizer que essa seja uma má parentalidade, e de fato muitos diriam que forçar a criança a sair da zona de conforto é benéfico, mas estudos nos dizem que essa disparidade pode causar alguns leves arranhões em nosso senso de apego.[4] Trata-se na realidade de se sentir amado e aceito por aquilo que somos – incondicionalmente.

Portanto, são inúmeras as maneiras sutis com que nossos primeiros anos podem nos moldar, e lembre-se: não se trata de ter havido algum tipo de negligência, abuso ou maus-tratos na forma como somos cuidados; pode simplesmente ser o caso de eles não se adequarem à nossa personalidade e ao nosso temperamento. Mas é por isso que é imperativo entender o Pequeno T, pois mesmo sem nenhuma má conduta explícita, ainda podemos ser afetados por nossas experiências, contextos e relacionamentos. Sem essa Conscientização (lembrando que esse é o primeiro passo da Abordagem CAA), somos deixados em um estado perpétuo de "não tão bem", que não parece bom nem ruim, apenas um lugar tortuoso no qual temos a sensação de tempo perdido.

Pequenos Ts da escola

Amando-a ou odiando-a, a escola é uma época essencial em nosso desenvolvimento. Você pode ter sido como Ferris Bueller, personagem de Matthew Broderick em *Curtindo a vida adoidado*, aquele de quem Grace, a secretária da escola, diz a Ed Rooney, o diretor e nêmesis de Ferris: "Ah, ele é muito popular, Ed. Os pernas de pau, os viciados em anfetamina, os geeks, as biscates, os manos, os drogados, os panacas, os otários, todos adoram ele. Acham que é um cara íntegro". Ou você pode ter sido aquele(a) perna de pau, um(a) viciado(a) em anfetamina, ou um(a) geek – a escola é um microcosmo do mundo, onde frequentemente somos categorizados e classificados não apenas por nossos colegas, mas com frequência por nosso senso emergente de identidade pessoal.[5]

Esses Pequenos Ts derivam de interações mais sutis, e não de abusos mais sérios, como o *bullying*, por exemplo. O *bullying* notório é um grave trauma de infância, e infelizmente muitas crianças passam por isso, mas a maldade menos óbvia, a sensação de ser um peixe fora d'água, a humilhação nos esportes coletivos, o estresse das provas e a pressão para dar certo em um ambiente focado em tabelas de classificação, e não em um aprendizado significativo, tudo isso pode resultar em um Pequeno T para muitas pessoas.

Alguns anos atrás, eu estava trabalhando com alguém que teria sido considerado um grande sucesso – era um alto executivo, com um salário considerável, um longo casamento e dois filhos brilhantes. Mo era a alma da festa, tinha inúmeros bons amigos, uma casa incrível, um carro potente etc., e parecia totalmente satisfeito. No entanto, estava contínua e crescentemente engordando, de uma maneira que parecia não ter fim. Diante disso, Mo justificava o ganho de peso atribuindo-o a almoços com clientes e à sua possibilidade de, agora, comprar a melhor comida e o melhor vinho, o que ele também esbanjava com as pessoas queridas. Mas essa explicação não o estava levando muito longe, nem a nós, então lhe pedi o seguinte: "Pense em um acontecimento ou uma experiência que o tenha impactado ou mudado em algum aspecto importante, mas que você achou que não fosse importante o suficiente para mencionar".

Uso esse exercício com quase todo mundo em nossas primeiras sessões e, em geral, o que surge é uma forma de trauma. Para algumas pessoas, a pergunta aciona uma lembrança positiva, mas os acontecimentos negativos tendem a ficar no fundo da mente com mais persistência do que os positivos, então, *normalmente*, aqui se trata de alguma forma de Pequeno T.

Eis o que surgiu para Mo:

> *Quando eu tinha 9 anos, meu irmão recebeu o diagnóstico de transtorno do déficit de atenção com hiperatividade. Não era como agora. Naquela época, não se falava em TDAH, e ele não era aceito pela escola, pelos outros pais e pela comunidade com mais compreensão como acontece agora. Naquela época, era como se as pessoas achassem que Van [meu irmão] fosse uma criança ruim, mal-educada, sempre tentando chamar atenção. Passei a maior parte do meu período escolar com um olho em Van, garantindo que ninguém o intimidasse, inclusive os professores. Não que eu brigasse com os outros, apenas fazia graça para que o deixassem em paz. Sem dúvida, eu era o palhaço da classe; quanto mais fazia as outras crianças e os professores rirem, menos eles focavam a atenção em Van. Talvez seja por isso que eu nunca leve as coisas a sério [rindo]. Mas nem acho certo dizer isso, uma vez que meu ganho de peso não é culpa de Van. Ele não tem culpa de nada, quero dizer, de nada mesmo.*

Claramente, chegamos a algo de suma importância aqui e tocamos num ponto sensível. Mas era o começo de um entendimento de como nossas experiências podem se confrontar e levar a sentimentos e comportamentos (no caso de Mo, comer em excesso) desnecessários que, às vezes, são absolutamente prejudiciais. Àquela altura, Mo estava com pressão alta e o médico o advertira de que estava pré-diabético. Ele sabia que precisava fazer algo para acabar com o consumo desregrado de comidas e bebidas calóricas.

Pequenos Ts são cumulativos e motivados pelo contexto

Na vez seguinte em que Mo veio ao meu consultório, não estava com seu temperamento jovial de sempre. Sentou-se com os ombros curvados e olhou direto para o chão. Contou-me que não conseguia acreditar em como uma simples pergunta pudesse acionar em sua mente tantos momentos reveladores, que estava se sentindo bastante sobrecarregado. Disse que achava incrivelmente difícil aceitar que algo que tivesse a ver com a particularidade do seu irmão o estivesse impactando agora. Então, reservamos algum tempo para trabalhar a confusão do Pequeno T de Mo e ver como ele poderia ligar os pontos.

Mencionei, na Introdução, a Abordagem de Conscientização, Aceitação e Ação (CAA). Mo estava tentando passar diretamente da Conscientização para a Aceitação, e isso estava provocando certo sofrimento emocional. Precisávamos trabalhar um pouco mais o C, de Conscientização, para estabelecer a base para a Aceitação, porque, para Mo, não fazia sentido haver uma correlação direta entre o TDAH de Van e o crescimento incessante do diâmetro da sua cintura – claro, não é bem assim. Concordei que era reducionista demais e que então precisávamos explorar um dos princípios fundamentais do Pequeno T: de que esse tipo de trauma é **cumulativo**.

Essa é uma enorme diferença entre o Grande T e o Pequeno T. Normalmente, o Grande T é um evento distinto, facilmente identificável (ou uma série de acontecimentos, como abuso), que todos nós podemos de imediato concordar que seja danoso para a mente e o corpo. Contudo, os Pequenos Ts são uma combinação de ocorrências menores, salpicadas em contextos determinados, que se acumulam com o tempo.

Como Mo mencionou, se ele e Van estivessem em fase de crescimento agora, nas escolas de hoje, ambos teriam tido experiências muito diferentes. Nosso conhecimento sobre transtornos como o TDAH muda o tempo todo, e estamos muito melhor atualmente no apoio a indivíduos e suas famílias. A situação era diferente mais de quarenta anos atrás, portanto era vital que colocássemos o Pequeno T em seu contexto histórico e cronológico. Isso possibilitou a Mo mudar sua maneira de pensar de que o Pequeno T implicasse que seu amado irmão tivesse alguma culpa. Essa Conscientização do contexto do Pequeno T pode ser transformadora ao abrir espaço para o A que se segue em nossa abordagem: o da Aceitação.

Ligando os pontos

Frequentemente, quando começamos nosso trabalho de detetive ao redor dos Pequenos Ts, as conexões aparecem rapidamente, um pouco como quando as comportas de uma represa são abertas pela primeira vez! Mo começou a ligar os Pequenos Ts entre si — ele comia compulsivamente nos intervalos, na hora do almoço e depois da escola como uma maneira de abafar seus sentimentos e medos. A comida tinha bastante importância em sua família e era associada a amor e acolhimento, mas não foi apenas essa associação que levou a seu comportamento de comer em excesso. Conforme Mo foi engordando, desenvolveu uma persona do garoto divertido, e isso funcionou como seu superpoder, protegendo não apenas a si mesmo, mas toda a sua família das coisas dolorosas que as pessoas poderiam dizer e fazer. Todos pareciam amar Mo; quando ele concluiu os estudos e garantiu seu primeiro emprego em vendas, o fato de levar clientes em potencial para refeições caras sempre pareceu lhe conseguir um contrato. Era um ganha-ganha! Não era...? Agora, o humor e a comida o conduziam ao sucesso e à segurança financeira, não eram mais apenas um escudo contra intimidações. O que começara como um Pequeno T agora se tornava um padrão tão extraordinariamente entranhado que até quando o médico de Mo lhe dizia, de tempos em tempos, que ele precisava fazer alguma mudança na dieta e no estilo de vida, isso parecia impossível.

Espero que esteja ficando mais claro que esse é o motivo da importância de se compreender os Pequenos Ts, embora seja frequentemente ignorado. Em primeiro lugar, a vergonha que Mo sentiu ao mencionar o irmão e cogitar que o diagnóstico de Van poderia tê-lo impactado impediu que a percepção desses acontecimentos se tornasse consciente. Depois, o fato de Mo desprezar seus próprios sentimentos, porque o que ele viveu não era tão ruim quanto o que seu irmão deve ter sentido, é mais uma vez uma forte característica do Pequeno T e nos faz sentir indignos de carinho e compaixão. Esse jogo mental também impede as pessoas de passarem da Conscientização para a Aceitação na Abordagem CAA, uma vez que, por sua própria natureza, o Pequeno T não *parece* tão ruim quanto o Grande T.

É muito mais fácil identificar um Grande T e acreditar que apenas tais traumas significativos ou acontecimentos importantes da vida sejam dignos da nossa atenção, mas não é verdade. Para Mo, não foi apenas a situação na escola que o levou ao meu consultório – ele é um ser complexo, assim como todos nós –, mas aquilo foi marcante, significativo, e teve um impacto nos últimos anos. O amor pelo irmão e o instinto de protegê-lo levou Mo a se tornar superatento a provocações ou intimidações, a tal ponto que ficou muito mais fácil fazer o papel de palhaço da classe. Isso ilustra o motivo de ser tão proveitoso começar com determinado episódio e trabalhar regredindo a partir daí, mas também pode ser útil encontrar mais Pequenos Ts.

Pequenos Ts dos relacionamentos

Quando falamos de Pequenos Ts, nossos vínculos com os primeiros cuidadores não são os únicos relacionamentos fundamentais e transformadores que temos; vínculos adultos, incluindo relacionamentos platônicos e românticos, podem deixar marcas e cortes em nossa psique. Porque nunca se supera o primeiro amor, certo? Uma rápida explicação aqui: este livro está salpicado de clichês – não de propósito, mas simplesmente porque clichês são um clichê por uma razão: eles indicam uma compreensão compartilhada de um fenômeno universal, facilmente entendido e identificado. No capítulo 8, exploraremos como o Pequeno T pode impactar nas futuras escolhas de relacionamento e no sucesso, mas por enquanto vamos abordar os Pequenos Ts de relacionamentos em geral.

O amor que se foi

Nossa maneira de amar, mencionada anteriormente como estilo de apego, desenvolve-se na infância, mas a história não termina com nossos pais ou cuidadores. Embora, com frequência, esses relacionamentos acabem ditando nossos vínculos adultos, nada é definitivo. Ainda que tivéssemos tido sorte o bastante para formar um vínculo forte e seguro com aqueles que cuidaram de nós no início da vida, relacionamentos difíceis podem provocar Pequenos Ts e distorcer nossa bússola interna.

Ainda existe alguém ocupando a sua mente? É possível que não tenha ido tão longe quanto espionar a pessoa nas redes sociais, mas de tempos em tempos você pensa nela, em geral quando sua vida está parecendo especialmente abaixo da média. Isso pode ser um Pequeno T, mesmo que você é que tenha terminado a relação, já que todos os relacionamentos íntimos demandam que sejamos abertos e estejamos vulneráveis. Talvez seja o acontecimento que se materializou em sua mente no início deste capítulo. Vou lhe dizer de imediato: qualquer que seja o motivo para o fim de um relacionamento, sempre existe algo para se aprender. Mas pode ser algo extremamente doloroso para ser explorado, então seja paciente e cuidadoso(a) consigo mesmo(a).

Em outra sessão com Mo, ele contou que seus maiores desafios na vida adulta foram em seus relacionamentos. Agora, estava bem casado, mas houve outro Pequeno T que ainda doía fundo.

Eu estava com vinte e poucos anos, na universidade, quando conheci Sarah. Estávamos no mesmo grupo, então passávamos grande parte do nosso tempo livre juntos, e realmente "ficávamos juntos", se é que me entende. Então, pensei que estivéssemos namorando. Um dia, depois de algumas cervejas, perguntei se ela iria visitar meus pais comigo, e nunca me esquecerei da expressão de horror em seu rosto. Depois, ela estourou numa risada e disse: "Sabe, as meninas classificaram todos os rapazes, e você ficou em ÚLTIMO!". Passei um bom tempo sem voltar a sair com alguém.

Mo tinha certeza de que essa rejeição devia-se a seu peso e a seu papel como o sujeito engraçado em seu grupo social; como muitos círculos viciosos, esse sofrimento emocional desencadeou um aumento ainda maior de sua compulsão por comida. Além disso, a rejeição não afetou apenas o seu relacionamento com Sarah, mas o afastou também do seu círculo de amizades como um todo, embora isso tenha acontecido gradualmente, com o tempo.

Essa é a característica do Pequeno T – o arranhão no seu coração pode ser tanto de um relacionamento de dez anos quanto de um namorico curto. Não existe um Pequeno T mais ou menos "meritório", depende de como ele afetou *você*, e seus sentimentos são válidos. Mais do que válidos, eles são tudo o que importa, uma vez que você é você, e as marcas que carrega pela vida não apenas influenciam seu futuro como também programam (pelo menos até certo ponto) diária e momentaneamente seus estados emocionais.

A parte animadora disso é que, através da exploração dos Pequenos Ts, Mo agora não apenas despertava sua Conscientização do Pequeno T como também passava para um estado de Aceitação de como a sequência desses eventos, sentimentos e comportamentos conduziram-no a um mundo onde a comida era um conforto. Para ele, ligar os pontos dos Pequenos Ts estava se tornando uma fonte de empoderamento e treinamento psicológico, e não um peso enorme ao redor do pescoço. Compartilharei detalhes de como Mo progrediu para a fase de Ação da Abordagem CAA no capítulo 7, já que nos próximos capítulos vamos tratar das Temáticas de Pequeno T e do que você pode fazer para assumir o controle do seu passado, do presente e do futuro e viver uma vida na qual você prospere, e não apenas sobreviva.

Pequenos Ts das amizades

Embora em grande parte nós falemos sobre a dor e o sofrimento vivenciados por um amor não correspondido ou pelo fim de uma relação romântica, as amizades, as convivências e as interações com colegas também podem causar sua parcela razoável de Pequenos Ts. Em minha clínica, descobri, em particular, que amizades femininas afetam a saúde emocional das pessoas tanto positiva quanto negativamente. Existe um motivo evolucionário para isso, que tendemos a ignorar em nossos esforços por igualdade, baseado na resposta de sobrevivência de homens e mulheres.

A clássica reação de estresse de "lutar ou fugir" é bem conhecida e discutida. Para saírem vivos quando confrontados com um predador, nossos ancestrais tinham que lutar com todo empenho ou fugir como o vento. Para fazer isso, nosso corpo se envolve em uma sequência complexa de processos fisiológicos para nos garantir uma melhor chance de sobrevivência: o coração bombeia mais sangue para alimentar os músculos, a glicose é liberada para um reforço intenso de energia, as pupilas se dilatam para avistar o perigo. Mas esse não é o único tipo de reação ao estresse.

A vasta maioria dos primeiros trabalhos de pesquisa psicológica e médica era realizada apenas em homens, inclusive a pesquisa que investigava como lidamos com o estresse. Estudos posteriores, no entanto, pensaram em investigar esse processo vital em diferentes grupos, e descobriu-se que, embora as mulheres realmente tenham uma reação aguçada de "lutar ou fugir", elas também seguem um padrão de "cuidar e estabelecer amizade". Se pensarmos em nossos antepassados, as mulheres teriam tido o papel tradicional de cuidar dos pequenos e desenvolver relações sociais para a própria segurança e a da família. Se uma mulher ofendesse outra de maior *status* no grupo, poderia causar problemas e, na pior das hipóteses, acabar em rejeição por todo o clã. Nessas épocas, essa expulsão seria catastrófica para a pessoa e sua família imediata. É por isso que a mulher, geralmente, evita confrontação direta e parece ser mais afetada por rompimentos com suas colegas e seus familiares.

Essa constante desconfiança, a preocupação em agradar as pessoas e o excesso de cautela para manter a ordem social (ou seja, "manter a paz") podem levar as mulheres a esconderem alguns de seus sentimentos culturalmente indesejáveis ou, em casos extremos, a reprimirem seu verdadeiro eu. É claro que os homens também podem fazer isso, mas a pré-disposição cerebral e do sistema nervoso feminino de cuidar e estabelecer amizade como maneira de sobrevivência em dinâmicas complexas de grupo torna essa reação sociocomportamental muito mais provável em mulheres. Por outro lado, os homens podem ter uma briga, sair aos socos, e depois se comportar como se nada tivesse acontecido! É claro que isso é bem reducionista, e nem por um minuto estou tentando invalidar a complexidade do comportamento humano, mas, se partirmos desse ponto, alguns fenômenos desconcertantes começam a fazer sentido. Então, podemos colocar por cima uma camada do Pequeno T para criar uma imagem mais detalhada e compreensiva de por que fazemos o que fazemos e sentimos da maneira que sentimos.

Se uma árvore cair na floresta...

Contudo, homens e mulheres são, em essência, seres sociais; a necessidade de pertencer a um grupo e ser aceito pelos que estão a nossa volta é tão crucial para nossa sobrevivência quanto água, ar, alimento e segurança. Juro que não estou exagerando. Mesmo depois de já termos idade para cuidar de nós mesmos, nosso sentido de identidade e segurança baseia-se em nossas interações com outras pessoas. Em vez de nos perguntarmos se uma árvore produz um som depois que cai em uma floresta, caso não exista ninguém por perto para ouvi-lo, eu colocaria a seguinte questão: quem você seria se não pudesse se ver em relação aos outros?

Pequenos Ts do trabalho

Seu trabalho é apenas um emprego, uma carreira ou uma vocação? Se você sente que não passa de uma maneira de pagar as contas, suas chances são de que esteja menos feliz do que alguém que diga que o trabalho é uma carreira cultivada ou uma vocação. Se você estiver cumprindo uma obrigação, pode passar a maior parte do expediente sonhando em vender colares de miçangas em uma praia, escrever o próximo *best-seller* ou ganhar na loteria e não precisar mais trabalhar. Se for esse o caso, é provável que um Pequeno T esteja se instalando dentro de você dia... após... dia...

Todos nós precisamos pagar as contas, então, geralmente, a diferença entre uma carreira e um emprego é: quando você está trilhando o caminho de um trabalho que escolheu, está fazendo isso por si mesmo(a); num emprego qualquer, você tem menos controle das suas ambições e objetivos. Uma vocação é um acréscimo a isso, ou seja, suas crenças fundamentais e seu senso de identidade estão perfeitamente alinhados com o que você realiza como trabalho. Tradicionalmente, pensamos em médicos, clérigos e nos profissionais que ajudam os necessitados. Mas, infelizmente, até essas funções caíram em desgraça com a estafa do trabalho na vida moderna, como descobriu uma médica clínica geral que estava sofrendo de ansiedade crônica:

> *Ser médica é a minha vida, é tudo que sempre quis fazer, mas acordo toda manhã com uma sensação de medo, se é que durmo, o que também é um problema. A carga de trabalho é absurda e os pacientes chegam muito zangados por terem tido que esperar semanas para uma consulta. Temos um aviso claro na sala de espera com a informação de que os pacientes devem apresentar apenas um problema de saúde, mas alguns esperaram tempo demais; é impossível eles não quererem me contar tudo. Depois, tem uma papelada infindável e mil reuniões para as quais não temos tempo (ou dinheiro) previsto. Sinto-me constantemente como se estivesse me afogando e simplesmente não me sinto mais uma médica.*

Anita não apenas estava vivendo uma tensão no trabalho, ela mesma enveredando para um comprometimento da saúde; também estava afligida pelos Pequenos Ts que resultam de camadas de burocracia. Isso tem o efeito de transformar o que deveria ser uma vocação ou carreira em um serviço insatisfatório. Vi isso em muitas áreas: meio acadêmico, jornalismo, direito, engenharia, ou qualquer outra. Essa metamorfose destruidora de almas resultou em uma onda de Pequenos Ts induzidos pelo trabalho que só costumávamos ver em situações tradicionais, em que os serviços eram cumpridos apenas em função do salário. Agora, a maioria dos trabalhos é uma esteira rolante em que advogados precisam anotar cada minuto do seu tempo, professores têm que lidar com pilhas de papelada e enfermeiros agem no automático para justificar seu emprego. Eu poderia continuar, mas tenho certeza de que você entendeu o recado, que provavelmente é familiar demais para passar batido.

Eles vão me desmascarar

Então, o que dizer daquelas pessoas sortudas de ainda ter os benefícios de um trabalho gratificante? Estão levando a vida numa boa? Hum... nem tanto. Como as carreiras caracterizam-se por oportunidades de progresso, tais como aperfeiçoamento contínuo e promoção, levando a uma melhoria de *status* e de posição social, e normalmente a mais dinheiro, a haste escorregadia da escada da carreira pode criar uma reação específica ao Pequeno T: a Síndrome do Impostor.

Avaliações contínuas (julgamento), competição acirrada e uma hierarquia evidente representam a tormenta perfeita, levando as pessoas a sentir como se não fossem nem ao menos boas o suficiente, com a ansiedade espinhosa de que, com certeza, um dia alguém vai perceber. Sabe aquela pessoa que parece estar no auge, extremamente confiante e incrível em seu trabalho? As chances de que ela tenha dúvidas em relação a si mesma ecoando na cabeça são altas, e o motivo de parecer tão impecável é o medo de que alguém possa descobrir que ela estava improvisando o tempo todo.

Talvez essa pessoa seja você. O segredo aqui é que muitos de nós também se sentem assim; com frequência, o Pequeno T aparece pela falta de percepção desse sentimento, já que a maioria de nós tem muito medo de falar a respeito. Trata-se de um problema tão considerável que dediquei um capítulo inteiro a ele. Se você não tiver a Síndrome do Impostor, é provável que conheça alguém que tenha e está morrendo de medo de ser "descoberto".

Pequenos Ts da vida social

A vida em grupo é tranquilamente uma das origens mais amplas de Pequenos Ts. Há inúmeros aspectos importantes das sociedades modernas – na realidade, não gostaríamos de maneira alguma de voltar algumas centenas de anos, tanto em termos de saúde física quanto psicológica. Mas ainda existem componentes na sociedade moderna que podem resultar em Pequenos Ts. Vivemos, agora, em uma economia global na qual muitos têm conseguido padrões de vida mais elevados; contudo, o outro lado é que, hoje, temos não apenas milhões, mas bilhões de pessoas com os quais nos compararmos. Pode parecer avassalador, sem dúvida. Então, a essa altura, quero lhe garantir que as ferramentas focadas em solução, neste livro, vão nos capacitar a lidar com todas essas causas de Pequenos Ts.

Roda de Esforço

"Vou ser feliz quando..." – quantas vezes esse pensamento pipocou na sua cabeça? Quando você ganhar um pouco mais de dinheiro, quando for promovido(a), quando encontrar a pessoa perfeita, quando tiver filhos... A lista parece não ter fim.

É isso que chamo de a Roda de Esforço. Embora lutemos por todas essas conquistas ou marcos na vida, trabalhando duro e raramente tirando um momento para reflexão, o que estamos fazendo, de fato, é correr numa roda perpétua para hamsters, sem fim e profundamente exaustiva, exceto se dermos um voto de confiança e focarmos no agora, e não no "quando".

Não estou dizendo que os objetivos não sejam importantes. Mas vivemos na ilusão de que podemos ter tudo, bastando, para tanto, trabalhar um pouco mais, ganhar um pouco mais de dinheiro ou nos apaixonar, e que são essas coisas que nos deixarão felizes. Nossas sociedades modernas e consumistas sussurram constante e subliminarmente essa promessa em nossos ouvidos. Não sou a primeira, e com certeza não serei a última, a comentar a natureza destrutiva de tais ambientes em que nosso valor é, com frequência, entrelaçado com riqueza, posse e *status*. E embora talvez não consigamos mudar essa cultura, podemos nos manter atentos ao impacto que ela tem na nossa maneira de pensar, na fé que mantemos em nós mesmos, e como isso pode desencadear o Pequeno T.

Pequenos Ts da vida digital

Já não vivemos meramente no mundo físico; existe todo um mundo digital em que pode ocorrer o Pequeno T. Esse mundo é novo, e como tal parece-se um pouco com uma terra sem lei, com menos regras e consenso sobre o que são formas aceitáveis e o que são formas inaceitáveis de comportamento em relação a outros seres humanos. Desde o surto de desinformação até problemas de segurança em informações pessoais, juntamente com intimidação on-line, trolagem (quando se insulta, persegue ou humilha pessoas no ambiente virtual), assédio, pornografia vingativa e cultura de cancelamento, desenvolvemos todo um novo universo para vivenciar o Pequeno T. É claro que existem inúmeros benefícios nesse avanço tecnológico, mas eu sustentaria que estamos apenas começando a entender alguns dos danos que podemos sofrer nesse mundo virtual. Além disso, saber que o que quer que façamos, inclusive os erros idiotas que todos nós cometemos, pode ser publicado e permanecer on-line para sempre, com pouca chance de ser apagado, mudou a natureza da existência para um modo de ser muito mais intimidador. Nem sei quantas vezes ouvi alguém dizer: "Estou tão feliz por não ter tido redes sociais na minha adolescência!". O fato é que esse é o mundo em que os jovens estão aprendendo a viver.

Seus dentes são tão brancos

O fenômeno a que eu chamo de "dentes inacreditavelmente perfeitos" pode, por si só, levar jovens e adultos a se sentirem profundamente inadequados e, às vezes, irrelevantes. Sim, trata-se das redes sociais, mas não das plataformas individuais em si; antes, tem a ver com a maneira estranha como nós, seres humanos, as usamos como fonte constante de comparação. Estudos mostram que, até quando sabemos que as fotos foram retocadas, filtradas ou mesmo totalmente distorcidas, o impacto emocional em nossa própria autoestima tem exatamente o mesmo significado que teria se pensássemos que aquelas imagens "perfeitas" estavam inalteradas. Iremos mais a fundo nessa tendência no capítulo 6, mas basta dizer que agora existe uma concordância de que esse nosso mundo global, onde podemos nos comparar a inúmeras pessoas que não conhecemos, e provavelmente nunca encontraremos, tem consequências em nossa saúde emocional.

A epidemia da solidão

Embora nunca estivéssemos tão conectados quanto agora, nunca nos sentimos mais sós. A solidão e o isolamento social já estavam em ascensão antes da pandemia do coronavírus, mas a covid-19 levou muitas pessoas à beira de uma crise de saúde mental. Eu já disse e vou repetir: somos criaturas sociais. Assim, embora seja fantástico que tenhamos a tecnologia para ultrapassar o desafio de uma pandemia viral trabalhando em casa, com infindáveis videochamadas e compras por delivery, a falta de contato físico cria, para muitas pessoas, um Pequeno T.

A solidão crônica é tão prejudicial à saúde quanto fumar quinze cigarros por dia. Até a covid-19, esse era um tópico normalmente considerado em termos de pessoas mais maduras, mas, mesmo antes de 2020, vimos pessoas jovens apresentando transtornos associados à solidão. O que é importante distinguir aqui é que a solidão é um sintoma, não a causa do isolamento social. É muito fácil dizer isso com as restrições sociais provocadas pelo coronavírus, mas, antes da covid-19, tínhamos desenvolvido um mundo em que inúmeras pessoas podiam passar dias sem ver ninguém, muito menos ganhar um abraço ou um tapinha nas costas, como apoio.

Voltando às décadas de 1950 e 1960, o psicólogo americano Harry Harlow decidiu separar alguns bebês de macacos rhesus das mães. As fotos são de partir o coração, mas o trabalho foi fundamental para o nosso entendimento da importância de sentir amparo. Em suas jaulas, Harlow deixou ou uma mãe "substituta" de arame ligada a uma fonte alimentícia, ou uma mãe "substituta" coberta com um tecido macio felpudo. Para qual delas você acha que os macaquinhos desamparados foram atraídos? Para a última, ainda que, à época, os cientistas acreditassem que mamíferos filhotes desenvolvessem, fundamentalmente, vínculos com cuidadores que fornecessem alimento. O que Harlow e seus colegas descobriram foi que, para sobreviver, os bebês têm uma necessidade biológica de "conforto tátil" – eles, e nós, precisamos ter algo em que tocar e se agarrar para sentir bem-estar, motivo pelo qual, em se tratando de saúde emocional, uma chamada de vídeo jamais vai dar conta.

Trauma Indireto e a permacrise

Existe um tipo de Pequeno T, conhecido como trauma indireto, que emerge ao se assistir a outros vivendo um Grande T ou acontecimentos graves da vida. Você poderia estar a milhares de quilômetros do sofrimento das pessoas e ainda assim ter uma sensação de dor emocional, principalmente se esses eventos se estenderem por um longo período de tempo, tal como a pandemia de covid-19. O *doomscrolling*, aquele comportamento viciante no qual você é atraído(a) a ler infinitas manchetes de notícias ruins, pode atuar como trauma indireto em nosso mundo alucinado pela mídia, 24 horas por dia, 7 dias por semana.

Também parecemos estar em uma época de permacrise, um estado de contínua perturbação socioeconômica, cultural e política, sem um final previsível. Seja isso realmente verdade, seja apenas nossa percepção do mundo, é bem perceptível, uma vez que, certamente, para muitas pessoas a sensação é de que estamos num momento de crise permanente, levando a um tipo de trauma coletivo. Com acesso tão fácil aos acontecimentos mundiais, não é de se surpreender que tantas pessoas tenham declarado estar sobrecarregadas com intensas preocupações sobre o futuro do nosso planeta, algo conhecido como ecoansiedade. Isso pode afetar a motivação, caso alguém caia em um estado de espírito de um futuro distópico, desanimador, o que acaba conduzindo a uma forma de ecodepressão, que pode impactar não apenas em ações ambientais, mas em todas as áreas da vida da pessoa.[6]

Pequenos Ts e o sistema imune psicológico

Gosto de demonstrar como até alguns dos Pequenos Ts bastante difíceis pelos quais você passou podem ser ressignificados, ao compará-los com o sistema imune físico e aquele ao qual me refiro como o "sistema imune psicológico".

Quando chegamos à vida adulta, nosso sistema imune físico está composto pela imunidade inata com a qual nascemos e pela imunidade adaptativa que adquirimos com o tempo. Nosso sistema imunológico inato está codificado em nossos genes, mas precisa ser ativado e ajustado em resposta a todos os micróbios que nos rodeiam no mundo natural. É por isso que incentivamos as crianças a brincar ao ar livre, interagir com outras crianças e, geralmente, permitimos que peguem algumas tosses, resfriados e micróbios. Esses patógenos acionarão uma reação imune de maneira que, no futuro, tenhamos os anticorpos para combater ameaças maiores. Em essência, nosso sistema imunológico adaptou-se por ter tido que lidar com alguns ataques; ele não seria tão vigoroso se tivesse evitado cada um dos danos à solta.

O sistema imune psicológico funciona exatamente da mesma maneira – todos nós temos um instinto de sobrevivência inato, sob a forma da reação programada ao estresse, desde o nascimento. Mas é uma ferramenta bem rudimentar, e assim, com o tempo, aprendemos outros mecanismos de enfrentamento que nos ajudam a navegar pelas provações e tribulações da vida. No entanto, isso só acontece quando nosso sistema imune psicológico precisa travar uma batalha contra uma ameaça, como receber um "não" quando criança pequena. Para o bebê, pode parecer excruciante e resulta em lágrimas ou birra, mas, quando situada em um ambiente amoroso e acolhedor, essa experiência fortalecerá seu sistema imune psicológico. Depois, no decorrer da vida, os limites são cômodos e respeitados e não se assemelham a ataques, porque conseguimos desenvolver o que chamo de **anticorpos emocionais**. No exemplo acima, de uma criança não conseguir exatamente o que quer e quando quer, o patógeno psicológico de um limite acontece em um ambiente seguro e protegido, e é isso que faz a diferença entre os Pequenos Ts que ferem e os Pequenos Ts que podem nos ajudar ao longo da vida. Também é por esse motivo que algumas pessoas parecem mais bem preparadas para lidar com os acontecimentos importantes com que nos deparamos.

Nenhum de nós passa pela vida incólume, mas sempre parece haver algumas pessoas que conseguem resistir a qualquer tempestade; pessoas às quais inevitavelmente se pergunta "Como você aguentou?" quando suportaram algo que parece intolerável. Inúmeros artigos em revistas, autobiografias e histórias de vida na televisão contam-nos sobre pessoas que enfrentaram traumas indescritíveis e, de algum modo, conseguiram se libertar sem desmoronar completamente. Quando você olha com um pouco mais de atenção para esses relatos extremamente pessoais, não são apenas aqueles que vivenciaram traumas graves que emergem com uma perspectiva estoica e fundamentada, mas também aqueles que, ao longo da vida, vivenciaram numerosos arranhões e hematomas psicológicos; menores, mas não insignificantes. Portanto, para essas pessoas, suas experiências de Pequenos Ts agiram como anticorpos emocionais, protegendo-as quando elas passaram por acontecimentos graves.

Um Pequeno T pode funcionar como uma "vacina" contra trauma emocional?

Para vírus e patógenos sérios, tais como sarampo, caxumba e rubéola, imunizamos as crianças com uma vacina que reproduz a infecção viral. É assim que a vacina funciona: recebemos uma pequena dose de patógeno para que nosso sistema imune promova uma resposta e desenvolva anticorpos, isto é, crie um pouco de força imunológica. Os anticorpos são nosso pequenino exército interior, que se lembra de cada agente patogênico e, crucialmente, desenvolve uma estratégia para vencê-lo quando se depara novamente com a ameaça.

Da mesma maneira, pequenas "doses" de experiências desafiadoras ou provações na vida podem agir como vacinas emocionais, oferecendo-nos importantes estratégias de enfrentamento que ajudarão a lidar com acontecimentos mais significativos no futuro. É por isso que sinto ser tão importante investigar o Pequeno T, já que vacinas emocionais deveriam vir em pequenos frascos, exatamente como a vacina fisiológica imita o vírus, em vez de nos causar uma infecção generalizada.

Frequentemente, nós nos censuramos por "falhas", transgressões e rejeições, mas, ao aprender a ver essas contravenções como necessárias para a formação de uma imunidade psicológica, podemos abrir mão de sentimentos negativos em relação a nós mesmos. Ao visualizar os eventos negativos como vacinas emocionais, é possível extrair algo positivo de experiências difíceis e estimular nossos anticorpos emocionais.

Algumas pessoas chamam isso de "dar a volta por cima" depois que algo ruim acontece – como se os seres humanos fossem bumerangues. Às vezes, isso é citado como "resiliência", mas o conceito de resiliência não está simplesmente ligado a "dar a volta por cima"; construir um sistema imune psicológico forte e resiliente é ter habilidades desenvolvidas e personalizadas de enfrentamento que nos ajudam a lidar com futuras dificuldades. A certa altura da vida, é inevitável que enfrentaremos desafios, perderemos alguém que amamos, talvez um relacionamento desmoronará ou se tornará redundante – então, para encarar essas tempestades, podemos começar a descobrir nossos Pequenos Ts desde já e passar a ficar atentos a esses pontos críticos ímpares e aos gatilhos, por meio da fase de Conscientização da Abordagem CAA, transformando essas agressões em nossos próprios anticorpos emocionais.

Uma observação sobre aceitação: não é resignação

Ao seguir em frente com a Abordagem CAA, pode ser útil reconhecer as diferenças entre aceitação e resignação. Muitas pessoas contestaram a segunda fase do meu método como uma forma de vitimização, em que a pessoa teria que sorrir passivamente e suportar os desafios; ou mesmo como um tipo de desistência perante as dificuldades da vida. Mas não é disso que trata a aceitação. A aceitação significa seguir a jornada com a mente aberta, com a disposição para vivenciar todos os altos e baixos, o melhor e o pior, com a confiança de que é possível lidar com as adversidades e genuinamente encontrar alegria ao final do percurso. Aceitação, portanto, não é o mesmo que resignação. Eis alguns exemplos das diferenças:

Resignação	Aceitação
Rigidez psicológica	Flexibilidade psicológica
Sentir-se impotente e paralisado(a)	Sentir-se empoderado(a) para agir
Autojulgamento e recriminação	Cultivar uma sensação profunda de autocompaixão
Mentalidade de escassez	Mentalidade de abundância
Desistir e/ou ceder	Recalibrar para assumir uma ação positiva
Tolerar dificuldades	Aprender com as dificuldades
Aguentar firme	Aperfeiçoar-se profissionalmente
Aversão a mudanças	Aberturas para mudanças
Resistência	Reconhecimento
Ser conduzido(a) por julgamentos	Ser conduzido(a) por valores

Ao desenvolver a fase central da Abordagem CAA e aceitar as diversas experiências de vida, podemos usar proativamente o

Pequeno T para criar um sistema imune psicológico forte e sólido para nosso eu futuro.

E por que exatamente tudo isso importa?

Eu diria que é uma pessoa de muita sorte quem não vivenciou as Temáticas de Pequeno T que discutiremos nos próximos capítulos: problemas como perfeccionismo e procrastinação, dificuldade para encontrar o "amor verdadeiro", frustrações sobre a própria natureza de ser, insônia, fome emocional e depressão. São obstáculos bem universais no curso da vida, que jamais esteve destinada a funcionar com perfeição. Isso é importante porque apenas quando entendermos nossa própria constelação diferenciada de Pequenos Ts e como eles nos impactaram é que poderemos tomar providências para virar a página e escrever nossa própria história. Em outras palavras, podemos usar a Abordagem CAA e sair da Conscientização para a Ação por meio de um profundo senso de Aceitação (esse é o tempero mágico!).

Afinal de contas, cabe a nós lidar com os Pequenos Ts. Os exemplos neste capítulo não pretendem impor acusações de culpa ou vitimização; o que acontece é que, só quando nos conscientizarmos de nossos impulsos emocionais e cognitivos, conseguiremos fazer mudanças reais em nossas crenças, padrões de pensamento e de comportamento – o que, garanto a você, conduzirá a uma vida menos controlada por ansiedades, inseguranças e sintomas depressivos de baixo grau.

Certa vez, um cliente me disse: "Posso me sentir deprimido, mas não significa que tenha depressão". O Pequeno T é exatamente isso. Mas não existe muita ajuda disponível para esse tipo predominante de esforço interno obscuro, que tira a alegria da vida. Então, depende de nós enfrentar o Pequeno T e sair dessa batalha com um sólido sistema imune psicológico.

Vamos começar?

Sente-se, sinta-se confortável. Está à vontade? Caso contrário, mude de posição, vista meias macias ou qualquer outra coisa que faça com que você se sinta seguro(a) e protegido(a) e explore a pergunta-chave do Pequeno T:

Pense em um acontecimento ou experiência que tenha impactado ou mudado você de uma maneira importante, mas que achou que não fosse sério o bastante para mencionar.

Tente não dar uma resposta precipitada; seja paciente e deixe a imagem vir até você. O que essa introspecção lhe traz? Fique com isso em mente enquanto continua a leitura, e sua importância começará a aflorar da névoa densa do seu conjunto de lembranças.

Pode ser de grande valia anotar essas reflexões. Sabemos, por inúmeras pesquisas, que a escrita emocional e o ato de se escrever um diário podem funcionar como uma forma de terapia, então, em cada capítulo haverá mais indicações de entradas para um diário. Rever como nos sentíamos e as crenças que tínhamos antes de começar qualquer prática terapêutica também pode ajudar no processo. Mas, se preferir apenas pensar nas questões sugeridas como entradas para o diário, também é bom. Não se apresse.

Uma observação: se algo neste livro trouxer um incômodo, permaneça por um tempo nessa sensação. É importante, até mesmo vital, uma vez que esse desconforto é seu guia interno tentando lhe dar direções. Com imensa frequência ignoramos ou abafamos essas mensagens com os ruídos da vida, como o "excesso de atividades", a distração ou o foco em outras necessidades, mas fazemos isso por nossa conta e risco. Não ignoraríamos o GPS ao tentar chegar a certo endereço. Acontece o mesmo com essa jornada, então, precisamos escutar e seguir, quando possível, a vozinha de nosso GPS interior, especialmente quando disser: "Recalculando a rota". Assim, antes mesmo de iniciarmos o percurso, saiba que você pode dar uma parada sempre que precisar, e, se sua mente e seu corpo estiverem gritando para que você fuja, tente o exercício de respiração a seguir para voltar ao banco do motorista.

Uma vez que estejamos à vontade nesse assento, podemos ir ao cerne do motivo que está nos impedindo de ser bem-sucedido(a) ao entender as temáticas comuns de Pequeno T, expostas no restante deste livro. Usaremos a Abordagem de **Conscientização**, **Aceitação** e **Ação** (CAA), um método focado em soluções, de modo que você sairá com mais material do que apenas algo sobre o que conversar na sala do café. Isso mudará genuinamente sua perspectiva e sua vida.

Exercício de respiração para lidar com sensações desagradáveis

Esse é um dos exercícios mais simples, contudo, mais eficazes que eu uso. Com o tempo, tendemos a adquirir o hábito de respirar pelo peito quando estressados. Verifique em você mesmo(a), colocando uma das mãos na parte superior do peito e a outra na barriga. Qual delas está subindo e descendo? Se for a que você colocou no peito, seu corpo está num estado de estresse, o que não é nada surpreendente, já que começamos a explorar os Pequenos Ts. Mas podemos lidar com isso ativando o sistema nervoso parassimpático através da respiração pelo diafragma.

☑ Em primeiro lugar, localize seu diafragma: leve a mão até a barriga, de modo que seu dedo mindinho fique diretamente posicionado acima do umbigo. Agora, seus músculos do diafragma devem estar sob a palma da mão.

☑ Mantenha a outra mão sobre o peito.

☑ Inspire lenta e regularmente pelo nariz e conte até três, fazendo a respiração descer em direção ao seu cóccix.

☑ Agora expire lenta e regularmente contando até quatro, enquanto repete a palavra "calma" em sua mente.

☑ A cada inspiração, sinta a respiração expandir sua barriga.

☑ A cada expiração, sinta seu estômago voltar-se para dentro.

☑ Agora, a mão sobre o seu peito deve estar imóvel.

Uma boa dica é olhar como os bebês respiram – antes de vivenciarem os Pequenos Ts, de tentarem se enfiar em uma calça jeans um número menor ou mesmo de se darem conta de coisas tão infernais, os bebês respiram naturalmente pelo diafragma. É glorioso ver suas barrigas gorduchas expandindo-se e recuando – podemos aprender um montão de coisas com os bebês!

PARA PENSAR

Os Pequenos Traumas podem resultar de muitas áreas da vida e agir como fogo lento em nossa saúde emocional. No entanto, quando percebemos como esses pequenos cortes e arranhões mentais nos afetaram e entendemos o impacto cumulativo de uma vida repleta de Pequenos Ts pendentes, podemos usar essas experiências para criar um sólido sistema imune psicológico por meio da Abordagem CAA. Essa forma de treinamento de força emocional cria resiliência, o que nos ajuda a lidar com problemas mais graves, aqueles que todos nós vivenciamos a certa altura da vida.

CAPÍTULO 2

E NUNCA FORAM FELIZES PARA SEMPRE...

Neste capítulo, exploraremos:

- Definições de felicidade
- Manipulação médica
- Positividade tóxica
- Adaptação hedônica
- Como o entendimento dos Sete Fatores pode ajudar você a criar uma satisfação duradoura

Quando olhamos nossos amigos, nossos conhecidos e cada pessoa nas redes sociais, pode parecer que todos estão vivendo o auge das suas vidas. Rostos sorridentes, despreocupados, surgindo em cada esquina digital, parecendo ter essa coisa de "felicidade" resolvida. Então, quero lhe perguntar: você está feliz? Parece ser uma pergunta simples, mas a resposta pode estar longe de ser objetiva. E isso, é claro, tem muito a ver com nossa coleção específica de Pequenos Ts. Para desvendar essa imagem reversa do conto de fadas, comecemos com uma história:

Anna era inteligente, acolhedora e, pelo que diziam, quando as pessoas olhavam para ela sorriam um pouco por dentro. Era animada, prestativa, simpática com todos. Na verdade, era uma dessas pessoas a quem todos nós nos atraímos, uma vez que de suas faces rosadas irradiava positividade. Nunca falava mal de ninguém, então, aparentemente, parecia ser feliz.

No entanto, ali estava ela, sentada nas cadeiras ligeiramente rijas da minha sala, sendo tão educada quanto humanamente possível. Anna me explicou que tinha um trabalho "brilhante, incrível, fantástico" em uma empresa de relações públicas e marketing 360 graus com o "grupo mais maravilhoso de pessoas", uma turma unida de amigos da escola e da universidade e uma família incondicionalmente solidária. Pelo menos uma vez por mês, visitava os pais no interior e fazia uma chamada telefônica semanal de seu apartamento compartilhado na cidade. Sentia-se amada e cuidada.

Mas quando apresentei a Anna essas três palavras aparentemente inócuas, "Você é feliz?", seus olhos velaram-se e um traço de dor começou a se espalhar como uma erupção em sua pele delicadamente sardenta.

Anna abaixou os olhos para as mãos retorcidas e respondeu baixinho: "Não sei". Foi em frente, dizendo que "deveria" ser feliz, queria ser feliz, mas simplesmente não se sentia feliz. E era por isso que tinha me procurado, já que a profunda falta de felicidade estava torturando-a até as entranhas, e não conseguia entender isso.

À primeira vista, o caso de Anna pareceu bem desconcertante. Em sua história, não havia nenhum acontecimento traumático de Grande T que fosse óbvio, e, mesmo ao explorar os Pequenos Ts, ela insistiu em que não havia coisa alguma. Afirmou com veemência que sua infância fora perfeita, que nada lhe faltou e não podia jogar a culpa nos pais. Mas nisso está o surgimento de uma pista para os Pequenos Ts de Anna.

A filosofia da felicidade

Embora o estudo da felicidade seja um acréscimo relativamente recente à teoria e pesquisa psicológicas, em filosofia os grandes nomes andaram explorando essa emoção por algum tempo e esmiuçando as diversas formas de bom humor.

Em filosofia, o *hedonismo* é a busca da felicidade e do prazer, no qual se sentir feliz, animado(a) e relaxado(a) o máximo de tempo possível é o objetivo fundamental da vida. Isso contrasta com o *eudaimonismo*, que discorre que o objetivo da vida tem mais a ver com autorrealização, em que lutamos para conseguir nossa ambição pessoal e desenvolver nosso potencial singular ao mais alto grau. Portanto, o hedonismo baseia-se em um sentimento positivo de prazer *no momento*, enquanto o eudaimonismo tem mais a ver com encontrar um significado e um propósito.

Embora sempre se ache quem defenda um ou outro lado, psicólogos mais positivos, incluindo eu mesma, concordam que precisamos dos dois para realmente florescer na vida.

Abordagem CAA: Conscientização

Em seguida, perguntei a Anna qual era a sua ideia de felicidade. "Quando se é feliz, a gente simplesmente sabe, não é?", foi sua resposta. Mas essa resposta foi muito mais uma pergunta, uma vez que sua voz tremeu um tantinho ao dizer isso, motivo pelo qual era bom começar sua jornada CAA explorando a noção de felicidade.

Afinal, o que é felicidade?

Por um bom tempo, em psicologia, não estudávamos felicidade de maneira alguma. Assim como eram ignorados os efeitos menos severos, ainda que esgotantes, em saúde mental (descritos neste livro), as emoções e os estados positivos não recebiam muita atenção como campo de pesquisa e prática profissional na primeira fase da psicologia. Na verdade, foi somente com o desenvolvimento da psicologia positiva, no final da década de 1990, pelo psicólogo Martin Seligman, que começamos a tentar entender conceitos tais como felicidade. O próprio Martin Seligman iniciou sua carreira investigando o desamparo aprendido, traço característico da depressão, e eu me lembro de ter ficado muito surpresa, à época, por ele ter dado meia-volta e ser, então, o principal proponente desse novo suposto "movimento positivo" em psicologia.

Mas, na verdade, fez total sentido. O Dr. Seligman disse que seu trabalho, até aquele ponto concentrado no "material realmente ruim",[7] o havia posicionado perfeitamente para começar a investigar a peça que faltava no quebra-cabeça da saúde mental – a saber, a positiva. Em sua famosa fala inaugural como presidente da Associação Americana de Psicologia, ele observou aos presentes que a psicologia havia se afastado demais de seu propósito original, que é o de melhorar a vida das pessoas, e se fixado no "ruim" em vez de focar igualmente no "bom".

E isso era parte da confusão vivida por Anna – ela tinha se sentido indigna de ajuda por não haver nada de obviamente ruim, como Seligman colocou. Ela não achava que tinha uma doença mental específica (com o que eu concordaria totalmente) e, quando pesquisava na internet ou buscava informação nos serviços de saúde e assistenciais, só encontrava problemas sérios de saúde mental. Isso acontece porque, sem dúvida, como Seligman destacou, passamos a ficar muito focados em "curar" doenças mentais, não havendo mesmo reflexões sobre as sutilezas dentro da experiência de vida humana. Até pouco tempo atrás, nós simplesmente não estudávamos a felicidade.

Mas a felicidade não é só um sentimento?

Os primeiros estudiosos da psicologia positiva referiam-se à felicidade como um "bem-estar subjetivo", que era simplesmente a presença, frequência e intensidade de emoções agradáveis (ou seja, alegria, serenidade, orgulho, admiração, amor, entre outras, coletivamente conhecidas como "afeto positivo"), a relativa ausência de emoções desagradáveis ou de "afeto negativo" (por exemplo, tristeza, raiva, frustração, ciúme), e um sentimento geral de satisfação com a vida. Contudo, a satisfação com a vida é mais do que um sentimento; é uma avaliação mental do quanto uma pessoa se sente contente e, como todas as avaliações e percepções, pode ser afetada por nossa situação presente, pelo ambiente, por experiências passadas e muito mais. Tanto o afeto positivo quanto o negativo também são influenciados por muitos fatores, inclusive características fisiológicas e comportamentais, tais como fome, sede, qualidade do sono, inúmeras condições!

O que nos deixa felizes? Os Sete Fatores

Com a expansão do campo da psicologia positiva, foram sendo realizados mais e mais estudos para entender exatamente o que nos deixa felizes. Estava se tornando claro que a felicidade era mais do que apenas uma sensação, então o foco passou a ser por que algumas pessoas tinham isso, e outras não, e por que isso era tão importante.

Sugeriu-se existirem sete fatores centrais para a felicidade: família e relacionamentos íntimos (tidos como o fator mais importante para a felicidade); situação financeira; trabalho (separado de finanças, uma vez que ele contribui para o autorrespeito e a autoestima); comunidade e amigos; saúde; liberdade pessoal; e valores pessoais.[8] No entanto, não basta a presença desses sete fatores em sua vida, mas o quanto eles são pessoalmente importantes para você. Essa conceituação de felicidade é frequentemente útil por mostrar o que contribui para a felicidade, e, de fato, o que podemos fazer para nos sentirmos mais felizes.

Assim sendo, para ajudar a desfazer uma sensação de confusão ou insatisfação na vida atual de alguém, gosto de começar com esse simples exercício de verificação para aumentar a Conscientização nessa fase da Abordagem CAA. Você também pode tentá-lo, se andou buscando seu pote de ouro da felicidade no fim de um arco-íris.

Exercício: avaliação de vida

Cada um dos itens a seguir é uma área da vida que você pode ou não sentir que esteja particularmente satisfatória no momento. Para cada uma, dê uma classificação de 0 a 10, com a pontuação mais alta refletindo uma área em que você se sinta especialmente realizado(a), ou próximo de zero, se for um campo que pareça bem carente. Lembre-se, não existe qualquer julgamento aqui, então reserve um bom tempo para pensar em cada categoria, em termos de como ela lhe parece neste momento:

- Relacionamento amoroso
- Valores pessoais
- Lazer e hobbies
- Liberdade pessoal
- Carreira
- Dinheiro ou segurança financeira
- Saúde
- Amigos e família

Agora, dê uma olhada na sua pontuação. Alguma coisa salta à vista? Alguma surpresa? Olhe para suas duas pontuações maiores e para as duas menores. Anote-as e pergunte a si mesmo(a) por que as classificou dessa forma. Passe alguns minutos nisso, não precisa responder depressa. Deixe que a resposta seja sincera.

Para Anna, a pontuação mais alta foi para amigos/família e valores pessoais, e o motivo de ela ter dado essas notas ecoavam naquilo que me contara em nossa primeira sessão. É claro que essa descoberta foi importante, mas não tão reveladora quanto as pontuações mais baixas, que foram saúde e liberdade pessoal. Esta última, Anna pareceu relutante, quase envergonhada, de admitir.

Isso, sem dúvida, tocou alguma coisa nela. Quando nosso primeiro passo foi sondar por que a categoria "saúde" tinha sido avaliada de maneira tão insatisfatória, seus Pequenos Ts começaram a aflorar.

Trabalhando com Anna, descobrimos que ela tinha concentrado quase que totalmente o seu tempo no trabalho e na família, por serem fundamentais para seus valores pessoais, mas começava a ficar claro que estava achando difícil equilibrar essas áreas da sua vida. Ao explorar a Avaliação de Vida de Anna, a fim de cavar um pouco mais fundo em seus Pequenos Ts, uma experiência esclarecedora veio à luz. Quando era uma jovem adolescente, ela passou por um período prolongado em que sua saúde esteve comprometida. Cada médico que ela consultava a iludia, enquanto inúmeros exames de sangue e outros testes davam negativo; chegou ao ponto que ela se questionou se estaria realmente doente, e acabou pensando que deveria ser tudo coisa da sua cabeça (veja o quadro sobre manipulação médica nas páginas 54-55). Anna faltou um bom tempo às aulas e começou a sentir que estava ficando para trás não apenas nos deveres escolares, mas na vida. Recuperou-se gradualmente, mas ficou com uma sensação de nunca conseguir acompanhar muito bem, mesmo quando objetivamente estava no mesmo nível dos colegas.

Alguma vez você já teve aqueles sonhos em que parece não alcançar alguma coisa, talvez um ônibus, ou um trem, e grita para ele "PARE! Volte, é o meu trajeto!", enquanto corre, corre, corre desesperado(a), mas no fundo sabe que o perdeu para sempre? Anna teve aquela mesma sensação nauseante, como o "sonho do ônibus se afastando em alta velocidade", que parecia ser dela, não importa o que fizesse, quantos prêmios e promoções ganhasse, ou metas que alcançasse (mais sobre isso no capítulo 10). Seus pais foram solidários, embora estivessem desesperadamente preocupados, e diziam para ela que estava tudo bem, só queriam que ela fosse feliz.

Quando a saúde de Anna começou a se recuperar no final da sua adolescência, ela dedicou todos os seus esforços à tentativa de ser a pessoa que era antes de ficar doente, a menina feliz e descontraída, de modo a poder, finalmente, corresponder às esperanças de seus pais amorosos, pacientes e devotados. O problema é que ninguém nos diz, realmente, como ser feliz; não é algo ensinado na escola, não existem Aulas de Felicidade, deduz-se que todos saibam como ser feliz. Assim, na mente jovem de Anna, voltar a seu sonho de adolescência de uma carreira criativa pareceu ser a melhor maneira de obter essa conquista.

Era por isso que em suas visitas mensais a seus pais amorosos, uma nuvem sombria pairava sobre seu coração. Sabia que os estava decepcionando diariamente por não se sentir feliz a maior parte do tempo, e agora mentia para eles quando lhes contava, animada, sobre as vantagens de sua vida fabulosa. O tempo todo, eles lhe diziam que queriam que ela fosse feliz, e essa era a única coisa que ela não conseguia compreender, por mais que tentasse.

Ali estávamos nós, no presente, em que Anna sentia ter alcançado o que fantasiara durante todos aqueles meses em que esteve doente, de cama, mas não apenas se sentia insatisfeita como, no fundo, sabia que estivera colocando sua saúde em risco. Negligenciara algumas áreas importantes da vida em busca da eterna felicidade, e como isso agora começava a afetar a sua saúde, estava essencialmente de volta ao ponto de partida da época mais difícil da sua vida, quando não se sentia bem e não conseguia encontrar respostas.

Na mente de Anna, ela sentia que estava decepcionando as próprias pessoas que a haviam apoiado durante seus dias mais pesados, tanto em termos de felicidade quanto de capacidade em se manter saudável. Contudo, nesse estágio da Conscientização, era importante não maquiar a experiência de Anna com problemas de saúde; em particular, como as dificuldades para se chegar a um diagnóstico podem ter atuado como parte de sua Temática de Felizes Nunca para Sempre de Pequeno T.

Pequeno T em foco: manipulação médica

O termo "manipulação" denota quando alguém o(a) debilita a tal ponto que você começa a questionar suas crenças, experiências, e até a própria compreensão da realidade. A manipulação é mais comumente citada em relacionamentos íntimos, e é um tipo de controle coercitivo. No pior dos casos, é uma forma de abuso psicológico, mas existem formas mais sutis de manipulação em outras situações, tais como nos cuidados de saúde. Quando um médico não escuta um paciente e seus sintomas, e "psicologiza" um conjunto de sinais e sintomas médicos, isso pode ser uma espécie de manipulação. Esse é um fenômeno muito mais frequente para mulheres, e é um dos motivos pelos quais muitas condições que só afetam a elas, ou predominantemente a elas, levarem um período inaceitável de tempo e esforço para serem diagnosticadas. Por exemplo, em média, leva-se de quatro a onze anos para as mulheres serem diagnosticadas com o distúrbio ginecológico da endometriose, e durante esse tempo a dor debilitante e outros sintomas podem causar prejuízos na vida delas e de suas famílias, inclusive problemas irreversíveis de infertilidade.[9] Mesmo quando homens e mulheres apresentam os mesmos sintomas, as mulheres tendem a ser menos acreditadas e precisam esperar mais tempo para um tratamento devido à discriminação de gênero.[10] A manipulação médica é, portanto, ainda mais insidiosa por poder levar pessoas a sofrerem em silêncio e deixar de procurar ajuda para condições tratáveis.

Aqui começamos a entender como uma constelação de Pequenos Ts pode, lentamente, crescer com o tempo e por que pode ser tão difícil apontar sentimentos de insatisfação com a vida – ou infelicidade.

No caso de Anna, uma revelação surpreendente veio à tona – sua experiência com manipulação médica não apenas afetara sua confiança no conhecimento do seu corpo, como a falta de convicção se espraiara e também danificara outras áreas da sua vida. Como sempre acontece com Pequenos Ts, Anna não achava que suas experiências eram graves o bastante para merecer atenção, mas seu empenho em conseguir um diagnóstico havia feito com que sentisse que a doença era culpa sua. Esforçou-se muito para esconder sua sensação de vergonha com uma imagem de felicidade por meio de uma carreira criativa, fantástica, brilhante, que começava a perder o brilho por ser positivamente tóxica.

Pequeno T em foco: positividade tóxica

A positividade tóxica é a crença de que, independentemente da situação, devemos ter uma mentalidade positiva e otimista. Exemplos diários disso são quando, não importa o que você esteja passando, as pessoas dizem "pense positivo", "mantenha a cabeça erguida", "olhe o lado bom". Embora saibamos que existam benefícios à saúde resultantes da felicidade e de outros estados positivos, tais como otimismo, fazer os outros, ou a nós mesmos, ter uma sensação de vergonha por compartilhar experiências verdadeiramente difíceis é nocivo à saúde mental.

No entanto, a positividade tóxica, com frequência, não tem intenção maldosa; muitos de nós simplesmente não sabem como confortar e apoiar quem passa por momentos desafiadores. Achamos que ajuda a reafirmar a nossos entes queridos que amanhã tudo estará melhor, mas isso pode fazer com que a pessoa se sinta isolada e invisível. Assim como pode ser incrivelmente difícil, embora absolutamente necessário, encarar sentimentos desafiadores, o mesmo acontece ao vermos alguém de quem gostamos num estado de sofrimento emocional.

Mas a resposta não é colocar de lado o sofrimento e a tristeza. A positividade tóxica é danosa, uma vez que não permite que as pessoas processem a experiência vivida e assim estabilizem suas emoções. Na melhor das hipóteses, a positividade tóxica pode fazer alguém se sentir um tanto confuso, às vezes traduzindo-se em irritação, sem saber muito bem de onde veio essa irritabilidade. Na pior das hipóteses, resultará em uma pessoa cautelosa demais ou com muito medo de falar honesta e abertamente sobre seus sentimentos e experiências, por temer a vergonha. Isso pode vir acompanhado por sentimentos de ansiedade e uma sensação de isolamento, e ser, por si só, uma forma de Pequeno T.

Assim, na próxima vez em que alguém começar a lhe contar sobre uma experiência ou sentimento difícil, em vez de dizer "Ah, amanhã você vai se sentir melhor", ouça, apenas ouça. Não precisamos dar conselhos ou pensar em coisas para dizer para que alguém se sinta melhor; só precisamos escutar de verdade o que a pessoa está dizendo. Perdemos um pouco a capacidade de escutar, então talvez precise de prática. Quando estiver com um amigo, ou com uma pessoa amada, que esteja se abrindo para você, é possível que perceba a sua mente disparando à frente, pensando e formulando uma resposta. Se isso acontecer, cutuque com delicadeza a sua mente para voltar à conversa e esteja presente com seu ente querido. Isso ajudará muito mais do que qualquer orientação bem-intencionada, mas mal concebida, sobre a importância de um pensamento positivo.

Abordagem CAA: Aceitação

Agora que estamos a caminho de ligar os pontos entre Pequenos Ts e do motivo de precisarmos priorizar certas áreas da vida à custa de outras, é comum ver pessoas passando a ficar mais calmas e menos frenéticas; já não existe uma necessidade de fixar uma máscara de felicidade o tempo todo, uma vez que a compreensão do nosso mundo emocional aumenta. Esse é um bom momento para começar a próxima fase da Abordagem – Aceitação – para acolher essa conscientização recém-descoberta.

Exercício: planejamento de vida

Em meu trabalho com a Abordagem CAA, dou um valor maior às técnicas visuais mais simples do que a qualquer outra coisa. Essa é uma maneira incrivelmente fácil de se chegar a um acordo com as forças contrárias na vida, tramando-as umas contra as outras.

Comece pegando a área de pontuação mais baixa e a mais alta da sua Avaliação de Vida – para Anna, foram trabalho e saúde – e delineie o estado corrente dessas áreas como um ponto que se encontre dentro dos eixos X e Y. Para Anna, seu volume de trabalho era de pontuação alta, e a de saúde, baixa, representado pelo triângulo no gráfico. Tente usar um gráfico vazio, de modo a poder ver a relação entre saúde e trabalho, ou volume de trabalho, por exemplo. Como todos os exercícios neste livro, ele exige certa honestidade e abertura, mas, como você pode ver a seguir, Anna conseguiu ser sincera sobre como, quando seu volume de trabalho estava no auge, sua saúde começou a baquear.

Em seguida, tente mover o ponto da trama e veja o que acontece com a relação entre essas áreas de vida – aqui, quando Anna diminuiu sua carga de trabalho, percebeu que sua saúde provavelmente melhoraria –, demonstrado pelo cruzamento no gráfico. Por fim, Anna relembrou sua experiência passada, quando seu volume de trabalho era muito menor, e foi durante esses períodos que sua saúde esteve em seu melhor (a estrela no gráfico).

Faça uma tentativa e trace alguns pontos para ver como a mudança no total da área de vida de alguém impacta na outra. Anna encontrou uma clara correlação linear (linha reta) entre a carga de trabalho e sua saúde, mas para muitas pessoas a relação poderia parecer uma curva no formato de U, em que há um ponto suave entre duas áreas diferentes da vida. Em outras palavras, não se preocupe se seu gráfico for diferente desse exemplo, uma vez que, nessa fase, estamos caminhando para a Aceitação.

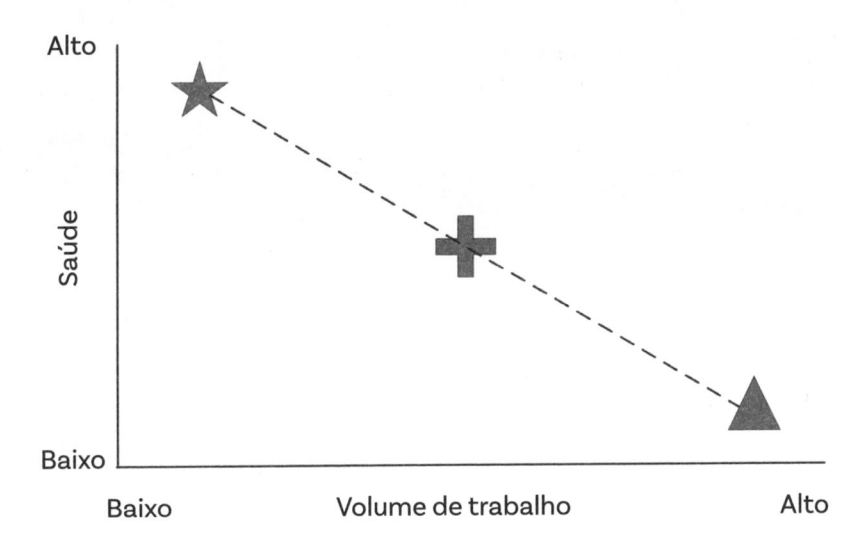

Figura 2.1: Trama de vida

Agora, Anna começava a aceitar duas constatações difíceis: (1) de que apenas focar na carreira de seus sonhos estava pondo em risco a sua saúde e (2) talvez o objetivo de ser feliz, por si só, não fosse tudo aquilo que esperava.

O que você descobriu na sua trama de vida? Uma área está tomando precedência sobre outra, em detrimento da sua qualidade geral de vida? Uma das minhas clientes, Cleo, achou esse exercício estimulante por demonstrar que ela havia aplicado a maior parte do seu tempo, da sua energia e dos seus recursos à sua família, e agora que os filhos já não precisavam tanto dela, descobriu que havia outras áreas carentes em sua vida. Por nada no mundo ela teria mudado a forma de lidar com a maternidade, mas foi difícil aceitar que, no corre-corre da criação dos filhos, ela havia se perdido um pouco de si mesma. Esse trabalho emocional e psicológico pode ser difícil, bastante difícil, então tire um instante para o exercício de respiração do capítulo 1, se alguma dessas técnicas que exploramos lhe for particularmente complicada.

O problema em apenas querer ser feliz

Trata-se de uma frase universal – "Só quero que você seja feliz" – e parece ser não apenas inócua, mas afetiva, cuidadosa e solidária.

No entanto, essa afirmação pode ser um dos sentimentos mais prejudiciais dos tempos modernos. Embora algumas pessoas talvez ficassem horrorizadas por eu dizer isso, existe um problema fundamental em simplesmente querer que outra pessoa, ou nós mesmos, seja feliz. É como dizer para uma criança: "Quero que você capture uma borboleta linda e deslumbrante, coloque-a em um vidro, e fique com ela para sempre".

Embora as borboletas de fato existam (não estamos falando de espécies raras aqui, apenas dos insetos comuns, com asas) e seja possível capturar uma e guardá-la em um frasco, ela não viveria por muito tempo. Então, mais uma vez, você ficaria sem a borboleta, enquanto seus entes queridos continuam lhe dizendo que a melhor coisa no mundo é ter uma borboleta.

Portanto, tentar apenas ser feliz o tempo todo pode se transformar em uma forma de Pequeno T, já que prepara a pessoa para uma vida inteira na qual não se sentirá suficientemente bem. Se tudo o que seus pais sempre quiseram para você foi algo que você nunca pareceu conseguir ter em mãos, então você deve ser um fracasso total e absoluto, certo?

Bom, não, e é por isso que é tão importante entender como a felicidade funciona.

Na esteira do hedonismo

A teoria da adaptação hedônica[11] tem a ver com tentar capturar aquela borboleta. Algumas pessoas descrevem-na como perseguir o arco-íris, mas não é bem isso, porque na adaptação hedônica é possível vivenciar a felicidade, ou seja, capturar a borboleta, enquanto que se você estiver indo atrás do arco-íris, nunca vai conseguir ter em mãos aquela ilusão colorida. A felicidade não é uma ilusão, é uma experiência verdadeira, mas o princípio da adaptação hedônica postula que sempre voltaremos a nosso nível básico de felicidade após um breve surto de prazer. Além disso, ficamos um tanto acostumados com a sensação de felicidade quando ela provém da mesma origem, e então, com o tempo, ela acaba se desgastando.

Existem alguns estudos surpreendentes que se voltaram para isso, inclusive para o que acontece com o nível de felicidade das pessoas tanto após acontecimentos incrivelmente felizes quanto após acontecimentos que restringem a vida. Um ano após ganhar na loteria, os vencedores estão, em média, apenas ligeiramente mais satisfeitos com sua vida do que estavam antes de terem tirado a sorte grande. Às vezes, estão mesmo mais infelizes e dizem que gostariam de não ter ganhado o dinheiro. No reverso da moeda, pessoas que se envolveram em acidentes que modificaram sua vida, tornando-as paraplégicas ou tetraplégicas, declaram apenas ligeiros níveis mais baixos de felicidade do que seus pares.[12]

Isso também ilustra outro segredo sobre a felicidade: tendemos a superestimar nossos sentimentos em relação a supostos eventos ou mudanças de vida favoráveis *e* desfavoráveis. Conhecido como viés de impacto, coisas que acreditamos que nos farão sentir eufóricos realmente provocam felicidade, mas não tanto, nem por tanto tempo como pensávamos. De modo semelhante, aquelas circunstâncias que tememos podem não ser tão devastadoras quanto imaginávamos. Mas existe outro segredo que quero compartilhar com você...

Não fomos feitos para estar felizes o tempo todo

Tire um minuto e absorva isso: *Não fomos feitos para estar constantemente felizes.*

Mas com certeza é para estarmos felizes, certo? Se não, qual é a razão de existir? Mesmo sendo entediante, a ideia é, de fato, sobrevivermos tempo suficiente para nos reproduzirmos e mantermos a existência da raça humana. À primeira vista, esse pensamento pode parecer bem derrotista, mas na verdade acho que é libertador. Porque depois que você abre mão do desejo de ser feliz o tempo todo, pode começar a viver uma existência autêntica e presente. Com isso, é possível criar uma vida em que uma satisfação profunda e calma seja sua norma, e não os altos e baixos da adaptação hedônica.

A vaca leiteira da felicidade

A indústria global do bem-estar, que inclui pensamento positivo e motivacional, todos os tipos de cursos e produtos para deixá-lo(a) mais feliz e inúmeras práticas corpo-mente, agora vale muitos trilhões de dólares americanos. Um trilhão é o número um seguido de doze zeros. Trata-se de toda uma montanha de citações inspiradoras sorvendo nosso dinheiro suado. Em certo sentido, a indústria do bem-estar é a nova face mais politicamente correta da indústria da beleza e usa os mesmos truques psicológicos para nos manter querendo mais. A ilusão central é que deveríamos ser felizes o tempo todo.

A própria razão pela qual tanta coisa é feita em nome do bem-estar é o fato preciso de que não somos programados para estar constante e consistentemente felizes, portanto, sempre será uma busca inútil. Mas junto com essa corajosa expedição pela vida somos constante e consistentemente lembrados de que devemos ser felizes; se não formos, há algo de muito errado conosco que precisa ser reparado.

Então, queremos ser felizes, e esses breves momentos de puro êxtase são absolutamente encantadores, mas são poucos e esparsos, razão pela qual é vital saborear cada centelha de alegria.

Abordagem CAA: Ação

Nesse caso, ações têm a ver com apreciar aqueles momentos fugazes de felicidade e de outras emoções positivas enquanto se trabalha o exercício de equilíbrio dos Sete Fatores (família e relacionamentos íntimos; situação financeira; trabalho; comunidade e amigos; saúde; liberdade pessoal; e valores pessoais) para produzir uma satisfação sustentável.

Dicas rápidas para animar o seu dia

Polvilhar o seu dia com pequenos momentos de felicidade aumentará o seu bem-estar relacionado à aceitação de que precisamos vivenciar todo o escopo de emoções humanas para ter uma vida plena (mais sobre isso no próximo capítulo). Eis algumas maneiras rápidas e precisas de levantar seu humor sem ser pego(a) na adaptação hedônica:

Prepare um frasco de elogios a si mesmo(a): pegue um frasco vazio, e toda vez que alguém lhe fizer um elogio, anote-o num pedaço de papel e jogue-o em seu frasco pessoal de elogios. Você também pode anotar características que você goste em si mesmo(a) (é difícil, eu sei, mas com a prática vai ficando mais fácil), ou peça a uma pessoa querida para lhe dizer as características que ela aprecia em você, e acrescente isso ao seu frasco. Pense, também, em realizações menos importantes, não precisam ser feitos significativos. Pode ser melhor focar nas pequenas coisas, tais como terminar um trabalho de arte ou responder com paciência a um e-mail grosseiro! Depois, na próxima vez em que você precisar de um estímulo, feche os olhos e pegue um elogio dentro do frasco para animar o seu dia e criar autoconfiança.

Sorria: sim, é simples assim! Você nem mesmo precisa ter vontade de sorrir para criar os efeitos positivos de um franzir de testa virado ao contrário. Pesquisadores da Universidade de Kansas descobriram que até um sorriso forçado pode fazer com que a pessoa se sinta melhor.[13] Mas sorrisos genuínos têm mais poder em seus efeitos de melhora de humor, e eu considero que a melhor maneira de provocar um sorriso verdadeiro é fazendo outra pessoa sorrir. O neurologista francês Guillaume-Benjamin-Amand Duchenne descobriu que sorrisos genuínos, conhecidos como sorrisos "Duchenne" usam em sua expressão músculos ao redor dos olhos e boca, ao passo que um sorriso educado só muda o formato da boca. Portanto, se dê o desafio de fazer alguém sorrir um verdadeiro sorriso Duchenne para acender um lampejo de felicidade tanto no seu dia quanto no dia da outra pessoa.

Postura ereta: reserve um tempo e pense na aparência física das pessoas; quando estão felizes, como se colocam e se portam? Em outras palavras, pense na postura delas. Talvez peito aberto, costas retas, cabeça erguida, acolhendo o mundo? Agora, compare com a aparência das pessoas quando estão vivendo emoções um tanto mais desagradáveis. Talvez estejam curvadas, emanando uma sensação de afastamento e retração. Diz-se com frequência que onde a mente vai, o corpo acompanha, mas é uma via de mão dupla: mudar a nossa postura e a linguagem corporal pode impactar diretamente em como nos sentimos. Da próxima vez em que sentir a necessidade de uma revigorada, imite a postura de felicidade.[14]

Prescrição de satisfação a longo prazo

Para trabalhar mais num bem-estar pessoal sustentável, o que inclui satisfação com a vida, podemos voltar para a Avaliação da Vida, anteriormente neste capítulo. Ao trabalhar as áreas carentes da sua vida, é possível passar de uma experiência de felicidade hedonista momentânea para o sentido mais profundo de autoatualização dentro do eudaimonismo (veja quadro na página 49). Reveja sua pontuação e pergunte-se:

- Em que área você se sente motivado(a) a trabalhar neste momento?
- Por que você escolheu essa categoria?
- O que uma pontuação 10 nessa área de vida pareceria para você?
- Se a pontuação for baixa, o que seria preciso para aumentá-la em apenas dois pontos?

Agora, depois de progredir pelas duas primeiras fases da Abordagem CAA – Conscientização e Aceitação –, a motivação está em seu auge, e é por isso que é tão importante o processo seguir a Abordagem CAA. Fazer mudanças na vida requer esforço, mas saiba que você tem o conhecimento e o autoapoio compassivo para conseguir focar nas áreas da sua Avaliação de Vida que precisam de um pouco de cuidado e atenção. Nesse estágio final, Anna achava-se em um ponto em que seus Pequenos Ts já não tinham tanto poder sobre ela, e pensou nos seguintes passos para mover de três para cinco a área carente de sua vida, a saúde:

- Ser honesta com a família em relação a sua vida – que existem momentos bons e felizes, mas que, às vezes, o trabalho pode ser difícil e desafiador.
- Lidar com algumas tendências de agradar às pessoas, tanto no trabalho quanto com a família.
- Programar alguns intervalos de descanso durante o dia, ainda que seja apenas uma caminhada ao ar livre no horário do almoço.

Mais à frente neste livro, você encontrará outras sugestões sobre equilibrar os Sete Fatores, de modo a poder se encaminhar para uma vida mais satisfatória.

 Lembretes para uma satisfação sustentável

1. Lembre-se, todos os dias, de três coisas simples que lhe trazem uma sensação de alegria e aprofunde-se nisso em seu diário.
2. Sob que aspectos você prioriza o autocuidado diariamente? Se a resposta for "Não priorizo", pense em três pequenos gestos de delicadeza que você poderia criar para si mesmo(a), e anote.
3. O que o(a) faz se sentir mais vivo(a), inspirado(a) e motivado(a)?

PARA PENSAR

Querer ser feliz o tempo todo é tão útil quanto um bule de chocolate, mas podemos desenvolver um sentido mais profundo de bem-estar que não dependa da adaptação hedônica. Ao criar equilíbrio nas áreas da vida que nos são importantes, não precisamos depender de sucessos de felicidade hedonista. Em vez disso, podemos cultivar uma base sólida de satisfação para construir uma vida emocional sustentável.

CAPÍTULO 3

ENTORPECIDO(A) E ACOMODADO(A)

Neste capítulo, exploraremos:

- As diferenças entre depressão e abatimento
- O *continuum* da saúde mental
- A alfabetização emocional e o Emobioma
- A masculinidade tóxica
- Como vivenciar uma ampla variedade de emoções alimenta o Emobioma e reforça o sistema imune psicológico

Ouvimos o termo "depressão" a torto e a direito, como se essas três sílabas contivessem o problema, a solução e tudo que existe entre um e outro. Ainda que as taxas de depressão tenham crescido, e continuem crescendo, a maioria das pessoas, felizmente, não passará por esse transtorno diagnosticável de saúde mental. Em geral, sofremos de um tipo de distanciamento emocional por causa de Pequenos Ts. Neste capítulo, exploraremos nossa existência entorpecida e acomodada, e como podemos nos livrar desse estado anestesiado.

Um novo cliente me procurou, com os ombros curvados, os olhos no chão e a voz sem energia. Noah chegou a dizer que não queria estar ali, mas:

Eu estava bebendo cerveja com um dos meus amigos mais antigos e ele disse que eu precisava fazer alguma coisa. Disse que nossa conversa estava esquisita, como se ele estivesse sentado com um estranho; na verdade, ele disse, sem rodeios, ainda bem!, que estava preocupado comigo. Então, aqui estou eu. Não sei o que mais lhe contar.

Algumas pessoas vêm ao meu consultório e começam a se abrir antes mesmo de termos tido a chance de dizer oi e não param até o soar do relógio. Outras, no entanto, acham difícil verbalizar o que estão atravessando, e Noah fazia parte deste último grupo. Contudo, em um momento de pausa e silêncio (em que se realiza grande parte do trabalho terapêutico), ele declarou: "Você acha que eu estou deprimido, mas não estou. Sou inteligente demais para ficar deprimido".

Portanto, aqui demos início a nossa jornada conjunta. À parte o fato de problemas de saúde mental ainda serem estigmatizados – nos últimos cinco a dez anos nos saímos muito bem falando sobre saúde mental, mas ainda temos um longo caminho a percorrer –, era significativo que Noah pudesse dizer o que ele não estava sentindo, mas lutava para identificar, em termos pertinentes, as emoções que estava vivenciando.

Ficamos nisso um pouco mais de tempo e, por fim, Noah disse que estava "entorpecido" e que fazia um bom tempo que vinha se sentindo assim. Não conseguia encontrar outra maneira de se descrever.

O que é depressão?

É perfeitamente normal, na verdade faz parte de ser humano, sentir-se um pouco abatido algumas vezes. De fato, estamos mais antenados para vivenciar emoções negativas do que positivas. Isso acontece porque, em termos evolucionários, era melhor perceber as piores situações para conseguir sobreviver. Ainda que a vida esteja muito mais segura do que era para os primeiros humanos, nosso cérebro não dispensou essa pré-disposição negativa. Então, como é possível dizer que se sentir um pouco desanimado(a) é sinal de algo mais sério, com necessidade de tratamento, tal como uma depressão clínica? Aqui estão os sinais de que o que você está se sentindo pode estar mais relacionado com um transtorno depressivo subjacente do que a Pequenos Ts. Nas últimas duas semanas, você:

- ☑ Sentiu-se triste, vazio(a) ou desanimado(a) a maior parte do tempo.

- ☑ Perdeu o interesse em atividades diárias que costumavam lhe dar prazer.

- ☑ Não conseguiu dormir, ou pareceu dormir demais, inclusive durante o dia.

- ☑ Sentiu-se cansado(a) e com pouca energia, mais do que o normal.

- ☑ Não teve o menor interesse por comida, ou comeu mais do que o normal, ganhando ou perdendo cinco por cento de peso por mês.

- ☑ Sentiu-se como se tivesse decepcionando a si mesmo(a) ou aos outros, e que você é um fracasso.

- ☑ Teve dificuldade de concentração, até com coisas simples, como assistir a um programa costumeiro de TV.

- ☑ Sentiu-se inquieto(a) ou desassossegado(a), ou o oposto, sentiu que seus movimentos e sua fala estão mais lentos do que o normal.

- ☑ Teve pensamentos suicidas ou pensou repetidamente em morte, com ou sem tentativas explícitas de suicídio.

- ☑ Teve dificuldade em desempenhar suas atividades e responsabilidades diárias rotineiras, tais como funções profissionais, escolares e familiares, por causa dos sintomas acima.

Poderia ser depressão de alto funcionamento?

É possível que você tenha encontrado em alguns dos sintomas acima um toque familiar demais para se sentir confortável, mas eles não impediram suas atividades normais, de acordo com o identificador final. Isso pode ser um sinal de "depressão de alto funcionamento", uma manifestação de saúde mental que, com frequência, pode ser mal diagnosticada ou não diagnosticada. Isso acontece porque, em geral, a depressão é identificada com dificuldades explícitas de lidar com a família, com amigos e com a casa, manter um desempenho no trabalho e participar de esportes e *hobbies* muito queridos. Em outras palavras, você poderia estar sofrendo terrivelmente por dentro, mas por fora tudo parece bem.

De maneira alguma essa capacidade de seguir em frente se equivale a uma forma menos severa de depressão, mas ela realmente dificulta seu reconhecimento. Se você estiver achando todas as suas "atividades de vida cotidiana", como gostamos de chamá-las, um esforço monumental, e anda vivenciando os outros sintomas listados neste capítulo, procure ajuda. É muito comum que somente quando o castelo de cartas começa a cair, e parece que não conseguimos agarrar seus alicerces, que a possibilidade de um problema de saúde mental é reconhecida. Uma intervenção no início pode realmente melhorar os sintomas depressivos, esteja você em alto funcionamento ou não.

Sei que é muito mais fácil falar do que fazer isso, mas realmente estenda a mão, pois há braços para pegá-la antes que você chegue ao fundo do poço.

Problemas de saúde mental, como a depressão, são incrivelmente comuns. Se você não tem nem nunca teve dificuldades com sua saúde mental, é muito provável que alguém que você conheça tenha. Mas, se por outro lado você se sente bem frágil, mas não o tempo todo, precisamos olhar com mais atenção os Pequenos Ts no tópico de **alfabetização emocional**.

Abordagem CAA: Conscientização

Embora Noah não correspondesse aos critérios para depressão, com certeza estava lutando com o fato de se sentir Entorpecido, uma das Temáticas do Pequeno T, e, portanto, precisávamos começar com o primeiro passo da Abordagem CAA, a Conscientização. Como foi mencionado na Introdução, existe uma grande distância entre saúde mental e doença mental e, na medicina convencional, tendemos a tratar só os casos mais sérios. Isso faz com que haja uma grande variedade de pessoas que não prospera, mesmo não estando ainda deprimida o suficiente para merecer ajuda profissional. A meu ver, isso é inaceitável, uma vez que merecemos uma vida na qual estejamos florescendo, e não definhando.

O tópico do definhamento tornou-se popular durante o primeiro ano da pandemia da covid-19, mas há algum tempo vem sendo usado no campo da psicologia positiva. Se olharmos para o *continuum* a seguir, podemos começar a desfazer as diferenças não apenas entre saúde mental e doença, mas também entre níveis de envolvimento.[15]

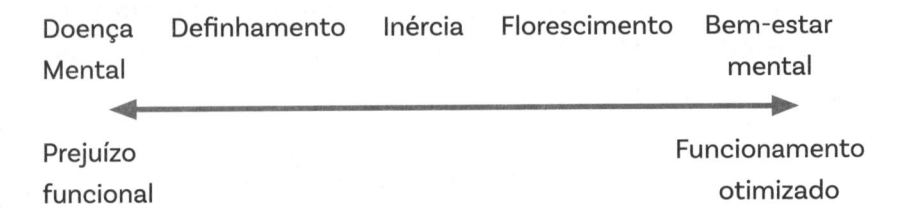

Figura 3.1: *Continuum* de doença mental

Quando Noah e eu olhamos para esse modelo e eu lhe pedi que apontasse como estava levando a vida naquele momento, ele indicou algum ponto entre definhando e indo por inércia, mas estava funcionando bem no dia a dia, no sentido de ir para o trabalho, se alimentar, e assim por diante. No entanto, quando o amigo lhe disse que ele estava agindo como um zumbi, isso lhe acendeu um alerta. Reconheceu que nunca pensara em saúde mental dessa maneira, e foi àquela altura que coloquei a questão do Pequeno T para começar a revelar a constelação de Pequenos Ts de Noah.

Como Noah achava difícil falar sobre suas emoções, uma maneira mais suave de chegar ao fundo dos seus Pequenos Ts era focando, em primeiro lugar, nos aspectos práticos da vida. Ele me revelou que queria encontrar uma companheira, mas já não achava que fosse viável conhecer alguém em um bar ou no trabalho, lugares em que as pessoas costumam se conhecer. Então, decidiu tentar um site de relacionamento, com grande expectativa, porque sentia que, pelo menos dessa maneira, poderia se livrar do constrangimento de ser rejeitado em público. "Como eu estava enganado! Em vez de ser descartado uma vez, saindo à noite, fui descartado dez ou mais vezes *por dia*." A crença de que esse enorme celeiro de namoradas em potencial aumentaria suas chances de encontrar alguém com quem se desse bem transformou-se na experiência mais amarga de um número aparentemente infindável de rejeições. Embora, de início, fosse excitante por não haver ninguém em seu círculo social imediato ou próximo com quem ele conseguisse se ver, Noah disse que, depois de um tempo, passou a ser francamente deprimente. Perguntei se ele havia contado essa experiência para seu amigo. "Claro que não, ele iria tirar o maior sarro da minha cara!" Além do Pequeno T do site de relacionamento, essa também foi uma dica importante para o entorpecimento de Noah.

Pequeno T em foco: sites de relacionamento

Aplicativos de namoro reduziram a paquera ao toque de um dedo, e embora isso possa funcionar para algumas pessoas, para muitas esse processo baseado só nas aparências perde todas as nuances, a complexidade e a textura multifacetada de conhecer um(a) parceiro(a) romântico(a). Enquanto, em poucos segundos, avaliávamos visualmente alguém em um bar, ou em uma reunião de trabalho, também tínhamos a oportunidade de interagir com aquela pessoa. Ela poderia ser divertida, ter seu mesmo gosto radical pelos bastidores de *Star Wars*, ou você poderia simplesmente conseguir ver algo em seus olhos que uma foto retocada jamais capturaria. O namoro on-line não apenas despoja a paquera de toda sua graça, mas faz isso de uma maneira brutal, geralmente deixando as pessoas inseguras, negativamente preocupadas com as redes sociais, e exibindo alguns dos sintomas de depressão.

Por que os Pequenos Traumas dificultam tanto descrever nossos sentimentos?

Noah e seu amigo eram claramente próximos, então, por que era tão difícil ele se abrir? Quando criança, muitos de nós escutaram "não faça drama", "por favor, comporte-se", "não adianta chorar pelo leite derramado!", ou talvez o pior de tudo, "cresça". Em certo sentido, esse tipo de modificação de comportamento é até útil quando a criança está fazendo birra sem motivo aparente, mas quando nos ensina a associar uma sensação de vergonha por sentir e expressar nossas emoções negativas, forma-se o Pequeno T.

Outra cliente, chamada Lily, mencionou que a mãe tivera uma depressão grave, então, quando criança, ela fazia de tudo para "deixar a mamãe melhor" – o que, logicamente, era impossível. Assim, ela sentia medo de compartilhar com quem quer que fosse qualquer pensamento ou sentimento mais sombrio, mesmo agora, já adulta.

Portanto, nos dois casos, as marcas do Pequeno T ocorreram cedo na vida familiar, em que qualquer coisa que não fosse um aspecto estoico era percebida como inaceitável ou, no exemplo de

Lily, perigosa. Em síntese, a estratégia era ficar calma e seguir em frente, fazer o melhor possível, manter a cabeça erguida etc., para todo o sempre.

Façamos uma pausa aqui, no entanto, e consideremos por um momento que talvez não haja emoções inerentemente "boas" ou "ruins"; pelo contrário, todos os sentimentos são informação útil. E se nossos cuidadores estivessem cientes disso e conseguissem nos ajudar a também entender? Sua maneira de cuidar e o consequente resultado em nossa vida teriam sido diferentes? Todo mundo fica bravo, triste e frustrado de tempos em tempos, mas e se, em vez de esconder essas emoções, tivéssemos aprendido a processá-las de um modo saudável e adaptável? O segredo aqui é que a diferença entre uma vida plena e uma que constantemente parece uma decepção tem a ver com a maneira de lidar com essas emoções, e não com a exclusão do sentimento "ruim".

Em casos extremos, a dificuldade em apontar como estamos nos sentindo é conhecida como cegueira emocional, ou pelo termo médico "alexitimia". A cegueira emocional tem sido associada ao acima mencionado embotamento emocional durante a infância e a adolescência, bem como à lesão cerebral no lobo frontal (felizmente são raros os que sofrem dessa condição). Em algumas pessoas com alexitimia, as emoções positivas podem ser identificadas, mas os sentimentos negativos são um mistério, enquanto em outras existe uma cegueira emocional generalizada. No entanto, a grande maioria das pessoas pode descrever emoções muito intensas, mas as mais sutis e discretas são mais difíceis de nomear. É isso que chamo de "alfabetização emocional", e tem grande importância, uma vez que ser bem hábil no vocabulário emocional pode ajudar a explorar os Pequenos Ts e obter o máximo da vida.

Mas fica difícil se nunca lhe ensinaram como conversar sobre sentimentos, ou se, como no caso de Noah, esse tipo de expressão era ativamente impedido. Na verdade, ele percebeu que de fato achava difícil falar sobre emoções – "os homens não fazem isso, sabia?" –, o que estabelece uma relação com mais uma peça em seu quebra-cabeça de Pequenos Ts.

Pequeno T em foco: masculinidade tóxica

Apesar de agora existir mais apoio direcionado a homens, a atitude de procurar ajuda, tal como conversar com alguém sobre suas dificuldades, ainda é bem mais rara do que em outros grupos. A masculinidade tóxica, em que são valorizadas características ultramasculinas, tais como resistência, agressividade e com certeza nada de lágrimas, ainda está viva e atuante em muitas sociedades. Na verdade, eu sugeriria que está piorando. Basta dar uma olhada nas mídias culturais, como filmes, músicas e postagens nas redes sociais; é fácil ver que, embora haja evidência de uma abordagem mais diferenciada do que significa ser um homem, a versão mais caricaturada de "masculinidade" está lá para qualquer um ver. Sabemos que normas sociais, tais como essa, têm um impacto na atitude para buscar ajuda.[16] É assim que a masculinidade tóxica age como um Pequeno T, dificultando que os homens conversem com outras pessoas sobre sua experiência de vida e sentimentos ou mesmo reconheçam algumas emoções.

Abordagem CAA: Aceitação

Para muitos de nós, pode ser incrivelmente difícil verbalizar os sentimentos – em essência, nossa alfabetização emocional pode ser baixa –, portanto, é útil começar devagar com o seguinte exercício para explorar emoções não verbais. Aqui, podemos começar passando para a segunda fase da Abordagem CAA: Aceitação. Trabalhar com emoções pode ser bem confrontador, então, esse é um bom ponto de partida caso você esteja se sentindo oprimido por algum sentimento, seja ele usualmente considerado positivo ou negativo.

Exercício: caricaturas de emoção

Alguém já desenhou uma caricatura sua? Os dentes ligeiramente tortos esboçados para parecerem ridículos no papel, o cabelo levemente eriçado como se você tivesse acabado de enfiar o dedo em uma tomada? Esse exercício sempre me lembra esses desenhos, às vezes absurdamente caros, e como o exagero na caracterização de uma emoção pode dar-lhe vida de uma maneira que muitos de nós achamos difícil fazer com palavras.

Para começar, pense na última emoção intensa "positiva" que você viveu. Todos nós representamos sentimentos de maneiras diferentes, portanto aqui não existe certo ou errado, é simplesmente o que lhe vier à cabeça.

- Em seguida, pegue uma folha de papel e desenhe um simples contorno de um corpo.
- Agora, explore onde essa emoção reside em seu corpo, e desenhe-a ali.
- Pense em qual é exatamente a aparência dessa emoção, quais são seus contornos? Por exemplo, espinhosos ou suaves? Desenhe isso.
- Qual é a cor dessa emoção? Por exemplo, vermelho vivo ou azul profundo? Desenhe isso.
- Em que sentido essa emoção segue no corpo? Para dentro ou para fora? Para cima ou para baixo? Desenhe isso.
- Qual é a temperatura dessa emoção? Quase fria, morna, escaldante ou gélida? Desenhe isso.
- Em que velocidade caminha essa emoção? Rápida ou devagar? Desenhe isso.
- Agora, faça exatamente o mesmo, mas dessa vez com uma emoção "negativa".
- Observe a diferença entre as duas imagens.
- Agora, ajuste a cor, a forma e daí por diante, e veja como isso parece em cada uma.

O que se espera que esses dois desenhos mostrem é que as emoções diferem em muitos aspectos. Chamamos isso de "submodalidades", e uma vez localizadas, elas podem ser ajustadas. Pense nisso como dar um *zoom* para perto e para longe com a lente de uma câmera. Você tem o controle, então volte para os seus desenhos e altere a temperatura deles, a velocidade, a cor etc. Como lhe parece agora? Aqui, você também pode usar seu sentido auditivo e evocar os sons e o volume associados às emoções, e depois aumentar ou diminuir o volume, o tom e o ritmo.

Para Noah e Lily, o uso desse exercício ajudou-os a dar os primeiros passos hesitantes para elevar sua alfabetização emocional. Nos primeiros estágios do estabelecimento de conexão entre sentimentos de "nulidade", crenças sobre o *self* e como nossas experiências afetaram nossos sentimentos e nossas percepções do mundo, a paciência e a autocompaixão são primordiais. É possível que você comece a ver, ao longo da vida, como o reforço de certas convicções atuou como fogo brando, até que tudo que restou é, na verdade, o nada, apenas um vazio entorpecido.

Emobioma: é tudo uma questão de variedade

O baixo nível de alfabetização emocional, tão abundante hoje em dia, é prejudicial porque, como seres humanos, precisamos vivenciar e expressar uma ampla gama de emoções e aceitar que não tem problema **sentir nossos sentimentos** sem qualquer reserva. Gosto de fazer a comparação com o microbioma intestinal. Nos últimos anos, todos nós nos tornamos bastante obcecados com nossas flora e fauna abdominais, alimentando-as com probióticos, kimchi e um vasto sortimento de alimentos fermentados (ou talvez apenas lendo a respeito enquanto teimosamente mastigamos uma barra de chocolate!). Pesquisadores, cientistas e documentários na televisão nos contaram que se alimentar de kefir caseiro e chucrute ajuda a base do nosso sistema imunológico, localizada no intestino, a florescer com uma população diversificada de organismos microscópicos e benéficos. Precisamos desses sujeitinhos tanto quanto eles precisam de nós. Os cientistas costumavam nos dizer que existem as bactérias "boas" e "ruins" nos intestinos, mas agora estamos descobrindo que não existem demônios relaxando em nossas entranhas. Em vez disso, todos nós temos ali um universo singular e, se esse mundo em miniatura ficar fora de forma, podemos desenvolver problemas de saúde. Nosso microcosmo emocional, a que eu chamo de **Emobioma**, é bem parecido. Ao nos permitirmos experimentar toda uma gama de sentimentos, podemos alimentar nosso Emobioma, de modo que o "bom" e o "ruim" vivam em harmonia.

As emoções só são coloridas com os tons com que você as pinta; uma mensagem de ex pode desencadear uma frustração vermelho-sanguínea, e notar qual é o brilho desse sentimento vermelho lhe fornecerá uma informação útil. Raiva, inveja, tristeza – tudo isso tem sido vilipendiado, mas são reações emocionais normais e essenciais. Ignorá-las ou abafá-las é caminhar sobre os trilhos de um trem; até as emoções mais incômodas são úteis, pois elas nos contam o que precisamos ouvir. Lembre-se de que as emoções são apenas mensagens – se pararmos para escutá-las, podemos receber um mapa para um futuro *self* mais fundamentado. Caso contrário, acabaremos como um vulcão adormecido: calmos na superfície, mas borbulhando com uma fúria incontrolável quando o Pequeno T disparar o ataque. Então, vou repetir em alto e bom som: não existem emoções "ruins". Entender o Emobioma, assim como agora nós entendemos o microbioma do intestino em termos de diversidade, é a chave para o domínio e a saúde emocionais. Precisamos de uma variedade emocional assim como nosso corpo precisa de trilhões de organismos minúsculos que se encontram dentro de nossos intestinos.

Exercício: o jogo do emoji

Para ajudar a desenvolver sua alfabetização emocional e impedir que você se acomode no entorpecimento, deixando a vida passar, sugiro esse próximo exercício, que é rápido e pode ser feito em um smartphone, de qualquer lugar.

Comece abrindo qualquer aplicativo de smartphone que você mais use para se comunicar com as pessoas – SMS, WhatsApp, Facebook, não importa. Agora, olhe para o emoji que você usou com mais frequência. Em geral, é o primeiro que aparece. Pergunte-se:

- Qual o significado desse emoji de emoção para você?
- Quando foi a última vez em que você realmente viveu essa emoção?
- Use um tempo aqui para verificar consigo mesmo(a), já que esse pode ser um exercício muito mais desafiador emocionalmente do que parece à primeira vista. Sinta seus sentimentos, respire fundo pelo abdômen (como no capítulo 1) e perceba que você está bem.
- Agora, se essa for uma emoção prazerosa, explore e pense no que você pode fazer ativamente para trazer mais desse sentimento à sua vida.
- Se for uma emoção menos agradável, explore a circunstância, o contexto e as pessoas a sua volta na última vez em que você se sentiu assim.

Esse simples jogo pode ajudá-lo(a) a passar da Conscientização para a Aceitação, uma vez que você pode perceber que, na vida real, existe certa incoerência entre o que você retrata e seu microcosmo emocional. De modo crucial, nessa fase da Aceitação, não existe julgamento ou culpa, e mais adiante poderá ser explorada a compreensão recente de que a sociedade e as experiências da infância afetam como nos foi ensinado a reprimir os sentimentos. Porque é claro que você não está só nesse tipo de embotamento emocional; se estiver vivendo dentro dessa Temática Entorpecida do Pequeno T, seja paciente consigo mesmo(a). Pode levar algum tempo para trazer diversidade ao seu Emobioma, já que se trata de um processo de aprendizagem. Como tal, eu desejaria que pudéssemos ensinar isso na escola, desde a tenra idade até a graduação, por ser uma das habilidades mais importantes para a vida.

Mais do que palavras

Mas raramente aprendemos alfabetização emocional na escola, e em algumas culturas nem mesmo temos a série de palavras usada para o escopo completo do Emobioma humano. Para quem, como eu, vive em países onde o inglês é a primeira e principal língua, uma quantidade bem bruta é recebida. Ainda que o inglês tenha mais palavras individuais do que muitas outras línguas, é uma ferramenta bem cega em se tratando de termos emocionais e relacionais.[17] Existem centenas de palavras e frases de outros idiomas incrivelmente vívidas e precisas, das quais não existem expressões diretas em inglês. Eis uma curta lista de algumas:

Palavra	Língua de origem	Significado
Kanyininpa	Pintupi (Aborígene)	Uma relação entre cuidador e quem é cuidado, semelhante aos intensos sentimentos de acolhimento vividos por um genitor por seu filho.
Asabiyyah	Árabe	Sentido de espírito comunitário.
Bazodee	Crioulo (Trinidad)	Estar zonzo e atordoado, numa confusão eufórica – às vezes usada no contexto de amor romântico.
Fjaka	Croata	Um estado profundamente relaxado do corpo e mente, ou a "doçura de não fazer nada" em um "estado de devaneio".
Krasosmutněn	Tcheco	Tristeza bela, ou um estado de "alegre melancolia".
Arbejdsglæde	Dinamarquês	Felicidade, prazer ou satisfação decorrente do trabalho.

Palavra	Língua de origem	Significado
Gezellig	Holandês	Sensação de aconchego, amizade, conforto, intimidade, todas em relação a uma experiência compartilhada com outros.
Myotahapea	Finlandês	Vergonha alheia, sensação de constrangimento.
Suaimhneas	Gaélico	Paz no coração; por exemplo, a sensação de ter terminado um dia de trabalho.
Sitzfleisch	Alemão	A capacidade de perseverar em tarefas difíceis ou tediosas como um tipo de estamina.
Vacilando	Grego	A ideia de vagar, em que a experiência de viajar é mais importante do que o destino.
Firgun	Hebraico	Prazer sincero e orgulho explícito com as conquistas de outra pessoa, ou com algo bom que aconteceu a ela.
Jugaad	Hindi	Ser flexível ao resolver problemas com recursos limitados – "fazer acontecer".
Iktsuarpok	Inuíte	A antecipação inebriante quando se espera alguém e se procura verificar se a pessoa já chegou.
Sprezzatura	Italiano	Uma displicência estudada ou indiferença disfarçada, mas pensada.

Palavra	Língua de origem	Significado
Nakama	Japonês	Amigos próximos que parecem da família.
Sarang	Coreano	Um amor tão forte que se queira ficar com o outro até a morte.
Xin rú zhĭ shuĭ	Mandarim	Uma sensação de paz consigo mesmo e uma mente tranquila, sem pensamentos que distraiam.
Desenrascar	Português	A capacidade de se livrar de uma situação difícil com graça e improviso.
Mudita	Sânscrito	Felicidade constrangida ao festejar a alegria de alguém.
Vemod	Sueco	Uma tristeza terna, mas calma, de que algo significativo para você acabou, e você nunca terá isso de volta.
Kilig	Tagalog (Austronésia)	As borboletas que você sente no estômago quando interage com alguém de quem gosta, embora não necessariamente em um sentido romântico.

A linguagem molda nossa compreensão e percepção do mundo, portanto, ter as ferramentas – o vocabulário – para expressar toda a série de emoções humanas pode ajudar bastante no trabalho com

Pequenos Ts. Aprender palavras e frases adicionais pode ser útil, mas, se sua língua principal tiver pouca diversidade emocional, você também pode utilizar meios criativos, tais como arte e música, para nutrir o Emobioma.

Abordagem CAA: Ação

Como trabalho com psicologia do mundo real, minha abordagem é realista e centrada no cliente. Portanto, o objetivo não é me tornar uma doutrinadora emocional da noite para o dia, mas sim ajudar pessoas a sair, gradualmente e de modo sustentável, da prostração e do entorpecimento. É comum as pessoas terem dificuldade para expressar emoções, uma vez que vivemos em ambientes nos quais Pequenos Ts nos ensinaram a ocultá-las, de modo que uma terapia que tenha apenas a conversa como ponto de partida pode ser complicada. Por isso, nesse estágio da Ação da Abordagem CAA, exploraremos alguns outros tipos de exercícios não verbais para alimentar seu Emobioma. E é claro que você pode dar seguimento com um terapeuta se e quando quiser.

A Playlist de Sentimentos

As músicas chegam até nós porque despertam uma reação emocional. Não importa o tipo ou gênero de música, aquelas que trazemos junto ao coração provocam sensações fortes e intensas – pelo menos, aquelas com boas melodias! Se a música lhe fala mais do que as palavras, monte uma Playlist de Sentimentos. Em vez de incluir apenas as suas preferidas, escolha algumas que o(a) façam sentir uma variedade de emoções. Dê uma olhada na roda a seguir e selecione no mínimo uma das emoções fundamentais para cada música. Você também pode usar aqui as fases do jogo de Emoji para ampliar a aprendizagem emocional, já que uma vez que você comece a tomar consciência e a expandir o Emobioma, será capaz de lidar com as rasteiras inevitáveis da vida com mais eficiência, reforçando o sistema imune psicológico.

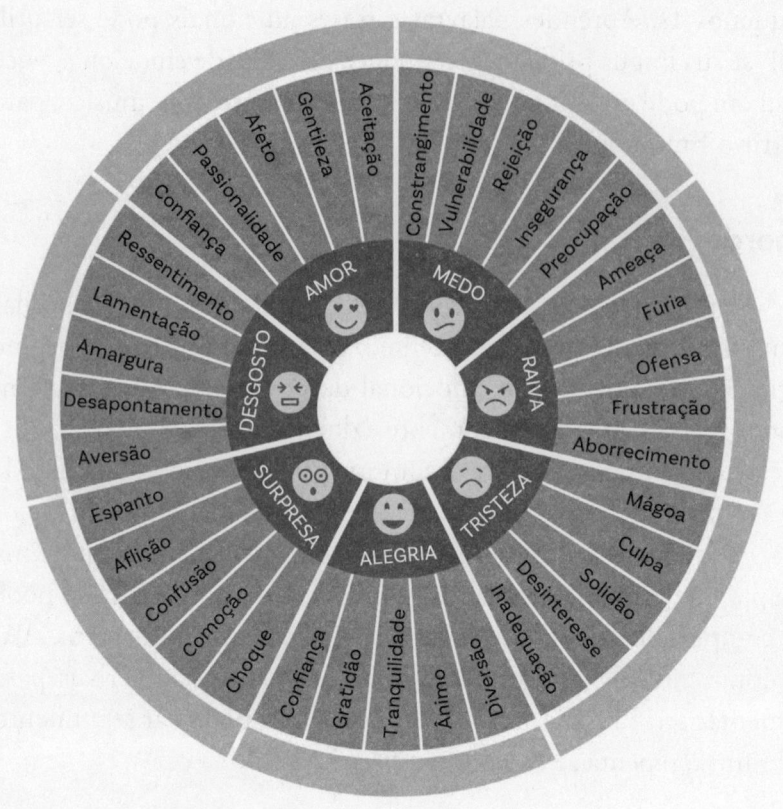

Figura 3.2: Roda de Emoções

Como usar o poder da nostalgia
para aprimorar seu Emobioma

Quando nos sentimos entorpecidos, podemos perder a noção de tempo e espaço. Então, uma maneira de lidar com esses sentimentos e alimentar o Emobioma é olhar para o retrovisor das nossas vidas. Estudos mostraram que quando sentimentos nostálgicos são desencadeados, reforçam-se os vínculos sociais, a autoestima positiva aumenta e há um surto de felicidade.[18] A nostalgia também pode nos proteger de futuras crises de depressão, porque em geral ela nos traz conforto, principalmente em situações difíceis. Essas memórias nos lembram tempos em que nos sentíamos seguros e protegidos, o que sabemos ser uma necessidade humana básica. Com frequência, as pessoas entregam-se naturalmente à nostalgia quando passam por dificuldades, e é possível que você encontre mais referências culturais ao passado quando uma sociedade como um todo passa por dificuldades.

Às vezes, as pessoas associam nostalgia a "estar preso(a) ao passado" e a conotações negativas de não seguir adiante emocionalmente. Mas não é assim que a nostalgia funciona; ela nos possibilita conectar nossa vida presente a valores e significados pessoais, o que também sabemos ser um alicerce para a saúde mental. Isso nos dá um sentido de autoeficiência para enfrentar os problemas à frente em vez de nos manter presos em um estado estático de torpor. Na verdade, esse estímulo na autoconfiança acaba aumentando o otimismo,[19] que age como proteção tanto para a saúde mental quanto a física. Portanto, tire o pó das suas polainas e tente algumas dessas dicas:

- Experimente com o olfato. Aromas e perfumes podem desencadear, de imediato, sensações nostálgicas, portanto, se houver um cheiro que o(a) leve para uma época especialmente reconfortante, por exemplo, o banheiro dos seus avós, a comida da sua mãe, ou até a cantina da sua escola (!), recrie esse aroma para voltar a se sentir aconchegado(a), seguro(a) e protegido(a) não apenas quando as coisas estiverem difíceis, mas de maneira regular, para relaxar uma mente moderna esgotada.

- Rememore com fotografias. Não importa se são fotos antigas, impressas ou imagens em seu smartphone, já que, na maior parte do tempo, tendemos a não olhar para nenhuma delas quando estamos entorpecidos. Você pode usar aplicativos que montam uma pequena apresentação de épocas específicas ou tirar o pó dos velhos álbuns de fotos. Aqui, o importante é se conectar com o passado por meio de imagens. Isso é benéfico quando estamos paralisados, definhando, porque nos lembra o quanto caminhamos e que, de fato, temos os recursos internos para lidar com as dificuldades da vida, agora e no futuro.

- A música é outro meio poderoso de ativação de sentimentos de nostalgia, e também pode fazer seu corpo se movimentar quando você estiver um pouco para baixo. Até quem afirma não gostar de dançar chega a sorrir quando forçado a sacudir o esqueleto. A nostalgia evocada pela música também intensifica a inspiração, reforça o significado da vida e protege contra o impacto de emoções crônicas desagradáveis.[20] Existem até aplicativos que fazem sua música digital soar como vinil sem a necessidade de um toca-discos antigo – caso você tenha idade para se lembrar dessas coisas! Mas para qualquer pessoa, de qualquer idade, a música é um gatilho extremamente poderoso para a nostalgia, então talvez você também queira acrescentar isso à sua Playlist de Sentimentos.

- Você também pode passar cinco minutos escrevendo sobre uma lembrança nostálgica. Dê-lhe vida com tantas camadas quanto conseguir relembrar, as pessoas, o lugar e, é claro, as paisagens, os sons e os cheiros do dia. Você poderá se surpreender com a quantidade de detalhes agradáveis escondida em seu banco de memórias. Se isso criar ondas intensas de emoção dentro de você, use o exercício de respiração das páginas 44-45 e dedique-se a ficar curioso(a) em relação a esses sentimentos em vez de forçá-los de volta aos recessos da mente. Relembrar pode parecer contraintuitivo, até desconfortável, e seu instinto pode estar lhe dizendo que espiar pelo espelho retrovisor da sua mente só fará com que você tenha uma sensação de tristeza de que os "tempos mais felizes" tenham ficado para trás. Você também poderá temer sentimentos de fracasso, ou que a vida não se revelou como o planejado, mas, por favor, confie em que, conectando-se com a nostalgia, você construirá resiliência ao permitir que seu Emobioma seja povoado com uma mistura saudável de experiências emocionais. O propósito aqui é reforçar seu sistema imune psicológico, e é possível que você ache interessante testemunhar a ampla gama de sensações criada por esse exercício – algumas que você talvez não tenha sentido por um bom tempo.

- Por fim, pratique uma "nostalgia antecipatória",[21] que é o processo de saborear uma experiência particularmente agradável, de modo a poder revisitá-la mais tarde. Na próxima vez em que você sentir emoções ou sensações agradáveis, repare no máximo de detalhes que puder, sobre o ambiente e a experiência, e arquive-os em sua pasta cerebral de "bons momentos". Com a prática, você se tornará uma especialista em reconhecer esses momentos (às vezes os chamamos de "mágicos" ou "momentos zen"), e ao sintonizá-los com acontecimentos positivos ainda mais fugazes, você se dará um presente para futuras fases difíceis e apreciará de verdade a vida no presente.

Ombro a ombro

A técnica ombro a ombro pode ser uma ótima maneira de lubrificar as engrenagens de uma comunicação emocional mais aberta. Uso bastante esse método chamado "caminhe-e-fale", também conhecido como "ecopsicologia", porque o ambiente terapêutico tradicional de uma sala de atendimento pode ser uma barreira para uma expressão desprotegida. Espaços abertos, como parques, são uma grande opção, embora às vezes também me aventure em museus e galerias e use a obra de arte como base para a conversa. Não obstante, o principal aspecto aqui é que muitas pessoas, particularmente os homens, acham a conversa direta, frente a frente, mais parecida com uma entrevista de emprego, e podem "se comportar" de acordo. Sendo assim, é possível que você queira tentar o método ombro a ombro nessa fase três da Abordagem CAA com um(a) amigo(a) confiável, um(a) parceiro(a) ou alguém querido.

Pode ser que você descubra que consegue usar algumas das habilidades de alfabetização emocional adquiridas até aqui, em termos de identificar e conseguir expressar suas experiências e emoções. Na verdade, Noah agendou um caminhe-e-fale com seu melhor amigo e lhe contou sobre seus encontros amorosos e outras coisas que se passavam em sua mente. Isso deve ter acontecido com certo humor, e houve, de fato, alguma provocação masculina, mas em vez de deixar Noah constrangido, simplesmente o fez se sentir confortável, e *não* confortavelmente entorpecido. No entanto, os dois concordaram que os namoros via internet eram uma furada.

Lembretes para a alfabetização emocional

1. Que emoções você acha difícil aceitar? (Dê uma olhada na Roda de Emoções, caso se sinta empacado(a).) Reflita sobre como você lida com essas emoções atualmente.
2. De que maneira você consegue separar suas emoções do comportamento de outras pessoas?
3. Estou me agarrando à emoção XXX porque...

PARA PENSAR

Neste capítulo exploramos o entorpecimento emocional, às vezes citado como definhamento, como uma ocorrência comum no mundo moderno. Uma série de Pequenos Ts contribui para essa temática e, como mencionado, o seu pode diferir do de outra pessoa. O truque é identificar sua constelação de Pequenos Ts, passar com eles pela Aceitação e ir para Ação a fim de criar diversidade e alfabetização emocionais. Tudo isso irá alimentar seu microcosmo emocional, o Emobioma, e ajudá-lo(a) a lidar com as dificuldades da vida.

CAPÍTULO 4

NASCIDO(A) PARA SE ESTRESSAR

Neste capítulo, exploraremos:

- As diferenças entre estresse e ansiedade
- Como a reação ao estresse pode se tornar problemática
- A ansiedade de alto funcionamento
- Como ameaças e associações presentes constituem o estresse, enquanto que a preocupação e a ruminação causam ansiedade
- Por que o uso de diversas técnicas para estresse e ansiedade é a chave para superar essa temática mais comum

Nascemos para ser estressados... ou ansiosos? Qual é a diferença, e isso é de fato importante? Eu diria que sim, é importante, porque se você souber a diferença entre ansiedade e estresse, e tiver alguma ideia quanto aos Pequenos Ts que possam estar envolvidos nos dois, estará numa situação maravilhosamente sólida para superar essa que é das mais predominantes Temáticas do Pequeno T.

A ansiedade e o estresse são as dificuldades mais comuns que vejo na minha prática em consultório. Realmente, não dá para falar o quanto elas são comuns em nossa sociedade moderna. Muitas pessoas que estão passando tanto por ansiedade quanto por estresse crônico me procuram depois de terem enfrentado muitos atendimentos psicológicos e caminhos de autoajuda, além de consultas com um clínico geral e, às vezes, com médicos especialistas. Para algumas, essas terapias ajudam até certo ponto ou em certas situações, outras chegam a meu consultório com uma esperança muito baixa de que possa haver algo que as ajude substancialmente a se livrar dos efeitos debilitantes da ansiedade e do estresse.

Para várias pessoas, a dificuldade surge porque tendemos a associar e usar os termos "estresse" e "ansiedade" de modo intercambiável. No entanto, acredito que se separarmos a reação fisiológica inata do estresse dos aspectos cognitivos e perceptivos da ansiedade, estaremos com uma vantagem enorme no que se refere a lidar com esses problemas intrusivos que podem ser desencadeados por um Pequeno T. Para focar nisso, deixe-me apresentar Charlie.

Quando Charlie apareceu para uma consulta pela primeira vez, havia alguns sinais visíveis de estresse ou ansiedade, ou dos dois. Charlie mordia a pele ao redor das unhas, percebi que os dedos tinham andado sangrando, era difícil manter-se quieta, e a voz tremia. Fiquei animada que Charlie tivesse conseguido me procurar em tal estado de estresse e percebi que era um bom presságio para o futuro, já que é preciso uma grande dose de compromisso procurar um profissional quando a pessoa se sente assim. Eis o que Charlie compartilhou comigo:

> *Tentei de tudo, absolutamente tudo, para conseguir manter isso sob controle. Começou quando fui para a universidade, acho que assim que cheguei lá. Bom, não no início, a semana dos calouros foi boa, e me dei bem com todo mundo nas salas, mas, quando o curso realmente começou, passei a me sentir muito estressada. Quero dizer estressada mesmo, estressada como "quero sair correndo da sala de aula". Então, consegui um encaminhamento para o serviço de saúde mental da universidade e tive seis semanas de Terapia Comportamental Cognitiva. Pareceu ter ajudado um pouco, mas não de fato. Ainda me sinto como se fosse ter um ataque do coração, quando entro em uma sala de aula.*

Charlie descreveu os sintomas clássicos de reação ao estresse (ver quadro nas páginas 98-99), mas me perguntei se isso poderia estar sendo conduzido por Pequenos Ts. Assim, começamos com a fase de Conscientização da Abordagem CAA e discutimos as diferenças entre estresse e ansiedade, e por que o tratamento anterior poderia não ter ajudado Charlie tanto quanto gostaríamos.

Abordagem CAA: Conscientização

O que é estresse?

Atualmente, a palavra estresse é usada, sobretudo, em termos psicológicos, mas ela vem da física e significa pressionar um material além de seu nível de tolerância. Quando pensamos nessa definição de estresse, ela começa a fazer sentido. Pegue um clipe de papel, por exemplo; é possível dobrar o material para trás até uma distância razoável, e ele saltará de volta para sua forma original. Mas se você empurrar o clipe além da sua tolerância, ele ultrapassará seu limite e não conseguirá voltar à forma de antes. Com frequência, vemos o estresse e os Pequenos Ts associados dessa maneira – quando o esforço e a torção que, às vezes, fazemos na vida nos deixam com a sensação de que estamos um tanto fora de forma.

Mas antes que essa metamorfose aconteça, há um bom espaço de manobra no clipe de papel, e em nós mesmos. Nosso corpo está muito bem equipado para lidar com situações difíceis por meio do nosso sistema nervoso autônomo. O sistema nervoso autônomo tem dois braços opostos, mas complementares: o sistema nervoso simpático e o sistema nervoso parassimpático. O sistema nervoso simpático é o que controla como reagimos ao estresse, em geral a chamada "resposta ao estresse" ou reação de "lutar, fugir ou paralisar". Mas, assim como o clipe de papel sempre quer retomar sua forma original, fisiologi-camente nosso corpo e mente também sempre querem, de maneira instintiva, voltar a um estado de homeostase – em que tudo funciona bem. É aí que entra o sistema nervoso parassimpático, que age como um contrapeso para a resposta ao estresse, mudando, essencialmente, do estado de "lutar, fugir ou paralisar" para o de "descansar e digerir", em que nos restabelecemos e nos desenvolvemos.

Por que estamos programados para o estresse

Isso não quer dizer que a resposta "lutar, fugir ou paralisar" seja um estado ruim ou negativo. Na verdade, não estaríamos vivos se não a tivéssemos. Nesse sentido, o "estresse" é uma reação adaptativa fisiológica essencialmente inata em nosso cérebro. O que queremos dizer com "adaptativa" é que ela tem nos permitido sobreviver e evoluir para os seres humanos que somos hoje. É fisiológica porque uma sequência de processos físicos é ativada quando a resposta ao estresse é acionada. Ainda que o estresse possa parecer um fenômeno "mental", ele é bastante físico por natureza.

Um famoso exemplo que com frequência é apresentado é o de um ser humano dos primórdios que se depara com um predador, como um leão. É claro que, sob circunstâncias normais, o humano não seria páreo para o leão, mas, confrontado com tal ameaça, nosso cérebro automaticamente ativa a resposta ao estresse, o que permite uma descarga de adrenalina e cortisol para inundar o corpo, resultando em alguns superpoderes bem fantásticos! O sangue é bombeado com força e rapidez, levando oxigênio pelo corpo; a glicose é liberada para inundar nossos músculos com uma sobrecarga de energia; e nossas pupilas se dilatam, de modo a nos tornar um tipo de super-humanos.

Em algum momento da história humana, essas mudanças fisiológicas realmente nos ajudaram a lutar com o leão, fugir dele ou nos manter tão imóveis que o animal não nos registrou como alimento. Ou talvez, de maneira mais precisa, lutar, fugir ou se esconder de outros humanos provenientes de clãs antagônicos. Seja como for, essa resposta ao estresse tem sido extremamente valiosa para nós enquanto espécie, tanto que ela mal sofreu mudanças, ainda que nosso contexto seja bem mais seguro sob vários aspectos. É por isso que quando um carro nos dá uma fechada na estrada, conseguimos evitar uma colisão antes de pensar conscientemente em virar a direção. Também é por isso que, depois, tal experiência nos deixa "acelerados", sem fôlego e completamente exaustos.

Essa resposta é tão útil para nós, tão adaptativa, que é programada e pode ser acionada quando não estamos perante qualquer perigo físico explícito. Alguma vez você já sentiu seu coração martelando no peito durante uma entrevista de emprego? Os entrevistadores não vão, na verdade, colocá-lo(a) em um espeto para ser assado(a), mas o massacre verbal desencadeará exatamente as mesmas mudanças fisiológicas como se você estivesse sendo atacado(a) com lanças.

Saber disso – a parte de Conscientização da Abordagem CAA – é o primeiro passo para controlar essa reação automática, motivada pela evolução. No caso de Charlie, era importante descobrir se ela tinha algum Pequeno T que levasse a uma associação entre um determinado ambiente ou uma determinada interação na universidade e a resposta ao estresse que estava sendo provocada quando estava ali. Como sempre, coloquei a pergunta fundamental dos Pequenos Ts, e foram essas as pistas que começaram a se materializar:

> *Não consigo entender como o que vou lhe contar me afetaria tanto, porque à época não foi nada tão importante. Quando eu era mais nova, mais ou menos com 8 anos de idade, eu estava na peça da escola. Eu nunca tinha estado num palco antes, diante de uma plateia lotada, e fiquei paralisada, esqueci completamente todas as minhas falas. Acho que chamam isso de "dar um branco". Tudo que eu conseguia ver era pares de olhos me observando. A professora acabou tendo que ir me buscar, e depois disso, por um tempo, eu sofria no meio de multidões.*

Perguntei a Charlie, então, se alguma vez ela tentou voltar ao palco, e ela disse que não, que evitava ferrenhamente qualquer tipo de encenação ou teatro e sempre conseguia se desvencilhar de apresentações, até em grupos pequenos. Mas, de maneira notável, Charlie não achava que isso fosse relevante em relação ao que estava acontecendo na universidade, já que o terror que sentiu ocorreu no início do curso, simplesmente à vista de um grande anfiteatro com um palco.

Como a reação ao estresse pode se tornar condicionada

Do final do século XIX ao início do XX, pesquisadores conhecidos como behavioristas conduziram experimentos para ver como as pessoas e os animais aprendem comportamento. Eles acreditavam que aprendemos simplesmente respondendo a aspectos do nosso entorno, que somos uma caixa preta passiva, lidando com aportes do ambiente, que então conduzem diretamente a nossos comportamentos externos. Além disso, os behavioristas acreditavam que aprendemos associando estímulos ambientais a reações, algo conhecido como condicionamento clássico. Por exemplo, o fisiologista russo Ivan Pavlov notou que um cachorro não apenas salivava ao ver comida, como também começava a babar *apenas* ao ver quem o alimentava. É óbvio que os cachorros não são programados para salivar ao ver um humano, então aquele canino aprendeu, com o tempo, que a pessoa também significava comida. Pavlov reproduziu experimentalmente essa observação, associando comida ao som de um sino, e veja só, o cachorro começou a salivar só com o som do sino. Assim, foi criada uma resposta a partir de duas coisas não relacionadas anteriormente.

Esse tipo de experimento foi repetido por John B. Watson e Rosalie Rayner, na década de 1920, com uma criança pequena que eles chamavam de Pequeno Albert. O objetivo era criar uma resposta (isto é, condicionar uma determinada resposta, nesse caso medo e estresse) ao associar um rato branco com um barulhão assustador. De início, Albert tinha gostado bastante do rato, mas, depois da associação com o barulho assustador, ficou com medo não apenas do rato, mas também de outros objetos com aparência semelhante, tal como o cachorro da família, um casaco de pele e até uma máscara do Papai Noel. Assim, a reação associada generalizou-se.

Hoje em dia, esse experimento seria considerado totalmente antiético, é claro, e existem muitas discussões e curiosidade sobre o que teria acontecido com o Pequeno Albert. Alguns dizem que ele morreu de hidrocefalia adquirida aos 6 anos, outros sugerem que ele tenha tido uma vida longa e frutífera, mas com medo de cães.

Quando eu estava na faculdade, os livros afirmavam, com segurança, que a criança fora descondicionada, mas isso é improvável e, sem dúvida, se os pesquisadores tivessem revertido as respostas condicionadas, teriam publicado os resultados do experimento. Sinto realmente por aquela criança, e espero que, quaisquer que tenham sido as consequências, ela tenha tido conhecimento da importância do seu papel para nossa compreensão do estresse. O Pequeno Albert ensinou-nos que é possível estabelecer associações entre dois aspectos da vida não relacionados anteriormente. E isso é valioso quando se tenta determinar o que é estresse e o que é ansiedade.[22]

Para Charlie, exploramos se era possível que as características do palco da escola tivessem levado a uma resposta condicionada ao estresse. Quando nos aprofundamos na primeira vez em que Charlie teve a intensa resposta ao estresse na universidade, ela se lembrou de algumas similaridades entre os dois ambientes. A plateia, o tamanho e o aspecto fechado do anfiteatro eram, de fato, semelhantes ao palco escolar. No entanto, a essa altura Charlie estava um tanto frustrada, sem conseguir entender por que seu tratamento psicológico anterior tinha ajudado parcialmente, se todos os seus Pequenos Ts tinham a ver com a peça da escola.

A diferença entre estresse e ansiedade

O estresse, ou melhor, a resposta ao estresse tem a ver com uma ameaça presente no momento, a que em geral chamamos de "estressor". Para Charlie, todos aqueles olhos na direção dela, no escuro, dentro de uma grande sala da qual era difícil escapar, teriam sido fortes sugestões para desencadear uma premente resposta ao estresse. No entanto, a ansiedade tem muito mais a ver com nossas percepções, e em geral baseia-se em acontecimentos passados ou futuros. Como Charlie não havia voltado ao palco, não houve oportunidade para ela atenuar a associação entre as características ambientais (fileiras de cadeiras, sinais de saída de emergência, espaço fechado) e aquela resposta ao estresse. Sendo assim, quando essa resposta era acionada automaticamente na universidade, Charlie começou a se preocupar que estivesse ansiosa por estar na universidade, como isso poderia impactar em seu futuro, o que as pessoas pensavam a seu respeito e muitas outras ansiedades.

A diferença fundamental entre estresse e ansiedade tem a ver com nosso lugar no tempo. A resposta ao estresse está relacionada a uma ameaça presente e/ou é acionada por uma associação (no caso de Charlie, o ambiente do anfiteatro), ao passo que a ansiedade tem a ver com pensamentos baseados no futuro (preocupação) ou no passado (ruminação).

A confusão surge porque os seres humanos são uma espécie muito inteligente e conseguem imaginar toda uma gama de cenários – perigosos e seguros. É assim que tanto a preocupação quanto a ruminação (que são formas de pensamento ansioso) acionam a resposta ao estresse. Nossa mente e nosso corpo não sabem a diferença entre uma ameaça presente e a percepção de uma ameaça, e por isso pensar negativamente sobre o passado e o futuro também pode ativar a resposta de "lutar, fugir ou paralisar". Na verdade, faço uma correção: nossa mente e nosso corpo não sabem a diferença até que sejam treinados para perceber o que é estresse e o que é ansiedade (veja a seguir, no estágio da Ação)

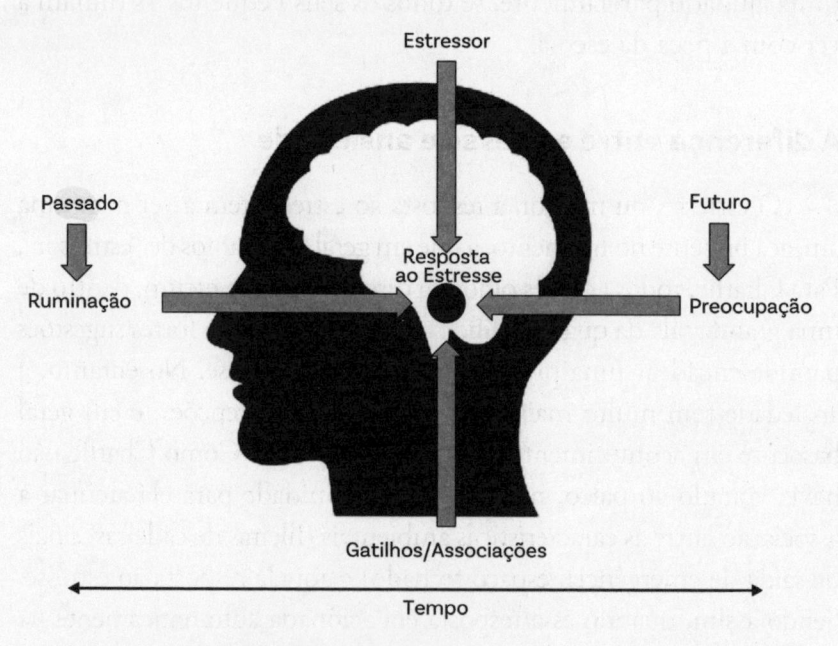

Figura 4.1: Estresse, ansiedade e tempo

Pode ser útil fazer a si mesmo(a) a seguinte pergunta para descobrir se você está passando por estresse ou ansiedade: *Onde é que mais me encontro: no passado, no presente ou no futuro?*

É vital entender as diferenças sutis entre estresse e ansiedade para superar os Pequenos Ts que conduzem essa temática, uma vez que métodos diferentes funcionam para estresse em oposição à ansiedade. Pode ser difícil saber qual é qual, porque os sintomas são parecidos – uma ameaça presente, associações, ruminação e preocupação, tudo isso ativa a resposta fisiológica ao estresse em uma parte primitiva e profunda do cérebro chamada amígdala. Muitas pessoas chamam-na de nosso cérebro reptiliano, uma vez que é instintiva e um tanto automática, e não analítica.

No entanto, a ansiedade tem a ver com padrões mais altos de cognição e pensamento, de modo que precisa ser processada por uma parte mais evoluída do cérebro, conhecida como córtex, antes que esses pensamentos possam atingir a amígdala.[23] É por isso que Charlie estava tendo tantos problemas com os contínuos sintomas da resposta ao estresse; eles estavam funcionando em um nível cognitivo com a terapia anterior, desvendando pensamentos preocupantes, quando na universidade o gatilho era uma associação condicionada. Em outras palavras, o cérebro reptiliano de Charlie estava respondendo imediatamente ao ambiente através de sua amígdala programada para a sobrevivência, ao passo que as técnicas que lhe foram ensinadas eram métodos cognitivos de alta ordem, lentos demais para serem usados no momento.

Como um todo, os Pequenos Ts podem estar envolvidos tanto no estresse quanto na ansiedade, já que, em certas situações, uma experiência anterior pode preparar sua resposta ao estresse; mas os Pequenos Ts também afetam nossas percepções, portanto podem levar à ansiedade e a numerosas situações confusas que, então, desencadeiam a resposta ao estresse e todos seus sintomas fisiológicos.

Os sinais e sintomas da resposta ao estresse

Qual é a sensação da resposta ao estresse fisicamente, no momento:

☑ Você pode ter sensações cardiovasculares, inclusive palpitações, quando parece que seu coração pula uma batida, está disparado, e até sentir o sangue bombeando pelo corpo com mais velocidade.

☑ Sua voz pode tremer, e em casos extremos você pode ter dificuldade para falar adequadamente, porque os padrões de respiração estão conturbados.

☑ Você pode ter sintomas gastrointestinais, tais como dor de estômago ou uma necessidade urgente de ir ao banheiro.

☑ Você também pode sentir mais necessidade de esvaziar a bexiga. Ambos os mecanismos são para facilitar lutar ou fugir.

☑ Você pode se sentir agitado(a) ou inquieto(a), com dificuldade para ficar parado(a), ou sentir uma avassaladora necessidade de escapar.

☑ Pode ocorrer um rubor no pescoço e no rosto, e/ou suas orelhas podem começar a esquentar e ficar vermelhas.

☑ Em geral, você pode sentir muito calor e transpirar.

Qual é a sensação cognitiva da resposta ao estresse, tanto a curto quanto a longo prazo:

☑ A concentração pode ficar prejudicada durante um estresse agudo, porque a mente concentra-se na ameaça percebida.

☑ Outras funções cognitivas, como a memória, ficam piores, porque os recursos cognitivos são alocados para "lutar ou fugir".

☑ Em um prazo maior de estresse crônico, o funcionamento de ordem superior, tal como tomada de decisão, pode ser atenuado.

☑ Também no estresse crônico, você pode experimentar uma afasia temporária, em que parece haver dificuldade em encontrar a palavra certa. Trata-se da sensação de "na ponta da língua".

Qual é a sensação emocional e social da resposta ao estresse quando você não consegue voltar a um estado de relaxamento:

☑ Você poderá se sentir irritado(a) e intratável, estourando por pequenas coisas (ou pessoas) que normalmente não o(a) incomodariam.

☑ Por outro lado, você poderá se sentir carente e precisar de constante reafirmação.

☑ Você poderá se sentir como se o mundo estivesse se fechando – sentir-se oprimido(a) é um sinal comum de estresse insuportável.

☑ O sono não passa de um sonho distante. Dificuldades em adormecer e em permanecer dormindo estão associadas a estresse de longo prazo.

☑ A intimidade e o sexo também podem ser afetados; a perda de libido pode ser um sinal de que algo tenha que mudar.

O estresse de longo prazo, causado por associações de ameaça, ou por ansiedade, pode levar a alguns problemas de saúde significativos, inclusive cardiovasculares e disfunção do sistema imunológico. Estudos mostram que é mais difícil eliminar um vírus do organismo, e até uma cicatrização exige mais tempo, se a pessoa estiver em um estado crônico de estresse.[24] Portanto, vale a pena se empenhar na Abordagem CAA para controlar sua resposta ao estresse.

Abordagem CAA: Aceitação

Agora, Charlie conseguia ver como o incidente de Pequeno T no palco da escola causara no momento um estresse com tal intensidade que a programação do seu cérebro criara uma associação, e como isso desencadeou sua reação na universidade. Também tomou consciência de que essa reativação da resposta ao estresse naquela situação prosseguiu para criar ansiedade sob a forma de futuras preocupações – "Como vou me virar se nem consigo ficar sentada em um anfiteatro?". Essa é uma distinção muito fundamental, em geral não reconhecida.

Outro exemplo é Logan, que, em certo sentido, tem uma experiência oposta à de Charlie. Logan estava passando por muitos dos sintomas físicos da resposta ao estresse e os atribuiu ao "estresse no trabalho". Usou uma série de técnicas, tais como afirmações diárias, exercícios de respiração e de queima de calorias na academia, mas esses "reparos" já não estavam funcionando. Aqui, precisávamos ter certeza de que a resposta ao estresse estava, de fato, sendo ativada por estresse ou associações do momento, e não por algum tipo de padrão de pensamento ansioso, como preocupação ou ruminação.

Exercício: separar estresse de ansiedade

É comum as pessoas viverem as manifestações físicas, cognitivas e emocionais da resposta ao estresse sem saber o motivo. Uma maneira de descobrir se o que está causando suas dificuldades é estresse (ou um estressor) ou ansiedade é definir se aquilo está ligado a um problema atual ou a uma situação hipotética. Você pode fazer isso perguntando-se: "Tem algo que eu possa fazer a respeito, neste momento?".

Se a resposta for "sim", então muito provavelmente você está lidando com um estressor ou associação presente, por exemplo, um cliente difícil. Logan era vendedor e sabia como lidar com situações estressantes no trabalho, então isso não era o cerne do seu problema. O mais provável era que o motivo de Logan estar achando difícil controlar seus sintomas tivesse mais a ver com uma situação hipotética; em outras palavras, ele estava passando por uma ansiedade.

Isso pode parecer surpreendente quando um Pequeno T está profundamente enterrado dentro de nossas psiques. Apresentei a questão inicial de Pequeno T a Logan e observei como ele refletiu cuidadosamente sobre que acontecimento ou experiência o teria impactado ou mudado de maneira importante, mas que não achara ser sério o suficiente para mencionar. Olhou-me diretamente nos olhos e disse que seu pai era um narcisista. Logan tinha, de fato, numerosos pensamentos ansiosos escondidos nas reentrâncias da sua mente sobre o conflito entre querer deixar o pai orgulhoso e, no entanto, se esforçar para se ver livre do seu controle. As situações hipotéticas que beiravam a consciência de Logan eram preocupações que não poderiam ser resolvidas ativamente, uma vez que não podemos mudar outras pessoas. Nenhuma quantidade de levantamento de peso na academia, preparação para virar um homem de ferro ou afirmações de "você consegue" poderia superar, de modo adequado, a sensação de que o pai não o notava de fato.

É por isso que a parte de Aceitação da Abordagem CAA pode ser dolorosa, pois é possível perceber que algumas vezes não podemos mudar aspectos da nossa vida, mas podemos aprender a reconhecer e lidar com pensamentos ansiosos. Em primeiro lugar, no entanto, vamos dar uma olhada no domínio da resposta fisiológica ao estresse, algo em que Logan tinha prática, mas Charlie precisava experimentar.

Como aprender a controlar a resposta fisiológica ao estresse

Esse método é uma maneira de você treinar a si mesmo a não reagir imediatamente à resposta ao estresse e, com o tempo, controlá-la. Aqui, somos incentivados a ser curiosos sobre os sintomas físicos da resposta ao estresse, de modo a não termos o desejo irresistível de escapar dessas sensações fisiológicas quando elas ocorrem. Com a prática, essa técnica também permitirá que você controle os sinais um tanto assustadores que seu corpo lhe dá quando a resposta ao estresse está a todo vapor, tais como um coração disparado, tontura e voz trêmula. Charlie e eu seguimos essas etapas para que ela se capacitasse a primeiro obter um senso de aceitação da resposta ao estresse e, depois, para vê-lo pelo que ele é: um mecanismo fisiológico normal.

- Sente-se ou deite-se numa posição confortável. Não precisa se apressar, vá com calma.
- Agora, imagine a situação que dispara sua resposta ao estresse. Para Charlie, focamos em um anfiteatro, já que esse foi o mais recente gatilho significativo.
- Traga detalhes à mente. Onde você está? Qual é a sua posição no espaço? Em sua mente, olhe para cima, para baixo, à esquerda e à direita.
- Quando começar a sentir as sensações da resposta ao estresse, saiba que está tudo bem, e que é por isso que estamos aqui. Se as sensações não começaram, tente se lembrar de qual era a sensação dessa situação acionadora.
- Agora, percorra cada ponto do seu corpo, notando qual é a sensação nas diferentes áreas de sua constituição física.
- Permaneça por um momento com essas sensações, ainda que elas pareçam desconfortáveis.
- Se uma sensação for particularmente forte, tenha curiosidade em relação a ela; explore-a como se você fosse um alienígena fazendo uma pesquisa.
- Pense em termos de "isso é fascinante, imagino o que virá a seguir!".
- Depois, descreva a sensação com suas próprias palavras, como "esse coração está batendo tão rápido quanto o de um coelho".
- Também fique curioso(a) sobre qualquer pensamento que esteja ocupando sua mente, por exemplo: "Só quero cair fora disso agora!".
- Em vez de deixar de lado essas sensações físicas, fique com a experiência, permita que ela seja desconfortável, mas interessante.

- A seguir, aceite que isso é seu corpo tentando deixá-lo(a) a salvo e agradeça a ele por cuidar de você.
- Agora você pode passar para outra sensação, ou encerrar o exercício, garantindo a seu corpo que está tudo bem, e daqui pra frente você se encarrega disso e pode criar uma resposta mais adaptável a esse gatilho.

Assim como qualquer técnica, quanto mais se pratica, mais fácil fica, e com o tempo você notará que suas respostas ao estresse mudam e ficam mais fracas. Na verdade, embora de início Charlie achasse a noção do exercício estressante por si só, depois de algumas sessões a perspectiva de ficar curiosa sobre sua resposta ao estresse pareceu privar essa resposta de seu domínio sobre ela. E aqui chegamos ao ponto em que estamos preparados para seguir para a fase Ação da Abordagem CAA.

Síndrome da Ocupadice: ansiedade de alto funcionamento e como ela controla a sua vida

Assim como algumas pessoas podem ter sintomas depressivos, mas ainda parecem funcionar num nível alto, o mesmo pode ser dito de quem tem ansiedade. Pessoas com ansiedade de alto funcionamento são, frequentemente, as melhores do seu grupo, grandes realizadoras, e de quem se poderia pensar: "Como elas fazem tudo isso?". A raiz poderia ser Pequenos Ts alimentando o que chamo de Síndrome da Ocupadice, em que constantemente nos ocupamos para nos distrair de pensamentos ansiosos.

Às vezes, a distração pode ser um mecanismo benéfico de enfrentamento, em geral a curto prazo, mas quando usada em demasia a ponto de nossa conscientização ser baixa (de volta à primeira etapa da Abordagem CAA), pode ser um sinal de que a força motriz é uma ansiedade subjacente.

Você acha desconfortável ficar sem fazer nada, simplesmente *ser*? É capaz de pular de uma tarefa para outra sem se dar conta, sentindo-se um(a) observador(a) da própria vida? Se isso lhe parece familiar, a ansiedade de alto funcionamento e a Síndrome da Ocupadice podem estar atuando. Verifique consigo mesmo(a) fazendo-se as seguintes perguntas:

☑ Você acha difícil relaxar?

☑ Sua mente move-se imediatamente para a próxima tarefa assim que a tarefa presente esteja terminada, ou mesmo antes?

☑ Você acha difícil se concentrar em uma coisa de cada vez?

☑ Outras pessoas o(a) descreveriam como sobre-humano(a), um(a) grande realizador(a) e/ou bom(boa) profissional sob pressão?

☑ Você tem medo de se decepcionar, ou decepcionar terceiros, se não estiver no topo de tudo?

☑ Em geral, você chega cedo, ou é a primeira pessoa a chegar a uma reunião ou encontro social, e a última a ir embora, porque se oferece para dar uma organizada em tudo?

☑ Por fora, você parece calmo(a) e controlado(a), mas por dentro sua mente dispara um quilômetro por minuto, um pouco como a metáfora do cisne deslizando calmamente pelo lago, mas patinhando loucamente por baixo d'água?

☑ Você diria que tende a pensar demais, fazer demais e preparar demais?

Esse padrão e ciclo ansioso de distração – ansiedade – distração pode governar a sua vida, então comece a Abordagem CAA e traga alguma conscientização para primeiro identificar se isso lhe é familiar. Depois, siga as sugestões do capítulo para enfrentar seus Pequenos Ts com Aceitação e Ação.

Abordagem CAA: Ação

Assim como em toda Temática do Pequeno T, esses métodos devem ser adaptados a suas necessidades particulares, baseados em se a questão central for o estresse atual e gatilhos associados ou se a preocupação e a ruminação forem os impulsionadores de sua resposta ao estresse. Muitas pessoas experimentam os dois, é claro, então você pode fazer uma combinação dessas técnicas nesse estágio da Ação da Abordagem CAA.

Sugestões rápidas para lidar com a resposta ao estresse

Aqui estão alguns métodos para lidar com uma ameaça presente, associação ou gatilho da resposta ao estresse. Como sempre acontece com sugestões rápidas, é bom usar isso ao mesmo tempo que realiza o trabalho de longo prazo com os Pequenos Ts.

Encurte o estresse com os sentidos

Os sentidos são nossos superpoderes, e podemos usá-los para anular a resposta ao estresse. Esse é um excelente tipo de distração para uma solução a curto prazo, logo antes ou depois de uma situação estressante, para ajudá-lo(a) a sair da resposta ao estresse e suas manifestações desagradáveis. Use o que lhe couber melhor – a ideia aqui é chocar os seus sentidos de modo que sua atenção passe do estressor para uma das sensações a seguir. Mas você também pode ter suas próprias ideias.

- Sentido do tato: mergulhe a mão em um saco de gelo e deixe-a ali por alguns instantes.
- Sentido da audição: coloque uma música com o som bem alto. Normalmente, o uso de fones de ouvido é melhor para não incomodar quem estiver por perto.
- Sentido do olfato: coloque o nariz em um saco de papel com um queijo azul de cheiro bem forte, ou outra comida pungente, e respire rapidamente, inspirando o cheiro intenso.

- Sentido do gosto: morda um limão e sinta a sensação extremamente ácida da fruta.
- Normalmente, o sentido da visão não lhe dará um efeito tão imediato, mas você pode se distrair cognitivamente lendo um parágrafo do fim para o começo, fazendo contas mentalmente (veja como é difícil fazer uma multiplicação sem a calculadora do smartphone!), ou fazendo uma lista alfabética de suas séries ou filmes preferidos.

Suavize sua visão

Essa é outra sugestão rápida para lidar com o estresse, mas que pode ser usada em meio a um público, por exemplo, em uma reunião. Quando estamos nas garras de uma intensa resposta ao estresse, nossa visão é tão aguda quanto uma lâmina e se restringe ao perigo (percebido) para nos ajudar a sobreviver. Com frequência, isso é chamado de visão de túnel. Você já notou que, quando está em uma situação estressante, acha difícil lembrar-se dos detalhes secundários do lugar ou do acontecimento? Talvez depois de fazer uma apresentação, um colega mencione alguma confusão havida no lado de fora da sala de reuniões, mas você não reparou em nada. Estava tão envolvido(a) no estresse do momento de fazer sua fala que não registrou mais nada. No entanto, podemos reverter e ativar o sistema nervoso parassimpático suavizando a sua visão. Feche os olhos, depois abra-os lentamente para ganhar mais percepção do campo visual periférico. Continue olhando à frente, mas gradualmente note o entorno mais amplo. Talvez também seja bom massagear suavemente as têmporas para ajudar nesse processo, mas isso não é necessário, caso esteja em um lugar público.

Mastigue

Pesquisadores em Nortúmbria descobriram que a goma de mascar tem demonstrado reduzir o estresse agudo e níveis de cortisol.[25] Curiosamente, esses cientistas também descobriram que a goma de mascar ajudava na produtividade. Contudo, o sabor não pareceu ter importância, então você pode escolher o tipo que preferir. Essa é uma solução prática caso você esteja por aí e não possa usar as dicas dos sentidos dadas anteriormente. Afinal de contas, você poderia não ter à mão um freezer cheio de gelo.

Dê um bom bocejo

Você costuma bocejar depois de um dia estressante? Isso pode não ser apenas um reflexo do cansaço, mas sim uma maneira de o corpo resfriar o cérebro. Durante a resposta ao estresse, nosso cérebro se aquece; bocejar é um tipo de ar-condicionado fisiológico.[26] O motivo de bocejarmos perto da hora de dormir e ao acordar é que a temperatura do cérebro fica mais alta à noite e sobe novamente ao acordar. Embora exista uma discussão em andamento sobre se bocejar é contagioso, muitas pessoas podem provocar um bocejo imitando-o primeiro. Isso provocará relaxamento e permitirá que nossas cabeças quentes se refresquem.

Ação de longo prazo para controlar a resposta ao estresse

Aqui estão técnicas que só melhoram com a prática e que lhe permitirão se livrar para sempre dessa Temática de Pequenos Ts, além de capacitá-lo(a) a, no futuro, contornar Pequenos Ts parecidos.

Use o poder do sistema nervoso parassimpático

Regular os padrões de respiração é uma das melhores maneiras de envolver o sistema nervoso parassimpático e combater a resposta ao estresse. Em vez de você depender apenas das soluções rápidas expostas acima, treinar essa parte do sistema nervoso reforçará as vias neurais e tornará bem mais fácil lidar com o estresse grave. Gosto de pensar no sistema nervoso parassimpático como nosso "paraquedas" incorporado, que nos ajuda a ir com calma em tempos difíceis, e aterrissar suavemente na Terra.

Aqui, o que importa é a consistência. Se praticar regularmente o lançamento do seu paraquedas, você se tornará especialista nisso. Seu cérebro ficará tão acostumado a envolver o sistema nervoso parassimpático que, ao se confrontar com estressores, estará condicionado. Você pode usar a técnica de sua preferência, mas essa é uma das minhas favoritas, podendo ser praticada em qualquer lugar, a qualquer hora.

Exercício prático de respiração

Charlie achou essa técnica útil por parecer mais tangível e usar o imaginário mental para conduzir a inspiração e a expiração.

- Estique as mãos como se fosse uma estrela, e comece com o dedo mindinho. Depois, inspire tão fundo que possa sentir sua barriga se expandir pelo nariz, enquanto segue (com um dedo da outra mão) seu dedo mindinho até chegar à extremidade. Em seguida, exale pela boca enquanto acompanha a parte interna do seu dedo, de modo que a sua barriga se encolherá enquanto você solta o ar.
- Passe para o dedo anular, e novamente inspire enquanto acompanha a borda externa do dedo, e solte o ar quando passar para a borda interna.
- Mais uma vez, inspire enquanto segue o lado externo do dedo médio e expire quando estiver voltando para a palma da mão.
- Continue com o indicador antes de passar para o polegar.
- Repita esse processo na outra mão e, se algum pensamento intrusivo começar a interromper, admita-o antes de voltar calmamente para o exercício.

Em geral, essa técnica é usada para ajudar crianças a lidar com o estresse, por ser um método muito fácil. Ele também envolve o sentido do tato, que, repetindo, ajudará a mente e o corpo a entrarem num estado de "descanso e digestão", e não de estresse.

Você reconhece algum dos sintomas no quadro das páginas 103-104 em alguns momentos em que não está estressado(a)? Muitos dos efeitos fisiológicos do estresse são exatamente os mesmos de quando nos exercitamos: coração acelerado, suor, bombeamento de glicose pelo corpo; e uma maneira inteligente de combater a sensação de estresse é se exercitar antes de uma situação difícil. Modalidades de exercício aeróbico que fazem seu sangue bombear, tais como corrida/*jogging*, natação, ciclismo/*spinning* e aulas de dança/*body pump* comprovaram inúmeras vezes que moderam a sensação de estresse.[27] Bastam apenas vinte minutos, e os efeitos calmantes do exercício podem durar por muitas horas.[28, 29] Portanto, na próxima vez em que você tiver uma apresentação importante, estiver indo para uma reunião familiar delicada ou houver qualquer outro tipo de acontecimento estressante, agende uma sessão de exercício aeróbico com no máximo seis horas de antecedência, e poderá descobrir que, afinal de contas, a situação não foi tão opressiva.

Se isso não for possível, use toda a adrenalina e a glicose, produzidas pelo seu corpo em sua resposta ao estresse, saindo para uma corrida ou uma caminhada acelerada depois do evento. Isso ajudará o seu corpo e a sua mente a voltarem com muito mais rapidez a um estado de homeostase, além de relaxar a tensão muscular, outro sintoma de estresse.

Charlie gostava de exercício e de fato adorou a sugestão, então agendou uma sessão de ginástica algumas horas antes de trabalharmos na terapia de exposição a seguir, para tornar o processo ainda mais fácil. É possível que você queira fazer o mesmo.

Terapia de exposição: dê um fim às associações

No caso em que Pequenos Ts condicionaram uma resposta ao estresse com uma determinada sugestão ambiental ou situacional, a terapia de exposição é a melhor maneira de superar essa associação e substituí-la por algo que leve a uma reação neutra ou positiva. Se você tiver uma reação muito severa a gatilhos, é realmente melhor procurar um terapeuta que possa apoiá-la no processo (por exemplo, se sofrer ataques de pânico), caso contrário, a teoria é bem objetiva. Ao colocar-se na situação ou no ambiente que desencadeia a resposta ao estresse, seu cérebro aprenderá que você está seguro(a) e não precisará ativar o sistema nervoso simpático em uma reação de "lutar ou fugir". Só é preciso um pouco de tempo e paciência.

Existem dois tipos de terapia de exposição: a *dessensibilização sistemática* e a *implosiva* (inundação). Embora existam estudos para embasar a efetividade de ambas,[30] tendo a pecar pela cautela e sugerir a primeira. Implosiva, como você pode imaginar pelo nome, é pular de cabeça na situação gatilho. Para alguns, ela é mais rápida, mas, pela minha experiência, pode ser um tiro pela culatra, revelando-se avassaladora.

Em certo sentido, quando Charlie entrou no anfiteatro em seu primeiro semestre na universidade, aquilo foi um tipo de implosão, mas como ela não sabia, isso ativou a resposta ao estresse, que em seguida levou-a a se empenhar em algumas distorções cognitivas (veja a seguir), causando ansiedade sob a forma de preocupações em relação ao futuro. A dessensibilização sistemática permite que você desenvolva as habilidades e a força mental para lidar e, por fim, anular a resposta aguda ao estresse, enquanto aumenta a Conscientização e a Aceitação, portanto, em termos de Abordagem CAA, é vantajosa em todos os sentidos. No entanto, preste atenção para não pular o exercício de Aceitação, uma vez que esse tipo de imaginário mental é um ótimo passo inicial na terapia da exposição.

No caso de Charlie, pedi que despejasse do cérebro (algo conhecido como *brain dump*) todas as circunstâncias que levavam a sensações de estresse. Depois, nós as classificamos da menos grave para a mais grave. Em seguida, traçamos um plano de como colocar Charlie nessas situações e que sugestões rápidas ela poderia usar no momento para lidar de imediato com a resposta ao estresse. Para algumas pessoas, isso pode significar a princípio olhar fotografias de seu ambiente temido, mas Charlie começou arrumando as cadeiras da sala de jantar em um semicírculo, com uma das cadeiras colocada à frente, como um pódio improvisado, para que até certo ponto parecesse um palco escolar ou um anfiteatro. Depois, ela foi a uma conversa em grupo, em um café, e aos poucos foi progredindo, até comparecer a uma grande palestra. Em cada fase, o cérebro de Charlie estava anulando a associação entre seus Pequenos Ts e o gatilho, acabando por conseguir voltar para seus estudos em tempo integral.

Lidando com padrões de pensamento ansioso que levam à resposta ao estresse

A ansiedade, seja ela baseada em ruminações sobre o passado, seja em preocupações focadas no futuro, origina-se de nossos pensamentos dentro do córtex, área de maior funcionamento do cérebro, por isso é conveniente usar estratégias mentais para superar os padrões de pensamento negativo que alimentam a ansiedade, em vez de simplesmente confiar na administração da resposta ao estresse no momento. Para Logan, essa área de padrões de comportamento foi a chave para destravar suas dificuldades com os sintomas relacionados ao estresse.

Para começar, é útil identificar que tipos de padrões de pensamento negativo (frequentemente chamados, em psicologia, de "distorções cognitivas") você pode estar reproduzindo em sua mente. Aqui estão algumas das categorias mais comuns:

Distorções cognitivas	Exemplos
Catastrofismo	*Se me sair mal nessa entrevista de trabalho, não vou conseguir o emprego e minha noiva/meu noivo perderá todo o respeito por mim e vai me abandonar.*
Leitura de mente	*Só de olhar para o rosto da pessoa com quem estou saindo, percebo que ela me acha um(a) chato(a).*

Distorções cognitivas	Exemplos
Adivinhação	*Sei que minha reunião simplesmente vai para o brejo. Está na cara.*
Foco negativo	*Ainda que meu gerente tenha me dado um feedback misto em minha avaliação de desempenho, só consigo ver as críticas ao meu trabalho.*
Desconto do positivo	*É, passei e consegui minha carteira de motorista, mas foi pura sorte que hoje o trânsito não estivesse ruim.*
Ampliação	*Minha situação é muito terrível, muito pior do que a dos outros.*
Minimização	*Ah, consegui comprar uma casa, mas a maioria das pessoas também consegue, não é algo tão extraordinário.*
Baixa tolerância à frustração	*Simplesmente não suporto mais essa dieta!*
Personalização	*Ninguém vem conversar comigo nessa festa; deve ser por causa da minha aparência.*
Rotulagem	*Minha colega simplesmente me ignorou, então ela deve ser uma [insira aqui um palavrão dos mais grosseiros].*
Acusação	*Ainda não saí de casa por culpa dos meus pais.*
Pensamento tudo ou nada	*Se eu não tirar 10 em todas as provas, sou simplesmente um fracasso.*
Supergeneralização	*Meu namoro acabou, então devo ser completamente detestável.*

A seguir, use meu processo **PSG** de três etapas, baseado no método de discussão socrática de contestar padrões de pensamento negativos e desajustados. Você pode usar esse simples processo para questionar todos os exemplos de pensamento acima, que alimentam ansiedade e outras distorções cognitivas que iniciam ou mantêm sentimentos ansiosos. Pergunte a si mesmo(a):

- **P é para Preciso:** esse pensamento é preciso? Se for, qual é a prova concreta para essa cognição?
- **S é para Sensato:** esse pensamento é sensato? Ele tem objetivamente um sentido lógico?
- **G é para Generoso:** esse pensamento é generoso? Se não for, que função tem essa maneira de pensar?

Usemos um exemplo de Logan, que relatou distorções cognitivas, tais como pensamentos de catastrofismo, minimização e tudo ou nada.

- **Pensamento:** "Meu pai nem repara em mim. Devo ser muito estúpido e inútil. Minha vida nunca vai dar em nada, já que sou invisível para ele".
- **P para Preciso:** exploramos a precisão de Logan em ser "estúpido", cuja evidência praticamente não havia. É claro que todos temos dificuldades, mas o fato de Logan estar enfrentando seu Pequeno T significava que a evidência pesava muito mais na direção de que ele estava longe de ser um inútil, era apenas um ser humano que havia vivenciado um Pequeno T.
- **S para Sensato:** Logan admitiu que ainda que seu pai não lhe fizesse o elogio pelo qual ele ansiava, não era sensato concluir que sua vida não tivesse valor. Às vezes, apenas verbalizar isso acaba com o vozeirão do crítico interno dentro de todos nós.
- **G para Generoso:** Logan imediatamente admitiu que esse pensamento não era generoso, então exploramos sua função.

Chegamos à conclusão de que aquele tipo de padrão de pensamento catastrófico apenas servia para mantê-lo em um estado de estresse, não era realmente favorável ou benéfico para ajudá-lo a evitar as sensações de estresse ou dano.

Por fim, chegamos a uma questão mentora psicológica muito poderosa: *Como seria a sua vida sem esse pensamento?*

Dê uma olhada na tabela de distorções cognitivas e tente você mesmo(a) o processo PSG. Melhor ainda, anote suas respostas às três perguntas do PSG, como um registro dos seus pensamentos. Registros de pensamentos podem ser uma maneira extremamente benéfica de contestar essas cognições distorcidas, e também agir como um documento para analisar seu progresso na superação da ansiedade.

Lembretes para lidar com estresse e ansiedade

Se você pudesse agitar uma varinha mágica e suas sensações da resposta ao estresse desaparecessem:

1. O que você faria de diferente no cotidiano?
2. Existe alguma coisa que você faria com mais ou menos frequência do que agora? Descreva como isso transpareceria em sua vida.
3. Você mudaria o jeito de tratar a si mesmo(a) e aos outros? De que maneira?

PARA PENSAR

Ao entender o estresse e a ansiedade como conceitos diferentes, mas relacionados, podemos usar as ferramentas corretas para cada gatilho. O estresse tem tudo a ver com o presente, com uma ameaça momentânea ou uma associação feita entre uma sugestão e a resposta ao estresse por meio do Pequeno T. A ansiedade é um pouco como se fosse a nossa mente nos pregando peças, porque os sintomas são produzidos quando não existe nenhum perigo presente verdadeiro; é uma ruminação sobre acontecimentos passados, ou preocupações sobre o futuro. Ao tomar consciência do que é o quê, aceitando as associações que desenvolvemos, e depois partindo para descondicionar a reação ao estresse e lidar com pensamentos ansiosos, podemos nos livrar desse que é a mais prevalecente das Temáticas do Pequeno T.

CAPÍTULO 5

O PARADOXO DO PERFECCIONISMO

Neste capítulo, exploraremos:

- A relação entre perfeccionismo e procrastinação
- Trolagem on-line e o Tipo de Personalidade da Tríade Sombria
- *Burnout* e como perceber os sinais de exaustão
- Os benefícios da procrastinação estratégica
- Por que o perfeccionismo não é necessário para o sucesso

Este capítulo trata de algo que vejo todos os dias na clínica: a faca de dois gumes que é o perfeccionismo e a procrastinação. Não nascemos cem por cento para buscar perfeição, trata-se de um impulso que se desenvolve ao longo da vida, em reação a nosso ambiente e aos Pequenos Ts. É realmente de cortar o coração a quantidade de pessoas talentosas, boas e intuitivas que vejo se autossabotarem como consequência de um perfeccionismo inadequado. Então, aqui iremos à raiz do problema com alguns conselhos práticos para quebrar esse ciclo vicioso.

Em um dia um tanto quente demais, uma mulher de aparência tranquila entrou na minha sala. Meu rosto brilhava e eu me sentia um pouco acalorada, mas aquela senhora parecia não ter um fio de cabelo fora do lugar, e sem dúvida não dava sinais de que o calor a perturbasse. Na verdade, de início ela pareceu tão bem composta que fiquei intrigada com o motivo de ter me procurado, e eis o que ela disse:

> *Parece que não consigo sair de um padrão de procrastinação. Isso se tornou um problema tão imenso que, em meu último negócio de risco, senti como se estivesse perdendo o foco... e a confiança dos meus investidores.*

Exploramos a infância de Silvia, e coloquei a questão do Pequeno T; por um milésimo de segundo, sua expressão facial sempre muito bem controlada transformou-se em desconforto.

> *Fui criada pelo pai mais forte que conheci. Ele fazia tudo sozinho e trabalhava em dois empregos para nos manter sem dívidas. Ele nem mesmo chegou a namorar até eu sair de casa. Sou eternamente grata a meu pai e a tudo que ele sacrificou por mim. Sempre me comportei bem, porque sabia que meu pai já tinha coisas demais para lidar à época, então, não é isso. Fui uma boa criança e nunca me meti em nenhuma confusão. Eu diria, honestamente, que crescer só com o meu pai ensinou-me muito em termos de ser autossuficiente.*

Silvia prosseguiu explicando que tinha perdido um pouco da parte divertida das atividades de um jovem adulto, tais como festas regadas a álcool tarde da noite, por não querer dar mais nenhuma preocupação ao pai. Sentia-se obrigada a "fazer a coisa certa de primeira". A ideia de fazer algo que não fosse "perfeito" enchia Silvia com uma sensação tão profunda de medo que, quando ela estava trabalhando em seu novo projeto, viu-se deixando tarefas fundamentais até muito tarde da noite para depois correr com um pânico onipotente para atender os prazos. Estava exausta, deprimida e afastando-se dos seus colaboradores não apenas porque o trabalho só tinha sido terminado a tempo, mas também porque se recusava a aprovar cláusulas de outra pessoa sem um milhão de alterações que, de algum modo, ela sempre deixava para o último minuto. O pavio de Silvia estava se queimando na velocidade de um raio e ela estava prestes a perder a confiança de seus investidores, portanto era vital que explorássemos alguns dos seus Pequenos Ts.

Perfeccionismo: natureza ou criação?

Silvia admitiu abertamente ser uma perfeccionista – com orgulho. Sentia que esse traço a ajudava a atingir seus objetivos e era absolutamente necessário para seu sucesso. Ao olhar para o estudo, parece mesmo que o perfeccionismo pode fazer parte da personalidade inata de uma pessoa, sendo que algumas têm esse traço em maior ou menor intensidade.[31] Provavelmente, em parte isso é verdade, mas agora sabemos que todos os tipos de personalidade estão abertos a mudanças por meio da experiência, da vontade e, sim, com Pequenos Ts.

Embora algumas pessoas possam ter nascido com uma predisposição para padrões pessoais altos não realistas, outras têm essa característica desgastante imposta a elas. Pode ser bem difícil separar aqui a discussão sobre natureza e criação, mas estudos sobre gêmeos, em que gêmeos idênticos foram criados separadamente, de fato mostram que, com frequência, temos uma tendência inata para alguns traços de personalidade, e não simplesmente aprendemos esses padrões observando aqueles que nos estão próximos.

No capítulo 1, exploramos algumas das origens dos Pequenos Ts, e embora Silvia pudesse ter se inclinado naturalmente para o perfeccionismo, não querer jamais preocupar o pai poderia ter se somado a essa tendência. Tenhamos em mente que os Pequenos Ts funcionam de maneira cumulativa, portanto, não existe crítica nem culpa aqui, mas sim uma curiosidade de mente aberta sobre a experiência vivida por Silvia. E, nesse sentido, começamos o primeiro passo da Abordagem CAA – Conscientização.

Abordagem CAA: Conscientização

Para começar, quis refletir sobre como Silvia se sentia quanto a cometer erros, e ela declarou que não os cometia: "Eu não erro".

Mas todo mundo não comete "erros"? Incluo essa palavra entre aspas porque sua definição é uma *ação*, *decisão* ou *julgamento*, *que produz um resultado indesejável ou não intencional*, mas a verdade é que os erros são uma parcela vital no processo de aprendizagem. Repense: é mais fácil recordar um fato ou habilidade que você acertou de primeira ou um que, de início, você fez errado? Em geral, é o último, já que nossas redes neurais assimilam novas informações e fazem novas conexões. Na verdade, eu diria que não podemos aprender sem cometer erros, cálculos errados ou descuidos.

Enquanto nos aprofundávamos nessa ideia, Silvia começou a mencionar um incidente on-line, do qual falar a respeito claramente lhe causava sofrimento emocional. No início da vida adulta, ela havia repassado um meme político em uma plataforma de mídia social; não era dirigido a ninguém, nem maldoso, e ela mal tinha pensado no que estava fazendo por lhe parecer insignificante, mas o volume de reações negativas resultante foi assustador e chocante, fazendo-a se recolher em si mesma. Isso, ela disse, cristalizou em sua mente o quanto era imperativo não cometer erros e, como muitos Pequenos Ts, agravou uma tendência comportamental (perfeccionismo) que, caso contrário, não teria se tornado problemática.

Pequeno T em foco: trolagem e a "Tríade Sombria"

A trolagem on-line é uma espécie de *bullying*, sendo assim, o impacto no indivíduo é praticamente o mesmo. Pessoas que foram troladas relatam alta ansiedade, sentimentos de estado depressivo e isolamento e, nos casos mais extremos, há relatos de suicídio. Estudos mostram que pessoas que se dedicam a esse comportamento têm, com muita probabilidade, características de personalidade conhecidas como "Tríade Sombria", uma combinação de psicopatia, maquiavelismo e narcisismo.[32] Os traços exibem algumas particularidades em comum. Por exemplo, compartilham uma falta de empatia e uma insensibilidade. A característica narcisista acrescenta uma sensação de grandiosidade, e o maquiavelismo está associado a uma engenharia social, coerção e manipulação. Por fim, a psicopatia tem uma forte ligação com um comportamento antissocial. Sendo assim, dá para começar a perceber o quanto essa Tríade pode ser destrutiva. Embora os "trolls" tenham uma tendência a mirar indivíduos publicamente conhecidos, tais como celebridades e *influencers*, eles também buscam seus amigos e pessoas completamente desconhecidas. Curiosamente, os "trolls" podem se envolver em uma espécie de "combate de trolls", no qual se provocam on-line.

Na verdade, uma pesquisa feita na Grã-Bretanha e nos Estados Unidos, com pessoas com idade entre 16 e 55 anos, descobriu que quase dois terços dos que estão entre 16 e 24 anos (64 por cento) envolveram-se em trolagem on-line.[33] No entanto, as taxas do tipo de personalidade Tríade Sombria são relativamente raras, então o que está provocando esse comportamento em tantas pessoas, especialmente em jovens? Parece que aqui o humor e o contexto são importantes; estados de humor negativo, como raiva e frustração, juntamente com um ambiente on-line, em que o comportamento antissocial prevalece (por exemplo, palavrões imediatos, ataques pessoais, insultos velados, sarcasmo e afirmações fora de contexto), são ainda melhores para explicar por que as pessoas trolam, em vez de isso refletir tipos inatos de personalidade.[34]

Existe também um efeito desinibidor quando estamos na internet que faz as pessoas se afastarem de sua personalidade real e se comportarem fora do normal – um pouco como quando alguém está muito bêbado e faz algo completamente fora dos seus padrões em uma festa.[35] Isso realmente nos lança uma ameaça, porque sugere que qualquer um poderia, nesse conjunto de circunstâncias, trolar outros.

Essa experiência de trolagem e assédio on-line é algo que tenho visto cada vez mais em meu consultório. A sensação de humilhação global pode ser profunda, aliada à crença de que aquele vestígio digital jamais será removido. Sempre tivemos vexames públicos, pense só em apedrejamento, açoitamento e ficar preso em um pelourinho de madeira, mas depois disso as pessoas poderiam deixar a cidade e começar uma nova vida em algum outro lugar (ainda que alguns problemas as acompanhassem). Agora, nessa época de "cultura de cancelamento", pode ser difícil acreditar que o sentimento de vergonha um dia desaparecerá e que você pode escapar dele.

A cultura de cancelamento é o mesmo mecanismo de formas anteriores de humilhação pública, uma vez que é usada para manter normas sociais em certo nível, ou é uma forma de justiça do povo. Aqui não existe equilíbrio, ou discussão das sutilezas da situação. Sendo assim, essa experiência somou-se significativamente à relutância de Silvia em cometer erros e reforçou enormemente sua Temática de Pequeno T do Perfeccionismo.

Revelar isso foi um primeiro passo fundamental da Abordagem CAA (Conscientização), em que pudemos começar fazendo ajustes tangíveis e úteis na vida de Silvia para enfrentar o padrão de procrastinação perfeccionista que ela havia desenvolvido.

Portanto, o início de nossa jornada foi reconhecer um ambiente em que um medo profundo de cometer erros poderia deixar uma impressão mental e comportamental.

Perfeccionismo adaptável
versus perfeccionismo inadequado

Pode ser bom separar o perfeccionismo adaptável do perfeccionismo inadequado, já que muitas pessoas acreditam que sua propensão a fazer a coisa certa ajudou-as ao longo da vida. Talvez tenha ajudado a garantir um emprego, encontrar um(a) parceiro(a) ou simplesmente se sentir necessária a outros. Essa é uma forma de perfeccionismo adaptável, uma vez que o padrão comportamental é favorável para a vida da pessoa, e serviu a um propósito. No entanto, o perfeccionismo inadequado, em que o medo de fazer algo malfeito ou incorreto leva a uma tensão mental, e com frequência a um adiamento comportamental, é uma das temáticas mais comuns que vejo em meu consultório. É por isso que o perfeccionismo pode ser tão difícil de quebrar e, com frequência, as pessoas se agarram a ele, lembrando-se do tempo em que tinha funcionado a seu favor, mas minimizando o processo doloroso de chegar a esse resultado.

O significado fundamental do perfeccionismo é a crença de que erros são, de certo modo, inaceitáveis, então, é feito um enorme esforço para evitá-los, a um custo bem alto para o indivíduo. Um perfeccionista interno pode nos fazer sentir que erros significam que somos indignos, fracassados e, por fim, que não merecemos amor. Portanto, os riscos são realmente altos. E é por esse motivo que, para muitas pessoas, o perfeccionismo é um fator subjacente de procrastinação.

Procrastinação: o que não é

É quase mais fácil explicar a procrastinação dizendo o que ela não é: não se trata de ser preguiçoso, ruim, incompetente ou descuidado. Na verdade, normalmente é o exato oposto. Os procrastinadores entre nós são, em geral, bem conscienciosos, por medo de entenderem errado. Embora possamos não ter consciência disso, lavar a louça, arrumar uma gaveta ou navegar pelas redes sociais é uma maneira de nos distrairmos da sensação incômoda de que talvez não sejamos bons o bastante e do medo de que logo todos descobrirão isso.

Assim, deixamos as tarefas até que nosso limite de estresse seja rompido, e nas últimas horas de um dia analisamos algo com os nervos à flor da pele, depois nos convencemos de que o projeto final está realmente péssimo, somos totalmente estúpidos e nem deveríamos estar na função. Soa familiar?

Mas, antes desse ponto, nosso querido procrastinador teria gastado uma quantidade excessiva de energia mental pensando no trabalho ou usando técnicas de distração para pensar em qualquer outra coisa.

Isso consome tal quantidade de recursos – físicos, mentais, emocionais – que o esgotamento profissional, conhecido como *burnout*, pode ser a única maneira que nosso organismo encontra para nos levar a tomar conhecimento desse comportamento inadequado: "Simplesmente não posso levar isso adiante!", "Da próxima vez, não vou fazer isso, começarei cedo e não vou voltar a ficar nesse estado".

Basta dizer que, se você for um procrastinador, as chances são de que se preocupe muito com o que estiver fazendo, em vez de não se preocupar o suficiente... o que significa que você pode estar se desviando para o purgatório que é o perfeccionismo.

A procrastinação pode ser uma boa coisa?

O que você acha? Pode chegar a ser uma boa coisa adiar hoje o que pode ser feito amanhã? Para alguns, isso poderia ser difícil de encarar, mas existem certas circunstâncias em que a procrastinação é uma coisa boa.

A "procrastinação planejada", ou o adiamento de tarefas, é, muitas vezes, uma estratégia muito benéfica. Por exemplo, quantos e-mails ou mensagens você recebe por dia? Especialmente se fizer parte de um grupo de família ou de trabalho? Aposto que montanhas! Você já tentou *não* responder a mensagens de grupo para ver o que acontece? O provável é que a vasta maioria de assuntos "urgentes" resolvam-se sem a sua contribuição. Mas no começo pode parecer difícil, porque você pode ter uma forma de Pequenos Ts que a levam a ser a pessoa-que-resolve do grupo. Talvez, quando criança, você sentisse como se precisasse assumir o controle, um pouco como Mo, no capítulo 1, que sempre intervinha antes que alguém pudesse provocar o irmão ou fazê-lo passar por maus bocados. Você até pode ter uma sensação enorme de pertencimento por ser a pessoa a quem os outros recorrem, e tudo bem, se isso não estiver lhe causando nenhum problema, tal como um *burnout* e uma exaustão (veja quadro nas páginas 126-128).

A realidade que vejo toda semana na clínica é que esse padrão comportamental, desencadeado pelo equivalente a uma vida toda de

Pequenos Ts, conduz de fato a alguns sintomas bem desagradáveis. Mas você pode usar uma procrastinação planejada e inverter isso, e sinceramente é o que eu sugeriria para quem quer que sinta não ter tempo suficiente no dia. Para algumas tarefas, pode haver uma razão lógica para esperar um tempo antes de prosseguir, tal como conseguir informação suficiente até tomar uma decisão, mas muitas outras não são tão vitais como parecem, de início. Estou falando de e-mails. E textos. E mensagens. A maioria. Mas existem muitas outras microtarefas que não merecem a melhor parte do seu dia, como lavar roupa, lavar louça, inúmeros afazeres domésticos.

O motivo de nos agitarmos com esses tipos de funções é que nos sentimos bem quando algo é terminado, quando realmente completamos alguma coisa, por mais que seja trivial. Existe uma descarga mínima de dopamina quando as pilhas de roupa lavada são organizadas (sinceramente, como é que elas se multiplicam como Gremlins quando se joga água neles?), guardadas e tiradas da nossa frente, o que é muito difícil de replicar quando se tem em vista um relatório crucial de dez mil palavras, metas de vendas, análise de desempenho, e daí por diante. Mas essa fome de realização é apenas acalmada por um tempo muito curto, depois volta rápido, uma vez que realmente não estamos fazendo qualquer progresso nas tarefas mais substantivas. Uma maneira fácil de distinguir se alguns padrões são adaptativos, tal como um adiamento planejado, ou desajustado, é se colocar essas cinco palavras: **"Em que isso lhe serve?"**.

Se hesitar até certo ponto quando defronte a uma tarefa (estou falando de responder a todos os e-mails quando eles soam na sua caixa de entrada, no momento em que chegam!) significar que outra pessoa muito provavelmente responderá, então lhe dê tempo. Nós sempre insistimos em como a tecnologia pode ser invasiva em nossa vida, mas indo mais a fundo é possível ver se nossa natureza de "resposta instantânea" está nos servindo ou simplesmente nos ocupando o bastante para desviar Pequenos Ts e motivos por detrás desses comportamentos.

Essa pergunta de cinco palavras pode ser incrivelmente útil para todos nós, em nossas sociedades voltadas para resultados – aceitar que, talvez, um padrão de procrastinação-perfeccionismo não estava nos servindo da maneira mais proveitosa. Na verdade, essa Temática do Pequeno T pode levar ao *burnout* com a maior facilidade.

Como perceber os sinais de *burnout*

Em 2019, a síndrome de *burnout* entrou pela primeira vez na bíblia de saúde e doença da Organização Mundial da Saúde, conhecida como *Manual de Capacitação da Classificação Internacional de Doenças e Problemas Relacionados à Saúde*. Pode parecer estranho que o *burnout* tenha acabado de ser reconhecido oficialmente, mas isso é o que, em geral, acontece com doenças invisíveis. A ciência e a prática médicas são lentas no acompanhamento da experiência das pessoas.

O *burnout* está listado dentro da categoria "fatores que influenciam o estado de saúde", e isso não é brincadeira. Trabalhei com pessoas que levam anos para se recuperar, têm uma série de problemas ligados à saúde, perdem o emprego, os relacionamentos e a vida que conheciam. Embora a Organização Mundial da Saúde associe o *burnout* a estresse no local de trabalho, existem inúmeros outros contextos que também podem causá-lo, inclusive tentar manter todos felizes, corresponder a nossas percepções das expectativas dos outros ou simplesmente não estar num bom ajuste com nosso ambiente. Sendo assim, é importante conhecer os sinais dessa síndrome para identificá-la antes do surgimento de problemas de saúde mais graves.

Se o que vem a seguir for familiar, você pode estar no caminho para a síndrome de *burnout*:

☑ Você cancela planos no último minuto, cada vez com mais frequência.

☑ Você jamais, em momento algum, sente que qualquer tarefa foi completada tão bem quanto gostaria e se censura por não alcançar esse padrão.

☑ Você sente que já não tem tempo suficiente no dia para amigos, passatempos e/ou atividades prazerosas.

☑ Você sente, constantemente, a necessidade de multitarefas ("Afinal de contas, quem no mundo faz uma coisa por vez?").

☑ Você passa pouco tempo, ou nenhum, se cuidando ("Cuidar de si... Para quê, se estamos em home office?").

Sinais de que você já poderia estar com *burnout* incluem:

☑ Aumento de irritabilidade, com frequência revelada em falas ríspidas com entes queridos, familiares ou com o cachorro.

☑ Sentir-se excessivamente emocional com assuntos que antes não o(a) incomodavam, como chorar ao assistir a um comercial de televisão.

☑ Sentir-se sobrecarregado(a), sem conseguir lidar com situações que você conseguia resolver muito bem.

☑ Alguns problemas cognitivos, tais como esquecer por que entrou em um cômodo, não conseguir se concentrar por muito tempo, até mesmo em um programa idiota de televisão.

☑ Queda no desempenho do trabalho.

☑ Sono ruim, seja com problemas para adormecer, seja acordar durante a noite e não conseguir voltar a dormir, ou uma combinação dos dois.

☑ Sentir-se acelerado(a), mas cansado(a), a maioria dos dias.

☑ Simplesmente sentir-se um trapo, exausto(a), mas sem conseguir desligar a mente.

☑ Sentir fome ou sede emocional, por estresse ou sem senti-do, particularmente por aqueles alimentos doces ou cheios de carboidratos, tais como biscoitos, massas e chocolate; para quem bebe álcool, uma taça de vinho à noite trans-forma-se em uma garrafa.

☑ Oscilações de peso (para cima ou para baixo, mas percep-tível para você).

Abordagem CAA: Aceitação

Agora que estamos alcançando uma boa compreensão de certos padrões, tais como perfeccionismo, que podem não nos estar sendo favoráveis, vamos passar para a fase de Aceitação da Abordagem CAA.

Perfeccionismo e sucesso

Um dos enganos mais comuns que nós, humanos, cometemos (particularmente nas sociedades modernas) é equiparar perfeição a sucesso: "Se ao menos eu pudesse fazer essa coisa/aquela coisa do jeito certo, então tudo ficaria bem". Como exploramos no capítulo 1, essas normas sociais competitivas nos preparam para sermos ratos que nunca param de girar na Roda do Esforço/Disputa. Embora tenha havido uma mudança, com muitas figuras proeminentes, celebridades e vozes nos dizendo como, sim, de fato, elas empurra-ram a porta quando o aviso dizia claramente "Puxe", ainda estamos programados para pensar que a perfeição leva à completude. O que falta aqui, e me dá aquela sensação incômoda de Pequeno T no fundo da garganta, é que essas narrativas de vida acompanham muito bem arquétipos de histórias universais (Derrotar o Monstro, Da Pobreza à Riqueza, A Missão, Viagem e Retorno, Comédia, Tragédia e Re-nascimento), com o protagonista normalmente chegando ao fim da jornada no topo. Em outras palavras, embora nos identifiquemos intensamente com essas narrativas, estamos ouvindo-as de pessoas que "no fim, chegaram lá" e, se ao menos conseguíssemos falhar com tanta perfeição, nós também conseguiríamos o sucesso.

Uau, é uma pressão terrível! Até mesmo para falhar precisa ser com perfeição. Então, para trabalhar a Aceitação e superar essa consequência desagradável do Perfeccionismo do Pequeno T, é benéfico trabalhar um pouco em torno do conceito de que *você é o bastante*. Comece pensando em algumas maneiras que a façam se lembrar disso a cada dia. Tive um cliente que estampou essa expressão em uma camiseta, ou você pode usá-la como uma senha, ou colar um cartaz na parede, qualquer coisa que mantenha essa frase à vista diariamente, já que nosso cérebro humano astuto ficará se desviando para a negativa.

Porque, como já vi repetidas vezes, se não tentarmos domar nosso monstro perfeccionista interior, a ansiedade, a depressão, a saúde abalada e o *burnout* são riscos genuínos. Como dizia o velho ditado, é melhor prevenir do que remediar.

Simplesmente desista...

...do perfeccionismo. Você precisa mesmo ser perfeito(a) o tempo todo? Não, em geral ele não nos faz muito bem e, sinceramente, o perfeccionismo pode tornar a vida bem miserável em grande parte do tempo.

Além disso, esforçar-se pelo perfeccionismo consome muita energia cognitiva, quase impossibilitando aprender com os erros e criar uma imunidade psicológica. Sabe aquele sujeito no escritório, ou o primo/amigo irritante/líder político, que parece simplesmente se recuperar rapidamente e não se preocupar quando dá uma vacilada? É, ele é um não perfeccionista. As idiotices dele parecem tê-lo refreado? Não! Parecem fazer as pessoas até gostarem ainda mais dele! Curioso, hein... O objetivo não é ser um bufão, e sim parar toda a repetição mental de um acontecimento de modo que (1) você realmente possa aproveitar seu período de lazer e (2) possa descobrir com muito mais facilidade o que funciona (e o que não funciona) para você em sua vida e ser capaz de seguir em frente sem se desgastar totalmente com autorrecriminação.

Contudo, as pessoas frequentemente têm algumas reservas. "Mas se eu abrir mão do perfeccionismo, nunca terei sucesso!" Então, o próximo exercício pode ajudar nessa fase de Aceitação.

Este é você, o(a) perfeccionista (neste momento)	Este pode ser você, o(a) não perfeccionista orientado(a) para o sucesso (em breve)
Estabelece objetivos/padrões muito difíceis	Estabelece objetivos/padrões realistas
Elogia muito pouco quando o objetivo é alcançado	Comemora as conquistas
Estabelece patamares ainda mais elevados	Estabelece outro pequeno objetivo realista
Simplesmente não atinge o objetivo (ou pensa assim)	Vê qualquer tropeço como uma oportunidade para aprender
Sente-se um fracasso/se recrimina	Sente-se uma pessoa boa, mas falível

A diferença é, essencialmente, que o perfeccionismo está fazendo a própria coisa que é temida: preparando-o(a) para o fracasso. No entanto, é totalmente possível mudar essa mentalidade, não importa que tipo de Pequeno T tenha levado a ela, mas você, sem dúvida, precisa querer invocar sua Elsa interior e *let it goooo*,[36] deixar pra lá.

Abordagem CAA: Ação

A essa altura, espero realmente que você esteja energizado(a), empoderado(a) e pronto(a) para seguir comigo para a fase Ação da Abordagem CAA, e essas são algumas estratégias que você pode tentar para se livrar do paradoxo que é o perfeccionismo/procrastinação.

Sugestões viáveis para acabar com a procrastinação

Veja o que funciona para você e trate-se com a mesma gentileza que você trataria um(a) amigo(a) durante o processo. Não é possível ser perfeito(a) ao se tornar um(a) ex-perfeccionista-procrastinador(a)!

A Técnica Pomodoro

Essa conhecida técnica de administração de tempo e produtividade (cujo nome, *pomodoro*, vem da palavra italiana para tomate, formato do cronômetro de quem a desenvolveu!) é uma maneira testada e comprovada de fragmentar grandes tarefas em partes pequenas. Coaches de todo o mundo lhe dirão para optar por uma-porção-uma-recompensa, mas, para ser sincera, pessoalmente nunca achei isso proveitoso e muitos dos meus clientes relataram o mesmo. Isso acontece porque, normalmente, pensamos em fragmentar o trabalho por produção (como terminar um relatório), e não por tempo. Mas os perfeccionistas podem, literalmente, passar horas olhando para um simples parágrafo, portanto, uma mentalidade orientada por produção em geral atua justamente no paradoxo do perfeccionismo-procrastinação.

A Técnica Pomodoro é diferente porque dá limites positivos baseados em minutos, definidos e mensurados de forma objetiva, não em etapas que possam ser arbitradas subjetivamente e, portanto, tão longas quanto um pedaço de barbante. Veja como funciona:

- Arrume um cronômetro – sugiro que não use o do seu celular, uma vez que ele está relacionado ao item a seguir.
- Retire *todas* as distrações – coloque seu celular no silencioso numa gaveta, desligue todos os alertas do seu computador (caso esse seja o seu tipo de trabalho), ou coloque um "não perturbe" ou alguma barreira para as pessoas que interrompem sua concentração. A não ser que você seja um(a) médico(a) de emergência, por favor, abra mão de

todos os motivos (ou desculpas) que esteja prestes a usar como justificativa para manter seus alertas de mensagem funcionando. Juro que você pode esperar alguns minutos.

- Ajuste seu cronômetro para quinze minutos. Estudos mostram que nossa média de tempo de concentração é cerca de vinte minutos, então, seja gentil consigo mesmo(a) e ajuste o cronômetro dentro dessa janela de concentração.
- Quando a sineta tocar, faça um descanso de cinco minutos, e comece uma contagem das sessões de trabalho. Recomendo que fique em pé, caso esteja sentado(a), caminhe um pouco ou se espreguice para lembrar ao seu corpo que ele ainda existe!
- Repita os quinze minutos trabalhando, cinco minutos de descanso, até que sua contagem mostre quatro sessões de trabalho. Então, faça um intervalo mais substancial; pode ser de apenas quinze minutos, mas precisa ser longo o suficiente para que você se sinta restaurado(a).

Para que a técnica funcione, você realmente precisa usar as pausas para fazer algo que mude sua atenção cognitiva. Olhar os e-mails não conta! Use rituais, tais como fazer uma xícara de chá para ter um pequeno momento de *mindfulness*, ou faça qualquer tipo de movimento físico, o que também é bom.

Quando comecei a usar essa técnica, fiquei surpresa com a longa sensação dos quinze minutos! Isso me fez pensar em como eu sempre parecia ter feito uma porção de coisas pouco antes de uma reunião ou antes de ir a algum lugar, e assim por diante. Esses são limites positivos!

Sugestões adicionais para lidar com a procrastinação

Programe um tempo de "precrastinação"

A "precrastinação" é a irmã irritante da procrastinação, e representa a realização de toda pequena tarefa que consegue encontrar para evitar fazer justamente aquilo que precisa fazer. Lavar louça, cuidar da roupa suja, limpar sua caixa de entrada, esses são todos exemplos de precrastinação, e tenho certeza de que você consegue pensar em centenas de outros.[37] É bem comum as pessoas sentirem que tirar todos esses pequenos afazeres da frente abre um espaço na mente, e embora haja certo mérito nesse argumento, o problema é que um esforço mental prolongado, mesmo em tarefas aparentemente simples, leva ao cansaço. Isso significa que, quando você chega ao trabalho importante que mantém as contas pagas e a família alimentada, já está exausto(a), levando àquele velho conhecido sentimento de culpa por não ter enfrentado, antes de tudo, o serviço mais relevante.

Foram publicados alguns estudos interessantes que mostraram que, quando se trata de esforço, nosso cérebro é exatamente igual a um músculo no corpo e, se for usado sem descanso, neurotransmissores potencialmente tóxicos acumulam-se no córtex pré-frontal da mesma maneira que o ácido lático desenvolve-se nos músculos da perna depois de uma corrida particularmente longa e intensa.[38] Isso torna a cognição mais lenta e provoca cansaço, semelhante a como panturrilhas cansadas e doloridas arruinarão seu melhor tempo de corrida. Uma maneira de combater isso e superar as tendências à precrastinação é literalmente programar essas tarefas em sua agenda. Da mesma maneira que dietas ultrarrestritivas levam a comilanças, tentar não se envolver em tarefas de precrastinação levarão à frustração e preocupação com essas funções diárias. Já ouviu falar no fenômeno do elefante rosa? No que você está pensando agora? Sim, é impossível não ver aquele adorável mamífero rosa na sua imaginação, motivo pelo qual um comportamento excessivamente restritivo nunca funcione de fato; nosso cérebro sabe que ele continua ali. Assim, se você disser para si mesmo(a) que de maneira alguma vai entrar em redes sociais enquanto estiver em um projeto, assim que estiver um pouco cansado(a), irritado(a), faminto(a) ou coisa do tipo, a força de vontade estalará como um graveto. Por outro lado, a precrastinação estruturada é uma estratégia muito mais realista, que mantém o tormento da "fome de realização" bem distante.

Troque a angústia a curto prazo pelo ganho de longo prazo, engolindo o sapo pela manhã

Aparentemente, foi Mark Twain quem disse "Engula um sapo vivo logo que acordar e nada pior vai lhe acontecer no resto do dia" e "Se você tiver que engolir um sapo, é melhor fazê-lo assim que acordar; e se tiver que engolir dois sapos, é melhor engolir primeiro o maior". É difícil saber com certeza se ele disse isso mesmo, já que as frases foram atribuídas a várias outras pessoas, mas a ideia é que, embora ninguém queira engolir um sapo vivo, se tiver que fazê-lo, o melhor seria tirar isso logo da frente. Em se tratando da psicologia por detrás da procrastinação, isso é importante, já que só temos uma determinada dose de capacidade cognitiva (ou seja, espaço) em uma determinada hora, ou em um determinado dia. Portanto, se no fundo estamos nos preocupando com uma tarefa, haverá menos tempo e espaço para fazer outras coisas (mais divertidas!). Mas, se tirarmos essa atribuição preocupante do nosso caminho, nossa mente ficará mais livre para se concentrar nas tarefas gratificantes e prazerosas que exigem bem mais criatividade e pensamento lateral (forma não convencional de resolver um problema). Então, faça as coisas desagradáveis logo pela manhã, quando a energia e a motivação a curto prazo estão no ápice, após um sono restaurador – deduzindo que você tenha dormido. Se não, dê uma olhada no capítulo 9.

Reduza bastaaaaante as suas expectativas

Quando nos preocupamos muito com nosso desempenho, ou com determinado rendimento, quase sempre colocamos nossas expectativas nas alturas. Tendemos a ser conduzidos pelo resultado e não pelo processo, e esquecemos que, provavelmente, uma grande obra de arte começou como uma série de esboços, ou algumas ideias foram anotadas nas costas de um envelope. Normalmente, seja lá o que você faça, isso será o bastante para, no mínimo, movimentar seu pensamento, ainda que no dia a dia possa não parecer que você tenha realizado grande coisa. Roma não se fez em um dia, lembre-se disso.

Soluções de longo prazo para lidar com o perfeccionismo

Leva certo tempo para mudar um hábito formado ao longo de uma vida, então Silvia e eu usamos o exercício a seguir, baseado em técnicas terapêuticas de comportamento cognitivo, para incorporar uma transformação fundamental do perfeccionismo em "algo satisfatório", permitindo o espaço necessário para aproveitar a vida.

Exercício: dê em si mesmo(a) um choque de realidade

O perfeccionismo é basicamente como uma lente, tão grande e distorcido que, uma vez que você começa a espreitá-lo, já caiu na toca do coelho da Alice. Sendo assim, perfeccionistas precisam de verificações regulares e honestas da realidade para combater essa percepção distorcida do mundo. Pense na pior coisa – na consequência mais grave e intolerável – de não ser perfeccionista.

O pior que vai acontecer	Chances de isso realmente acontecer
Se eu não passar todas as noites trabalhando nessa apresentação até a meia-noite, todos no trabalho verão que sou, na verdade, um total embuste nesse emprego, e serei demitido(a).	Humm... Bom, nunca tive uma avaliação ruim da gerência, e de fato tenho um bom feedback, então, talvez isso seja pouco provável. E, pensando nisso, não posso ser simplesmente demitido(a) porque tenho um contrato de trabalho e, se meu chefe achar que não sou bom(boa) o bastante, ainda terá que me dar chances de melhorar.

O pior que vai acontecer	Chances de isso realmente acontecer
Se eu não responder de imediato às mensagens dos meus amigos, eles vão achar que não me importo e que não gosto deles. Vou acabar ficando sem nenhum amigo.	Acho que estão todos ocupados. A maioria dos amigos não responde imediatamente, e não acho que são maus amigos, só que devem estar muito ocupados. Então, não acho que eu vá perder nenhum deles se tiver um pouco mais de tempo para mim mesmo(a).
Se eu não parecer praticamente perfeito(a) em todos os sentidos, ninguém gostará de mim, muito menos me amará.	Amo as pessoas da minha vida, e elas cometem uma baita quantidade de erros! E, às vezes, ver o lado vulnerável, imperfeito e confuso de alguém me faz sentir mais próximo(a) da pessoa, então talvez também funcione do mesmo jeito em sentido contrário...

O segredo aqui é afastar-se de uma consciência do *self* baseada em realizações para uma de valor pessoal, relacionada com nossos aspectos internos. **Podemos visar ser o *nosso* melhor sem ter que ser o(a) melhor**. Porque, não importa o quanto sejamos abastados, fisicamente perfeitos ou bem-sucedidos, lá no fundo somos todos seres humanos sobretudo falíveis. O que é ótimo! A vida seria um grande tédio se fôssemos todos perfeitos.

Como transformar falha em feedback

Podemos virar o jogo do perfeccionismo vendo cada deslize, bobagem, gafe ou lapso como chances vitais de rever a situação com curiosidade, e não com crítica. Basicamente, seja mais como os gatos, relaxe, confie em seus instintos e aproveite o dia.

Comece a se questionar sobre o que aconteceu, perguntando a si mesmo(a):

- O que consegui até agora? Uma única pancada raramente afunda um navio, então foque nos seus acertos até agora, para diminuir o volume do seu crítico interior.
- O que aprendi com esse deslize? Um lapso, até um que seja significativo, pode lhe dizer algo importante sobre o que está faltando na equação, e/ou que padrão do Pequeno T está recorrente aqui.
- O que posso tirar da situação para me ajudar a seguir em frente? É possível que você precise de uma dose de apoio, informação e/ou autoconhecimento nessa área para passar para o próximo nível; se não conseguir chegar a nenhuma resposta adequada, pergunte a alguém.

Ninguém – sinceramente, ninguém – é perfeito. A vida seria tremendamente maçante se fôssemos todos perfeitos e infalíveis. Na verdade, as histórias mais interessantes e envolventes são sempre aquelas nas quais a saia ficou enganchada na calcinha, ou algo verde ficou preso entre os dentes da frente. Se existir alguém de que você se lembre que estiver à beira da perfeição, bata um papo com essa pessoa e peça-lhe que conte suas histórias constrangedoras. Você pode ficar surpresa com a quantidade de gafes que ela já cometeu! As biografias de ícones respeitados também podem ajudar, desde que sejam realmente sinceras! O segredo é que todos enfrentaram desafios, e podemos usar esses Pequenos Ts para dilatar nossos músculos psicológicos – desde que sejamos tão compassivos conosco como seríamos com os outros. Por falar nisso: **Assuma um compromisso consigo mesmo(a) de ser bom(boa) o bastante em ser bom(boa) o bastante!**

Lembretes para banir
seu(sua) crítico(a) interior

1. Se eu abrir mão do perfeccionismo, aquilo do qual eu tenho tanto medo vai acontecer?
2. Do que a procrastinação me protege?
3. Se você se livrar daquele escudo de perfeccionismo e deixar as pessoas conhecerem seu verdadeiro eu, como sua vida poderia melhorar?

PARA PENSAR

Com frequência, a procrastinação é impulsionada por um medo do fracasso e altos níveis de perfeccionismo, muitas vezes desencadeado pelo Pequeno T. Sendo assim, ao desfazer seu Pequeno T, você pode lidar com o desejo de ser perfeito(a) o tempo todo (ou mesmo a maior parte do tempo), possibilitando uma maior variedade de experiências na vida – inclusive soluços, incidentes e enganos, já que, normalmente, são com eles que rimos e aprendemos. O perfeccionismo nos mantém atrelados a expectativas e coloca grande pressão no indivíduo. No entanto, com uma grande dose de autocompaixão, você pode se livrar dessa Temática do Pequeno T e escolher a que atividades quer dedicar seu tempo e energia, em vez de sentir que precisa fazer tudo "certo".

CAPÍTULO 6

APARENTES HUMANOS, NÃO SERES HUMANOS

Neste capítulo, exploraremos:

- Por que a Síndrome do Impostor afeta algumas pessoas mais do que outras
- Os fatores evolucionários de preconceitos implícitos
- O impacto das microagressões
- Por que tendemos a comparar para cima e não para baixo
- Estratégias empoderadoras para lidar com microagressões

Em meu consultório, tive a honra de trabalhar com uma gama maravilhosamente diversificada de pessoas, e antes disso, de lecionar no ensino superior e de realizar trabalhos de pesquisa. Posso dizer com honestidade que aprendi alguma coisa com cada pessoa que conheci. Essa é a magia absoluta dos seres humanos. E ainda que esses indivíduos tivessem históricos, características individuais e personalidades diferentes, eu diria haver algumas semelhanças surpreendentes. Muitos sentiam como se estivessem "enganando" em algumas áreas de suas vidas, normalmente naquelas que lhes eram mais importantes.

Quero que conheçam Kellie. Ela se apresentou como uma personalidade calma, contida e controlada, trabalhando como engenheira química, parecendo exalar de cada poro uma confiança serena, exceto dos olhos, o que me pareceu muito interessante. Quando exploramos o decorrer de sua vida e como ela se sentia então, eis o que ela contou:

> *Sei que sou bem-sucedida, e trabalhei duro para isso. Mas não parece fazer qualquer diferença. Eu simplesmente não me "sinto" um sucesso. As pessoas estão sempre me dizendo como me saí bem, especialmente sendo uma mulher negra em uma área de STEM.[39] Mas constantemente questiono se deveria mesmo estar ali [no meu trabalho] e comecei a perder o amor por essa carreira pela qual me sacrifiquei tanto.*
>
> *Mas não se trata só disso, e me sinto um pouco constrangida ao falar sobre essa questão. Nunca tenho certeza se as pessoas gostam de mim, menos ainda se me respeitam ou me valorizam. Sinceramente, não faço a mínima ideia. Me pego esquadrinhando o rosto das pessoas em busca de sinais, ruguinhas de sorriso perto dos olhos, ou uma boca ligeiramente voltada para baixo, numa careta. Ainda assim, parece que não faço mais ideia do que as pessoas pensam de mim, e fico alucinada por passar tanto tempo me preocupando e pensando a respeito. Talvez eu não devesse me importar... Não sei, mas me pego imaginando se uma expressão no trabalho, como um "ahhh" ou um "huuum" dos colegas, é boa ou ruim. Eu sou boa ou ruim? Posso passar a noite toda pensando a respeito. Não me reconheço mais, agora questiono tudo o que faço, e sei que isso está me impedindo de progredir no trabalho. Só não quero continuar me sentindo assim.*

Perguntei a Kellie se ela conhecia a Síndrome do Impostor e ela confirmou. Então, começamos nossa jornada com a etapa Cons-cientização da Abordagem CAA.

Abordagem CAA: Conscientização

Existe um impostor entre nós!

O termo "Síndrome do Impostor", ou Fenômeno do Impostor, foi cunhado pela primeira vez em 1978 pelas psicólogas Pauline

Clance e Suzanne Imes, que viram um padrão específico em pessoas com altas expectativas pessoais, e também naquelas que perpetuamente se martirizavam por não corresponder a essas expectativas.

Embora esse rótulo seja disseminado o tempo todo pela mídia, em plataformas sociais e em conversas, pode ser proveitoso dar uma olhada mais atenta em sua definição original, que inclui os seguintes componentes:

- Você sente como se, em pelo menos uma área importante da sua vida (trabalho, parentalidade, relacionamento etc.), estivesse enganando os outros e vive apavorado(a) de ser descoberto(a).
- Você sinceramente acha que vai arruinar totalmente uma tarefa e depois fica bem surpreso(a), para não dizer aliviado(a), quando tudo dá certo.
- Você teme avaliações de desempenho, avaliações interpares, ou escutar acidentalmente uma conversa a seu respeito, já que tem certeza de que a avaliação de outras pessoas será negativa.
- Quando você recebe um feedback positivo, cumprimentos ou elogios, tende a rebatê-los e se sentir ligeiramente constrangido(a).
- Quando uma coisa realmente dá certo, você atribui à boa sorte ou a forças externas em vez de ficar com os créditos de um trabalho bem feito.
- Você pode até se sentir culpado(a) ou um pouco temeroso(a) quando se defronta com sucesso ou privilégio e, às vezes, consciente ou inconscientemente, se sabota.
- Mas o fracasso por si só o(a) apavora, então você tende a deixar as coisas para o último minuto, depois se sente extremamente estressado(a) com o trabalho que tem em mãos.
- Você sente como se todos fossem naturalmente melhores do que você e luta para ser tão bom(boa) quanto os outros em determinada situação, mas não sente, de fato, que é bom(boa).

- Outras pessoas podem ter comentado que você é "sobre-humano(a)", mas com certeza você não se sente assim.

Para quem não luta com seu demônio interior, pode parecer estranho que alguns dos indivíduos mais bem-sucedidos duvidem tanto de si mesmos. Mas eu arriscaria um palpite (educado) de que uma boa proporção de pessoas consideradas de sucesso vivencie a Síndrome do Impostor, pelo menos antes de se tornar consciente de seus Pequenos Ts.

Um problema com a Síndrome do Impostor é que, no melhor cenário possível, essa é uma maneira infeliz de viver. No pior dos casos, essa mentalidade leva a significativos problemas de saúde mental.[40]

Durante muito tempo, especialistas pensavam que essa síndrome era exclusiva das mulheres, mas estudos provaram algo diferente: a Síndrome do Impostor afeta mulheres e homens de todos os tipos, classes sociais, culturas, etnias e sexualidades, mas é correto dizer que grupos marginalizados podem vivenciar, com mais intensidade, insegurança em relação a si próprios (falarei sobre isso mais à frente). A história, as normas sociais e as estruturas culturais, todas têm seu papel nisso e podem agir como Pequenos Ts. Na verdade, cerca de setenta por cento das pessoas viverão esse fenômeno em alguma fase da vida,[41] o que, sem dúvida, resulta em uma vida menos vivida, em que as pessoas acham difícil, ou mesmo impossível, aceitar sinceramente que são merecedoras de suas conquistas.

Por que algumas pessoas se sentem mais impostoras do que outras?

Ainda que a Síndrome do Impostor *possa* afetar qualquer um indiscriminadamente, ela parece mais prevalecente em determinados grupos. Isso não quer dizer absolutamente que alguns grupos sejam mais fracos, mais inclinados a sentir insegurança em relação a si próprios ou, de certo modo, menos resilientes. Tudo se resume aos Pequenos Ts que alguns grupos vivenciam durante a vida em sociedade.

Vi esses tipos de deduções ao longo de toda minha vida profissional – que deve haver algo "errado" com um indivíduo, que o problema ou a falha é dele, levando a essas sensações de dúvida e insegurança. No entanto, é fácil demais culpar o indivíduo, e isso não nos ajuda a entender os mecanismos de um problema. Mas, felizmente, agora temos mais estudos que nos mostram como os Pequenos Ts sociais podem levar à Síndrome do Impostor.

Um estudo feito por universitários afro-americanos descobriu que aqueles que sofriam mais incidentes de discriminação racial tendiam a se sentir mais como impostores.[42] Contudo, até a preocupação em ser estigmatizado devido a uma característica demográfica, tais como gênero e raça, pode influenciar para que alguém se sinta um impostor.[43] Em outras palavras, se você estiver preocupado(a) de que vá ser tratado(a) de maneira incorreta por causa do seu gênero, etnia, sexualidade, situação de saúde ou qualquer outro agrupamento, está mais propenso(a) a vivenciar a Síndrome do Impostor. Isso é importante porque a gravidade da Síndrome do Impostor está associada à depressão, ansiedade, desempenho profissional comprometido, insatisfação no trabalho e *burnout*.[44]

Microagressões como Pequenos Ts

Essa definição do professor de psicologia e educação no Teachers College, Universidade Columbia, Dr. Derald Wing Sue, resume perfeitamente as microagressões: "Microagressões são as ligeiras indignidades, os leves insultos, as pequenas humilhações e invalidações que grupos-alvo vivenciam em suas interações cotidianas com indivíduos bem-intencionados, alheios a estarem adotando uma forma de comportamento ofensivo ou degradante",[45] e como todos os Pequenos Ts, o efeito cumulativo é que causa o dano.

Essas declarações microagressivas lhe parecem familiares?

- "Mas você parece tão bem!"
- "Considerando seu histórico, não é que você se saiu bem?"
- "Sim, mas de que país você veio?"

- "Ah, é maravilhoso que você possa fazer XYZ, apesar de sua condição."
- "Seu marido está em casa?"
- "Eu simplesmente não vejo cor [de pele]."

As microagressões são, então, um tipo de preconceito implícito, em geral involuntariamente prejudiciais, mas que transmitem uma ofensa ou invalidação oculta. Aqui, pode ser bom distinguir microagressões de outras formas de opressão, frequentemente definidas como os "ismos", tais como racismo, machismo, elitismo, capacitismo, antissemitismo, etarismo, heterossexismo (ou homofobia) e binarismo de gênero, em que o propósito é dominar e manter desigualdades. Em outras palavras, os "ismos" têm tanto uma intenção negativa *quanto* um impacto negativo, e ainda que possa não haver uma intenção explícita de prejudicar o outro com uma microagressão, o impacto pode ser igualmente danoso.

As microagressões são, portanto, uma forma mais sutil de discriminação; no entanto, sua consequência pode ser significativa, levando à insegurança pessoal e à Síndrome do Impostor, além de fadiga psicológica, uma vez que o destinatário procura entender o motivo de tal afirmação tê-lo feito se sentir tão arrasado. Ademais, as microagressões podem afetar a motivação e prejudicar a trajetória profissional. Mas os efeitos podem ser ainda mais sérios, já que microataques, microinsultos e microinvalidações podem levar a problemas de saúde física, encurtar a expectativa de vida e aumentar a desigualdade no acesso à educação, ao emprego e a serviços de saúde.

Por que temos preconceitos implícitos?

Existe uma quantidade imensa de informação no entorno para calcularmos em qualquer período da vida. Na verdade, em geral nós apenas processamos conscientemente uma fração minúscula dos onze milhões de bits de informação que absorvemos a cada segundo, diariamente. Da mesma maneira que a resposta ao estresse é automática, temos outros atalhos cognitivos que nos permitiram lidar em um ambiente complexo e em constante mutação. Na verdade, a grande maioria dos processos cerebrais acontece fora da nossa percepção consciente, e opera num piloto automático, permitindo-nos realizar funções de alto nível como tomadas de decisão e reflexão. Basicamente, isso é tão verdadeiro que podemos realizar as tarefas cotidianas sem ter que perder tempo para analisar explicitamente cada informação com a qual o mundo nos bombardeia. Isso é fantástico, uma vez que nos capacita a nos adaptarmos e evoluir, mas tem um inconveniente: todos nós estamos propensos a erros cognitivos e preconceitos, porque temos apenas uma quantidade limitada de capacidade mental. Um preconceito implícito é um desses atalhos em que fazemos deduções instantâneas de uma pessoa ou grupo, baseadas nas características que acreditamos serem próprias daquele grupo. Nem sempre isso leva a uma crença negativa ou perniciosa, mas, se tivermos uma experiência direta insuficiente de um grupo, essas deduções tendem a ser estereotípicas e caricaturadas, e em geral refletem preconceito, possivelmente levando a microagressões involuntárias.

O elogio dúbio

Quando exploramos as microagressões como um motivo pelo qual alguns grupos parecem ter uma maior prevalência da Síndrome do Impostor, Kellie revelou que tinha sido contemplada com uma vaga em um programa de auxílio e bolsa de estudos com base não apenas em suas notas, mas também em seu histórico. Ela disse que sempre se sentiu constrangida com isso, e talvez não merecesse realmente o seu sucesso. Lembrou-se das inúmeras vezes em que alguém havia lhe dito "Que sorte a sua de conseguir aquela bolsa de estudos" e "Não é que você se saiu bem, levando-se em conta...", com aquela insinuação subjacente de que seu sucesso pouco tinha a ver com realizações acadêmicas, trabalho duro ou aptidão, mas sim que era obtido de forma injusta, não pelas horas e hora de estudo ou sacrifício que fizera para se comprometer com um plano de carreira.

Kellie também contou que seu sucesso a deixava inquieta, mas que nunca havia conseguido compartilhar isso com alguém – certamente não em casa, nem no trabalho, uma vez que não queria que eles percebessem que o tempo todo ela se sentia uma "farsa". Sendo assim, ela nunca teve a oportunidade de conhecer um ponto de vista alternativo, ou que alguém a ajudasse a se contrapor a esses pensamentos desencadeados pelos Pequenos Ts das microagressões. Na verdade, sempre que ela começava a sentir seus sintomas mais sérios da Síndrome do Impostor, esses elogios dúbios ressoavam em sua mente.

Esse foi um *insight* profundo, e ao longo das semanas seguintes, Kellie vivenciou uma série de emoções, incluindo raiva contra suas microagressões, alívio por parecer haver um motivo identificável (ou motivos) para sua Síndrome do Impostor e também uma dose de melancolia pelo tempo consumido em insegurança em relação a si mesma.

Em suas palavras: "Sempre pensei que tivesse algo a ver comigo interiormente, como se houvesse alguma coisa errada, não algo a ver com as minhas experiências". Isso volta a destacar como os Pequenos Ts podem ser quase imperceptíveis e, portanto, insidiosos. Comentários e interações que na superfície parecem positivos, mas que depois deixam um gosto ruim na boca, provocam tal tensão interna. As microagressões também podem ser comportamentais. Por exemplo, minha cliente Kai sofreu constantes interrupções enquanto falava em reuniões, no entanto, ninguém mais pareceu ser interrompido daquele jeito, o que fez com que a insegurança começasse a fixar profundamente suas raízes internas. A natureza constante desses Pequenos Ts exaure as pessoas, resultando em problemas como a Síndrome do Impostor, uma vez que essa pessoa que é interrompida questiona não apenas se alguém estaria escutando, mas se ela afinal tem algo importante a dizer. Sendo assim, essa é uma forma de microagressão que, com o tempo, pode se transformar numa intimidação sutil caso não seja confrontada.

Em um esforço para ampliar a Conscientização e passar para a fase de Aceitação da Abordagem CAA, acredito ser pertinente explorar como preconceitos implícitos levam as pessoas a se envolverem em atividades prejudiciais, como as microagressões, que podem contribuir para a Síndrome do Impostor e a destruição da autoestima.

Outros motivos para nunca se sentir bom(boa) o bastante

Como os Pequenos Ts vão se acumulando ao longo da vida de uma pessoa, é raro que a descoberta de apenas um Pequeno T leve à aceitação. Ao trabalhar com Kellie, assim como com todos os clientes, nós também investigamos alguns dos seus padrões comportamentais que poderiam estar perpetuando uma sensação da Síndrome do Impostor. Novamente, Kellie admitiu sentir-se reticente quanto a compartilhar alguns dos seus hábitos comigo, especialmente seu uso das mídias sociais. Reconheceu que a enorme quantidade de tempo que passava percorrendo o LinkedIn ("parece que acontece em todo minuto livre que tenho") a levava a sentir níveis ainda maiores de insegurança em relação a si mesma, mas não conseguia parar. Quando olhamos com mais atenção a cronologia, aflorou uma ligação entre a época em que ela começou a se sentir uma impostora e a época em que começou a checar o LinkedIn de forma quase obsessiva. Isso ilustra como um Pequeno T pode se transformar numa bola de neve e como nós mesmos, ou melhor, como nossos mecanismos inatos e programados podem perpetuar as temáticas de Pequenos Ts que exaurem a vitalidade.

Excesso de referências

Além dos preconceitos implícitos que recebemos de outras pessoas e que nos causam Pequenos Ts, também temos muitos mecanismos incorporados com os quais nos martirizar. Um deles, muito comum nos dias de hoje, é nossa tendência a nos compararmos com outras pessoas. No entanto, repito, isso teve uma vantagem evolucionária, considerando que os humanos primitivos precisariam desse mecanismo para sobreviver. Ter a capacidade de imediatamente, e sem muita consciência, comparar-se com um oponente e concluir que era maior e mais forte e poderia vencê-lo numa luta, ou se ver como o rival mais fraco e fugir da briga, foi útil para os primeiros humanos, poupando-os de segundos valiosos que, caso contrário, poderiam resultar em ferimentos ou morte.

É óbvio que isso é extremamente reducionista, e existem inúmeros atributos com os quais podemos nos comparar com outras pessoas, mas mesmo se pensarmos em cerca de duas gerações anteriores, você naturalmente faria comparações com a sua família, as pessoas da sua comunidade e do trabalho, mas nada muito além disso. Contudo, agora, podemos fazer isso com bilhões de outras pessoas com a maior facilidade. E como, em termos evolucionários, teria sido mais perigoso subestimar um oponente claramente superior, nossa programação leva-nos a comparar para cima, e não para baixo. Dessa maneira, temos uma tendência inata a focar naqueles que sentimos ser melhores do que nós em algum nível, mecanismo fantástico para os humanos primitivos, mas muito desvantajoso no universo on-line, no qual perfis e imagens são ajustados, filtrados e aperfeiçoados.

Em psicologia, chamamos esses pontos ilimitados de comparação de "pontos de referência", e eles são realmente sem fim, porque os algoritmos da mídia social são projetados para fazê-los assim. Pelo menos no começo, Kellie sentia que uma plataforma baseada no trabalho, tal como o LinkedIn, não tinha nada a ver com outros aplicativos de mídia social, em que as pessoas editavam suas imagens físicas. Afinal de contas, aquela era uma plataforma de *networking*, e não é isso que todos nós ouvimos que deve ser feito para melhorar nossas perspectivas profissionais?! Mesmo sendo exasperador, estávamos trabalhando na fase de Aceitação da Abordagem CAA e, portanto, seguimos aprofundando para ver se os Pequenos Ts de

Kellie estavam conduzindo seu uso da mídia social e as constantes comparações.

Um caso de "faria, deveria, poderia"

Nunca fui grande fã de *Sex and the City*, e não posso dizer que cheguei a assistir a uma temporada inteira, mas achei a personalidade de Samantha um bom exemplo de como lidar com os "faria, deveria, poderia": simplesmente não dando a mínima para eles! No entanto, é muito mais fácil falar do que fazer. Como já foi dito, somos programados para fazer comparações não apenas entre nós mesmos e outras pessoas, mas com nossos eus do universo paralelo. Nós, de fato, podemos ser nossos piores tiranos!

Em uma série de pesquisas da Universidade de Navarra, descobriu-se que tendemos a idealizar os caminhos que não tomamos e as escolhas que não fizemos.[46] Isso pode ser tão inócuo quanto ter inveja de comida, ou tão significativo quanto lamentar importantes decisões de carreira, parceiros de vida ou até o fato de ter filhos. Depois desses momentos *que decidem nossas vidas*, porque não vamos seguir experimentando esses caminhos alternativos, podemos romantizá-los e ignorar o fato de que essas escolhas também estariam ligadas a dificuldades, curvas de aprendizagem e decepções. Nós consistentemente superestimamos o quanto uma coisa *poderia* ser boa, e a mídia social acrescenta um imenso peso a isso.

Kellie disse que, desde o início de sua Síndrome do Impostor, ela achou quase impossível não devanear sobre como sua vida poderia ter sido caso não tivesse aceitado a bolsa de estudos; talvez ela *pudesse* ter feito outra coisa que *iria* deixá-la mais satisfeita. Todos no LinkedIn pareciam estar tendo carreiras incríveis, com as quais estavam muito felizes. "Por que não posso ser assim?", Kellie perguntava.

Abordagem CAA: Aceitação

Para ajudar Kellie a entender isso, usamos o exercício *E daí?*. De início, pode parecer um tanto agressivo, mas tenha paciência comigo, porque é uma maneira incrivelmente direta e rápida de chegar ao fundo de um problema. E, mais importante, de descobrir o sentimento básico que esteja contribuindo para a inquietação psicológica.

Para começar, exponha o assunto em questão.

O problema: "Não sei se eu *deveria* ter aceitado a bolsa de estudos e seguido essa trajetória profissional".

E daí	Resposta
E daí?	Não parece certo eu ter recebido uma bolsa de estudos e ainda assim questionar a minha carreira.
É, mas e daí?	Porque é possível que outra pessoa poderia tê-la usado e ser melhor do que eu.
Mas e daí?	Talvez eu a tenha roubado de alguém mais merecedor.
E daí?	Eu não a mereço, uma vez que não pareço satisfeita com a minha carreira.

A resposta: "Eu não me sinto merecedora do meu sucesso".

Os sentimentos que essa conclusão desencadeia: culpa, vergonha, autodepreciação.

Como eu disse, essa técnica pode parecer cruel e insensível, então é possível que você possa injetar algum humor nela, imaginando a voz de uma amiga ou um amigo querido ao usá-la! Essa é realmente uma boa maneira de identificar sentimentos subjacentes que perpetuam as Temáticas dos Pequenos Ts, tais como a Síndrome do Impostor, e uma vez que esses sentimentos são trazidos à luz do dia, o trabalho de Aceitação pode progredir a passos largos.

Culpa: reconhecer, e não lamentar

Aqui, estamos nos aproximando da Aceitação, o componente central da Abordagem CAA. Acontece que as microagressões que

Kellie havia sofrido ao longo dos anos haviam tocado num profundo sentimento de culpa velado que ela tinha em relação ao próprio sucesso; ou, mais precisamente, ao auxílio que tinha recebido para chegar lá, sob a forma de bolsa de estudos. Ao finalmente rotular a sensação de "culpa", era possível enfrentá-la. Kellie sentia-se culpada em relação à bolsa de estudos e não se considerava digna do seu sucesso, uma vez que tinha obtido essa "vantagem". Exploramos se essa culpa era justificável ou injustificável, no sentido de detectar se ela tinha ativamente feito algo errado ou não, e era importante que Kellie se ocupasse com essa questão em vez de deixar seu impostor interno assumir o controle. Ajudou discutir o Emobioma aqui para possibilitar que emoções diferentes estivessem presentes simultaneamente, ainda que, de início, fosse desconfortável.

Não deixe que eles te coloquem para baixo

Nessa fase de Aceitação, também pedi a Kellie que escolhesse um lugar aonde ela gostava de ir, mas em que outras pessoas também estariam; poderia ser um museu, um cinema, uma galeria de arte, qualquer tipo de lugar público que ela gostasse de visitar. Kellie optou por uma galeria de arte. Então pedi que ela se imaginasse andando por lá, contemplando obras, em uma exposição temporária. Aquela seria a única chance de Kellie ver aquelas peças, ela não poderia voltar numa outra hora porque a exposição logo terminaria. Então, pedi que imaginasse haver inúmeras pessoas desordeiras e insensíveis na galeria, que falavam alto e ignoravam o costumeiro comportamento educado de um lugar como aquele. Perguntei a ela como se sentiria com aquilo – irritada, brava e frustrada foram as palavras que vieram à mente. Em seguida, perguntei se ela deixaria aquela exposição única na vida porque os outros estavam se comportando daquela maneira. Pense você mesmo(a) sobre isso, em seu imaginário mental.

Kellie pensou a respeito durante algum tempo, depois disse: "Não, se aquela fosse a minha única chance, eu ficaria e observaria a arte, independentemente do que as outras pessoas fizessem".

Nesse exercício, as pessoas podem literalmente ser vistas como o outro, mas também podem ser vistas em um sentido metafórico de Pequeno T e os sentimentos que o Pequeno T cria, tal como culpa. Não podemos mudar o que nos aconteceu, mas podemos escolher aceitar essas experiências e trabalhar por meio de sentimentos associados. Para Kellie, as pessoas sem consideração na galeria eram seus sentimentos de culpa e, até certo ponto, de vergonha, mas reconhecer que essa emoção não precisava impedi-la de aproveitar suas conquistas era um passo à frente. Desse modo, é essa aceitação que torna possível realmente seguir adiante. Porque podemos ter mesmo apenas uma chance na vida.

Abordagem CAA: Ação

Para a Síndrome do Impostor, podemos usar uma combinação de técnicas focadas em solução, o que você pode fazer já, para abaixar o volume daquele impostor interno, e métodos de longo prazo para refazer a autoconfiança e um senso firme de autoestima.

Sugestões para lidar com o impostor interno

Envie um miniquestionário

Nem sempre somos o melhor juiz de nós mesmos e de nossas qualidades, o que pode alimentar o impostor interno. Então, pegue seu celular e identifique ao menos três pessoas que você respeita e em quem confie; peça-lhes para enumerar suas três melhores características e explicar por que elas acham que você demonstra essas particularidades. Quando receber a informação, veja se consegue encontrar alguma temática, mas – mais importante – aproveite o feedback positivo!

Ganhe energia com atitude

O vídeo da psicóloga social e pesquisadora Amy Cuddy, de sua pose de poder, viralizou porque essa técnica é muito fácil e pode ser feita em qualquer lugar. A teoria é que podemos usar nossa linguagem corporal para estimular confiança, e sua pesquisa descobriu que não apenas as pessoas sentiam-se mais preparadas para enfrentar o mundo, como fisiologicamente seus níveis de testosterona aumentavam, o cortisol diminuía, e havia até um maior desejo por risco.[47] Assim, na próxima vez em que você estiver em uma situação que requeira mais energia, fique em pé, com os pés firmemente plantados no chão, as mãos no quadril e a cabeça voltada para a frente. Você pode fazer isso por dois minutos, em particular (no banheiro, se necessário), ou adotar poses parecidas em reuniões importantes para ganhar confiança, expandindo seu corpo para ocupar espaço e permitindo que seus membros se abram. É possível que você reconheça esse tipo de linguagem corporal em pessoas que julgue poderosas e confiantes, e não há mal nenhum em imitá-la.

Seja seu(sua) coach, e não seu(sua) crítico(a)

Uma narrativa crítica interna é um sinal da Síndrome do Impostor, com frequência derivada de Pequenos Ts. No entanto, podemos substituir essa voz autocrítica por uma sessão de coaching consigo mesmo(a). Quando pensamos em um coach, não se trata de alguém que acalme e pacifique, e sim um indivíduo que nos encoraja baseado nas nossas forças. Assim, na próxima vez em que um pensamento como "Você não faz ideia do que está fazendo aqui; você não está à altura disso!" entrar em sua mente, elimine-o com um berro juntamente com a frase de incentivo: "Você tem muito a oferecer aqui, e merece estar aqui!". Termine repetindo para si mesmo(a): "Você consegue".

Lidando com microagressões

Embora possamos sonhar com um mundo em que não existam microagressões, a realidade de que todos temos preconceitos implícitos significa que estamos bem distantes de tal existência utópica. Ainda que esses sejam Pequenos Ts sociais, ainda existem maneiras de lidar com as microagressões quando elas ocorrem, a fim de limitar seu efeito em você. Especialistas sugerem que se torne o invisível visível. Normalmente, quando acontecem as microagressões, as pessoas não estão totalmente conscientes de terem agido dessa maneira. É raro que a intenção seja discriminatória, mas o impacto é como qualquer outra forma de preconceito ou discriminação, portanto é salutar revelá-lo. Até que as pessoas se conscientizem do próprio comportamento, é improvável que mudem, o que faz com que desarmar uma microagressão possa ser benéfico para todos. Com frequência, isso é chamado de microintervenção, e aqui estão exemplos baseados nas frases anteriores de microagressão:

- Em resposta a "Mas você parece tão bem!", **separe a intenção da afirmação**, dizendo algo do tipo: "Sei que você só estava querendo ser simpático(a) e me fazer um elogio, mas isso faz com que me sinta anulado(a), já que tenho uma condição crônica. Em vez disso, no futuro, por favor, pergunte como eu estou me sentindo".
- Em resposta a "Considerando seu histórico, não é que você se saiu bem?", **peça um esclarecimento**, tal como "O que você quer dizer com isso?".
- Em resposta a "Sim, mas de que país você veio?", **exponha seu próprio processo, compartilhando suas observações e reflexões**. Por exemplo: "Percebi que você tirou uma conclusão sobre o meu contexto. Fiz isso com outras pessoas no passado, mas aprendi que pode ser ofensivo e baseado em estereótipos implícitos de preconceito".
- Em resposta a "Ah, é maravilhoso que você possa fazer XYZ, apesar da sua condição", **mire nos valores dessa pessoa**, tal como "Estou vendo que você se preocupa com inclusão, mas isso é prejudicado quando você acrescenta um qualificativo, como *apesar da sua condição*".
- Em resposta a "Seu marido está em casa?" é necessária uma **abordagem direta**, tal como "Essa pergunta é inadequada".

- Em resposta a "Eu simplesmente não vejo cor [de pele]", a **paráfrase** poderia ser usada sob a forma de "Acho que você acabou de dizer que não reconhece etnicidade; é isso mesmo?".

Contudo, se você estiver sujeito(a) a microagressões regularmente, em um determinado ambiente, como o local de trabalho, procure ajuda e relate isso à pessoa adequada, tal como seu gerente.

Soluções de longo prazo para superar a Síndrome do Impostor

Busque feedback

Pessoas que vivenciam a Síndrome do Impostor tendem a ser muito boas em seu trabalho, porque constantemente tentam provar a si mesmas que são merecedoras do seu cargo. No entanto, por serem altamente capacitadas e treinadas, muitas vezes especialistas em sua modalidade, é raro receberem feedback, porque os colegas e a chefia não veem necessidade disso, o que mantém esse profissional buscando por sinais como os descritos no início deste capítulo, tentando verificar o feedback na expressão facial das pessoas e em outras comunicações não verbais. Superar isso exige um voto de confiança, uma vez que o impostor interno tentará impedir esse tipo de análise realista com pensamentos como: "Você não pode perguntar a XXX o que eles acham, porque eles saberão que você andou fingindo o que não é todo esse tempo!".

Se você de fato tiver esses tipos de pensamento, volte para o capítulo 4 e use a técnica PSG; depois, arrume um tempo para falar com alguém no trabalho, ou com algum mentor externo, sobre o seu desempenho. Um mentor pode ser uma opção fantástica aqui, já que o papel dele será o de oferecer um feedback construtivo e estímulo, ao mesmo tempo que permite que você compartilhe, sem inibições, suas sensações da Síndrome do Impostor e de insegurança em relação a si mesmo(a). Mesmo que você esteja no auge da carreira, mentores paralelos ou coaches executivos podem desempenhar esse tipo de papel. Em minha experiência, são frequentemente aqueles que estão no topo que sofrem com mais intensidade a Síndrome do Impostor e se beneficiam enormemente desse tipo de apoio, uma vez que um ouvinte objetivo pode ajudar a separar a realidade das suas inseguranças. Todos nós precisamos de uma análise realista de tempos em tempos!

Seja esperto(a)

Uma característica da Síndrome do Impostor é ter altas expectativas irrealistas para si mesmo(a), então, uma maneira proativa de lidar com isso é ter expectativas realistas, concretas e executáveis – criar objetivos, caso prefira. Quando nossos objetivos são vagos e imprecisos, não existe uma maneira real de avaliar o progresso e saber se ou quando atingimos um marco. Sendo assim, para aquietar o impostor interno, recorra ao método SMART ("esperto", em inglês) quando se tratar de carreira ou de quaisquer outros objetivos que você possa ter.

Imagine um objetivo que seja **Singular**, específico. Em vez de pretender ser o melhor possível, que é uma intenção vaga, pense em um objetivo que possa ser claramente definido. Isso poderia ser um diploma de pós-graduação relativo à sua área de atuação, ou algo dentro do seu escopo de trabalho, tal como identificar um mentor para ajudar na sugestão anterior!

Decida como você vai **Medir** esse objetivo de carreira. Como seu objetivo é específico, será muito mais fácil avaliar. A conclusão de um curso de DPC, ou conseguir o seu mentor, é muito mais objetivamente mensurável do que se matar de trabalhar para ser o melhor do melhor.

Assegure-se de que seu objetivo seja realmente **Alcançável**. O mais importante nos objetivos SMART é que, uma vez definida uma meta explícita, fica muito mais fácil decidir se ela, de fato, é viável. Você tem tempo para se encaixar nesse DPC? Sabe onde pode encontrar mentores? Ao garantir que seja viável, você pode criar a autoconfiança que dispersará aquela Síndrome do Impostor.

Pergunte a si mesmo se é **Relevante**. Tudo isso pode parecer incrível, mas talvez você não precise de uma pós! Escolha um objetivo que vai te ajudar a progredir e se desenvolver.

Por fim, defina seu **Tempo**. Quando é que você gostaria de alcançar esse objetivo? Estabeleça uma data-limite que seja razoável e realista para seu cronograma.

Como a natureza da Síndrome do Impostor faz com que você minimize suas conquistas, mas maximize seus quase erros, é bom você documentar seu progresso e suas realizações. Crie um arquivo e dê a ele um nome incentivador, cheio de energia. O meu é "VOCÊ ARRASA!". E, o mais importante, comemore cada vitória, se possível com alguém que você ame, e exercite aceitar elogios com leveza, o que de início pode ser difícil, mas, uma vez que o impostor interno comece a murchar, fica muito mais agradável.

Quem pode ensina

A Síndrome do Impostor faz com que nos sintamos indignos de nossas realizações, mas também pode subestimar o ponto a que chegamos e os desafios que enfrentamos para alcançar nosso objetivo. No entanto, ao compartilhar nosso percurso com outras pessoas, podemos lembrar a nós mesmos que somos genuinamente merecedores de nossos êxitos, ao mesmo tempo que podemos inspirar outras pessoas. Sendo assim, pense em compartilhar seu percurso com quem pode estar em um trajeto parecido, e pense nisso sob a perspectiva de um aprendiz.

Esse é um ótimo truque a ser usado no trabalho caso você esteja nervoso(a) quanto a conduzir reuniões ou fazer apresentações, porque muda o foco de "você" para "eles". Com frequência, as pessoas relatam um feedback incrível quando são mais abertas e honestas sobre suas experiências, e é comum dizer o quanto ficaram surpresas com o número de pessoas que lhes diz que também se sentiam impostoras. Isso não significa que você tenha que compartilhar cada aspecto do seu Pequeno T, mas apenas as partes relevantes da sua história, apropriadas ao contexto.

Lembretes para ter mais autoconfiança

1. Que elogios você acha mais difícil aceitar?
2. O que significaria confiar em si mesmo(a) incondicional-mente?
3. Como você quer se sentir amanhã?

PARA PENSAR

Embora comum, a Síndrome do Impostor é, com frequência, provocada por sucessivos Pequenos Ts. No entanto, qualquer pessoa pode experimentar o medo de "ser descoberta", uma vez que estamos rodeados por inúmeros pontos de referência e temos uma tendência inata a comparar para cima. Saber como lidar com microagressões e focar em sua própria progressão, não em comparação com os outros, pode ajudar a superar as dificuldades associadas com essa Temática do Pequeno T.

CAPÍTULO 7
VOCÊ TEM FOME DE QUÊ?

Neste capítulo, exploraremos:

- Como identificar a fome emocional
- O quanto a comida é muito mais do que alimento – recompensa, punição e purgatório
- Não é o que você come, é por que você come
- Como praticar a autocompaixão consciente para superar a compulsão por comida
- Como podemos experimentar, com nosso próprio comportamento, mudar nossa identidade

Comer demais ou de menos é outra das mais frequentes Temáticas de Pequenos Ts que vejo, mas que, em geral, é mal compreendida. É comum chamarmos isso de "comer emocional", e pense nisso como uma maneira de consumir nossas emoções negativas – a triste visão da apaixonada e não correspondida Bridget Jones enfiando sua mágoa em um pote de sorvete vem facilmente à cabeça –, mas isso é apenas uma característica daquilo a que me refiro como "Comer Pequenos Ts", temática deste capítulo.

O consumo excessivo de comida acontece, na verdade, quando precisamos ser acalmados, daí o termo em inglês *comfort eating*, que tanto pode significar "comer reconfortante" quanto "compulsão alimentar". Mas nós também comemos demais quando nos sentimos estressados, entediados ou mesmo animados! É algo muito comum por inúmeros motivos, inclusive derivados de Pequenos Ts, mas também ocorre devido a nossa fisiologia inata que nos leva a buscar alimentos ricos em energia, ao efeito *priming* [quando um indivíduo é exposto a determinado estímulo e este influencia a resposta aos estímulos seguintes] dos tempos modernos que afeta nosso apetite e a uma sociedade que ainda coloca um enorme valor na aparência física. Mas estou divagando.

Voltemos à história de Mo, do capítulo 1. Ele tinha se tornado um protetor do irmão na infância, e tinha me procurado quando seu médico o avisou de que estava fadado a um grande número de problemas de saúde caso não mudasse seu comportamento em relação à comida. No entanto, a pressão de ficar atento ao irmão Val não foi o único motivo de Mo ter se voltado para a comida como um alívio para o estresse. Aqui ele explica o contexto familiar e social com mais detalhes:

> *Eu era o mais velho de três irmãos: Val era o do meio e Meera era o bebê da família. Mamãe era uma grande alimentadora [risos] e estava sempre servindo segundas e terceiras porções para seus meninos – mas não para Meera. À época, eu me sentia mal por ela, porque mamãe parecia um gavião em se tratando de Meera e comida, e lhe dizia repetidamente: "Se você ficar gorda, jamais vai arrumar marido!". Agora, isso soa muito ultrapassado, mas naquela época parecia normal, e era normal que meninos e homens pudessem comer tanto quanto quisessem, o tempo todo. Recusar comida era o pior insulto possível para a minha mãe!*
>
> *Então sim, sei que acho comida algo reconfortante, isso não é uma grande descoberta [risos]. Eu não seria clinicamente obeso se comesse comida de coelho [risos]. Mas agora simplesmente não*

sei o que fazer. Tentei tudo que passou pela minha cabeça – em segredo, porque sou homem, e meus colegas tirariam o maior sarro de mim se soubessem –, como as dietas com baixo carboidrato e cetose, o que piorou ainda mais as coisas, porque eu fedia muito. Não é uma boa maneira de se conseguir um segundo encontro, posso te garantir [risos]. Fiz todos os jejuns intermitentes e tal, mas a coisa volta à estaca zero. Acho que preciso apenas aceitar que agora sou uma porcaria de um gordo, mas tenho filhos, e não quero morrer de enfarte antes dos 50 anos.

De fato, a essa altura, os riscos eram altos para Mo e não lhe faltava o compromisso para mudar, mas com certeza ele ainda não tinha as ferramentas para isso.

O que exatamente é a fome emocional?

A fome emocional não é simplesmente devorar um pote de sorvete depois de um rompimento, mas pode sim ser associada a uma vasta variedade de Pequenos Ts. Como acontece com toda Temática do Pequeno T, pode ser mais fácil identificá-la pelo seu padrão de comportamento, e o fundamental aqui é comer quando você não estiver fisicamente faminto(a). Veja se algum desses hábitos alimentares lhe é familiar. Se muitos deles tocarem num ponto fraco, é provável que, atualmente, você tenha alguns aspectos do Comer Emocional.

☑ Comer a ponto de ser desconfortável ou doloroso.

☑ Esperar até o ponto em que você sinta que vai desmaiar, já que não come há muitas horas/o dia todo.

☑ Comer feito um zumbi, de modo a olhar para uma embalagem vazia e se surpreender, como se o alimento tivesse evaporado dali.

●●●

- ☑ Comer depressa, por exemplo, comer toda uma refeição em menos tempo do que se leva para preparar uma xícara de chá!

- ☑ Comer enquanto faz outras atividades, tais como falar ao telefone, dirigir, trabalhar no computador etc.

- ☑ Ter dificuldade em recusar comida quando lhe é oferecida.

- ☑ Comer quando outras pessoas estão comendo, ainda que você não esteja com fome.

- ☑ Achar difícil assistir a um programa de televisão ou a um filme sem beliscar alguma coisa.

- ☑ Não saber de fato se está satisfeito(a), a não ser que o prato esteja limpo.

- ☑ Sentir como se tivesse que comer em horas estabelecidas, independentemente do nível de fome.

- ☑ Ou tender a pegar o que esteja disponível, com frequência pratos comprados prontos, uma vez que você não deu muita atenção a sua necessidade energética.

- ☑ Comer quando a resposta ao estresse é desencadeada, seja pelos estressores do momento, seja por preocupações com o futuro, seja com ruminações do passado (ver capítulo 4).

- ☑ Comer simplesmente para passar o tempo ou aliviar o tédio.

- ☑ Comer para fugir à experiência de emoções desagradáveis, tais como tristeza, culpa, solidão etc. (ver capítulo 3.)

- ☑ Comer quando estiver passando por sentimentos associados à falta de controle, inclusive frustração, raiva, inveja, irritabilidade etc.

Todos nós, às vezes, comemos por motivos que não sejam fome física, mas se esses padrões estiverem levando a ganho ou perda significativos de peso, vale a pena tentar a Abordagem CAA para desenvolver uma relação melhor com a comida.

Abordagem CAA: Conscientização

Quando se pensa na fome emocional, é importante considerar o contexto em que ela surge. Longe de ser apenas um meio de sobrevivência, a comida, ou melhor, a alimentação, pode estar associada a amor, conforto e segurança, particularmente quando essas emoções provêm do primeiro cuidador. Compreensivelmente, Mo era muito protetor em relação a sua família e um tanto defensivo, portanto, ao explorar o fato de não ser nada incomum que a comida se torne quase indistinguível de sensações de conforto e amor, conseguimos passar de um ponto de vista de culpa para o de entendimento. A finalidade de descobrir Pequenos Ts não é atribuir culpa, mas sim ligar os pontos entre problemas correntes e nossas experiências de vida. No caso de Mo, ele realmente associava comida e o ato de comer com o conforto da paciência e do carinho de sua mãe à mesa da cozinha, quando ele podia relaxar após um dia de extrema vigilância na escola. Era difícil estar sempre de olho no irmão, especialmente sendo tão jovem.

Comida como amor

Na infância, associamos esse cuidado com comida, e na sequência, sensações de segurança e proteção são associadas com a atitude de comer. Contei a Mo que estudos mostram que as mulheres tendem a consumir menos em refeições familiares, refletindo a dinâmica relativa de poder em uma família, com integrantes do sexo masculino recebendo mais alimentos do que os do sexo feminino.[48] Assim sendo, oferecer e dividir os alimentos para uma família pode ser visto não apenas como uma manifestação de amor, mas também como um reflexo de papéis sociais. Mo ficou bem surpreso com isso. Ele sempre se sentiu profundamente desconfortável e constrangido por sua irmã ser tratada de maneira diferente dos meninos na família. Mais tarde, ele me contou que saber que esse padrão ocorria em outras famílias – na verdade, em muitas famílias – tirou um enorme peso dos seus ombros. Mo estava começando a desvendar alguns dos seus sentimentos reprimidos, e sabemos, por estudos, que a capacidade de identificar, regular e expressar nossas emoções reduz a tendência a devorá-las.[49]

Informação é poder na fase de Conscientização

Para ajudar Mo a entender melhor como suas emoções impactaram em seu comportamento alimentar, pedi-lhe que fizesse um diário de alimentação e disposição. É um exercício muito simples, que uso com todos os meus clientes. Trata-se de anotar não apenas tudo o que você come, mas também o que está fazendo, com quem está e como você se sente tanto *antes* quanto *depois* de comer. Você pode usar o trecho a seguir, tirado do diário de Mo, como um modelo para ajudar a lembrá-lo(a) de anotar essa informação importante que despertará a conscientização. Por favor, seja o mais honesto(a) possível – ninguém precisa ver esse diário.

Muitas pessoas que têm fome emocional desenvolveram um padrão de comer irracional, quase como um zumbi, e podem ficar bem chocadas quando sua alimentação é registrada dessa maneira. Seja generoso(a) e compassivo(a) aqui; esse é um passo corajoso para uma vida mais livre, mas o processo pode provocar alguns sentimentos antes profundamente ocultos. Faça o diário, no mínimo, por uma semana, incluindo os finais de semana, já que o comportamento alimentar pode variar em diferentes dias.

Diário de comida e humor: 3 de janeiro

Hora	O que você estava fazendo, onde, com quem?	Nível de fome antes e depois de comer[50]	Comida/ bebida	Sensações/ Humor antes de comer	Sensações/ Humor depois de comer
19h30	*Fazendo uma refeição com toda a família – mãe, irmão, irmã e a família dela em um restaurante*	*7 antes* *3 depois*	*Dividimos pizzas, entrada com pão de alho e palitos de muçarela, bolo de chocolate de sobremesa*	*Animado por ver a família, foi uma semana longa trabalhando*	*Feliz, um pouco cansado*
23h41	*Sozinho em casa, todos dormindo*	*4 antes* *3 depois*	*Barra de chocolate, chá, biscoitos*	*Nenhuma sensação, desligado*	*Abatido, sentimento de culpa por comer quando já tinha comido uma sobremesa*

Mo fez esse diário durante duas semanas, o que foi proveitoso porque nos permitiu ver com mais clareza a relação entre seus sentimentos, os gatilhos de Pequenos Ts e o comportamento alimentar. O quadro acima é uma amostra do seu diário e definiu os aspectos mais relevantes do seu dia. O comportamento alimentar de Mo durante o dia não era especialmente excessivo, e ele justificou o aumento dos quilos como algo fora do seu controle: "Eu realmente não como mais do que as outras pessoas, então *deve* ser coisa dos meus genes". No entanto, quando se trata dos períodos de alimentação em grupo, a fome emocional de Mo vem para os holofotes. Ele reconheceu que parecia quase impossível recusar comida quando sua família estava por perto; parecia muito natural comer na presença dos entes queridos.

Como agora ele tinha a própria família, via-se não apenas como o protetor, mas também como o provedor, e disse que era uma boa sensação a de ser capaz de comprar uma refeição para cada um e ser generoso com as porções. Mo não queria contar a todos que precisava emagrecer, não queria que eles se preocupassem, já que olhavam para ele como o forte, e ainda que não estivesse particularmente faminto antes da refeição, comia até se sentir desconfortável fisicamente. Quando analisamos a parte de sentimentos do seu diário, Mo pôde ver, com bastante facilidade, que havia se posicionado como o guardião e protetor de todos em sua vida, padrão aprendido cedo, quando tinha que defender Val dos valentões da escola. Essa identidade passou a ser uma parte tão essencial nele que sentia que jamais poderia demonstrar fraqueza, ou pedir ajuda dos mais próximos e mais queridos. É óbvio que esse é um papel impossível de manter 24 horas por dia, e a pressão era quase insuportável. Mas comer chocolate relaxava essa pressão no final do dia... pelo menos, no momento.

A comida pode ser um antidepressivo?

Alguns alimentos altamente palatáveis, como o chocolate, impulsionam no cérebro os neurotransmissores da "sensação boa", como a serotonina. Isso tem um impacto direto em nosso humor. Alguns estudiosos chegam a dizer que o chocolate pode agir como antidepressivo.[51] Outros alimentos e bebidas contendo muito açúcar (inclusive bebidas "saudáveis", como smoothies de frutas, por terem uma alta concentração de açúcares da fruta) irão aumentar o estado de alerta, além de também poder levar a uma agitação excessiva. Em geral, isso é seguido por uma queda de humor, conforme o organismo tenta restaurar uma sensação de equilíbrio.

Comida como recompensa

A fome emocional de Mo estava claramente envolvida em seu relacionamento com a família, mas não apenas porque a comida pode ser uma demonstração de amor, mas porque também pode ser uma recompensa ao longo da vida. Aprendemos pela experiência que ações estão associadas a recompensas, e, por outro lado, a punição. Isso se assemelha à nossa exploração da resposta ao estresse e como essa resposta pode acontecer automaticamente quando em situações semelhantes ao acontecimento estressante inicial, mas a recompensa e a punição são vistas, em termos psicológicos, como associações por proximidade.

Em outras palavras, aprendemos a associação através de como os outros nos tratam, mais do que pelas nossas reações inatas de sobrevivência. O termo técnico para isso é "condicionamento operante", ou aprendizagem associativa, e aqui nossos sentimentos, pensamentos e comportamentos são reforçados por elogios, o oferecimento de presentes e recompensas, ou outras experiências positivas. As experiências negativas também fazem parte da aprendizagem associativa sob a forma de punições e recriminações, que moldam nossa compreensão do mundo e como nos encaixamos nele. As punições podem, por si só, criar Pequenos Ts quando infligidas indiscriminadamente, mas até recompensas podem reforçar padrões do Comer do Pequeno T, uma vez que a comida é tão frequentemente usada e tem um efeito imediato e prazeroso.

De fato, a comida foi utilizada como recompensa durante a infância e a adolescência de Mo, por qualquer bom comportamento que ele pudesse se lembrar – mas particularmente quando era um "bom menino", protegendo o irmão e mantendo as normas sociais dentro de seu ambiente. Repetindo, isso está longe de ser incomum. Lembro-me muito bem de ganhar balas ou sorvete depois de me comportar bem numa consulta médica, em encontros familiares entediantes e na igreja! Os pais têm uma função para lá de difícil, então, frequentemente, a comida é a maneira mais rápida e mais eficiente de modificar um comportamento!

Mas, ao contrário de quando se ganha uma estrela dourada, o ato de comer ativa o "sistema de recompensa" do nosso cérebro.[52] Comportamentos que aumentam nossas chances de sobrevivência (seja do indivíduo ou da espécie) acionam nosso sistema de recompensa. O sistema de recompensa funciona quando determinado conjunto de estruturas no cérebro é ativado em resposta ao neurotransmissor dopamina. A dopamina nos faz sentir bem, então qualquer coisa que acione a liberação da via da dopamina nos parece compensador. O sistema de recompensa afeta nosso comportamento porque é programado para nos conduzir a ações que liberem dopamina – ou seja, queremos fazer a mesma coisa repetidamente para obter a sensação agradável. Assim, sendo um "bom menino", Mo aprendeu que receberia recompensas, a maioria delas sob a forma de alimentos altamente palatáveis que acionavam seu sistema de recompensa do cérebro, exigindo, portanto, que ele continuasse a se comportar dessa maneira não apenas quando criança, mas também depois de adulto. No entanto, estar sempre cuidando de todos é uma carga pesada, então, quando Mo me procurou, comia tanto que estava prejudicando seriamente a sua saúde e o seu bem-estar.

Abordagem CAA: Aceitação

Somos o por que comemos

Na adolescência, Mo havia internalizado por completo seu papel de protetor não apenas do irmão, mas de todos que considerava importantes em sua vida. O reforço positivo que recebera em termos de elogios, amor, mérito e comida lhe era tão compensador que, até quando o lado negativo da fome emocional começou sob a forma de pressão alta, colesterol e pré-diabetes, Mo já não podia ver a diferença entre seu comportamento alimentar e sua noção de identidade. Ele não era *o que* comia, e sim *o por que* comia. Ao aceitar isso como um ponto de partida para mudança, a segunda etapa da Abordagem CAA, ele foi auxiliado por uma grande dose de autocompaixão. Segue um exercício que você pode fazer com relação à fome emocional e também quando estiver tentando se desvencilhar de aspectos da sua identidade que já não lhe servem.

Exercício: autocompaixão consciente

Mo esforçava-se em relação à aceitação e estava passando por um período difícil por muitos motivos, incluindo decepcionar a família, não ser forte o suficiente e, logicamente, seu peso, então sugeri um exercício de *mindfulness* que focasse na autocompaixão. Muitos aspectos da prática *mindfulness* derivam de meditações mais tradicionais dentro do budismo, e aqui nos concentramos em "*metta*", que significa uma sensação de amor platônico, bondade, boa vontade, benevolência, paz e harmonia. Mas há uma reviravolta, então vá lendo.

- Como sempre, comece respirando profundamente pelo diafragma para acalmar seu corpo e sua mente.
- A seguir, note sua presença permitindo que sua mente entre em sintonia com suas sensações físicas. A maneira mais fácil é começar com a respiração; basta notar qual é a sensação de inspirar e expirar. Explore essa sensação com curiosidade e desprendimento. Depois, percorra seu corpo em busca de outras sensações, tais como tensão, rigidez ou peso.
- Agora, pense profundamente em alguém de que você goste. Junte esses sentimentos de *metta*, a compaixão, o amor, o carinho, a bondade, e envolva-se neles, imaginando que

está abraçando essa pessoa que você tanto considera em um abraço suave.

- A seguir, concentre seus pensamentos nas seguintes declarações:
  - *Que _____ (acrescente o nome) possa sentir felicidade e liberdade na jornada de sua vida.*
  - *Que _____ possa sentir calma, harmonia e serenidade enquanto segue pela vida.*
  - *Que _____ acredite em sua força interior e consiga lidar com os desafios que a vida apresenta.*
  - *Que o sofrimento pessoal de _____ diminua e acabe.*
- Então, volte a se concentrar em suas sensações físicas. Como se sente agora? Que sensações físicas estão presentes em seu corpo? Talvez sua respiração tenha ficado mais lenta, ou a tensão nas suas costas tenha passado. Talvez você se sinta um tanto mais leve, mais animado. Pode até estar sorrindo ou ter um sorriso em sua imaginação.
- A seguir, volte sua atenção para as imagens que consegue ver quando pensa naquela pessoa. Pode vê-la sorrindo e se sentindo livre? Mais uma vez, aproxime-se dessa imagem mental com uma curiosidade sem julgamento.
- Agora, aqui está a surpresa. Remova a pessoa querida e se coloque na moldura. Refaça as frases acima com você mesmo(a) inserido(a):
  - *Que eu possa sentir felicidade e liberdade na jornada da minha vida.*
  - *Que eu possa sentir calma, harmonia e serenidade enquanto sigo pela vida.*
  - *Que eu acredite em minha força interior e consiga lidar com os desafios que a vida apresenta.*
  - *Que meu sofrimento pessoal diminua e acabe.*
- Por fim, termine a sessão voltando sua atenção para a sua respiração. Concentre-se por alguns momentos na sensação de inspirar e soltar o ar gradualmente antes de terminar o exercício.

Essa pode ser uma técnica incrivelmente poderosa, embora de início desconfortável, para desenvolver a autocompaixão. Mo ficou bem irritado quando reencaminhamos a sensação de *metta* para ele, por não estar nem um pouco acostumado a pensar em si mesmo, menos ainda com amor e ternura, mas ele persistiu nisso, no começo pelo bem da família, mas, com o tempo, sua postura, o contato visual e a presença geral mudaram. Ficou claro que Mo estava fixando a segunda etapa da Abordagem CAA.

Aproprie-se da sua identidade

As pesquisadoras Amanda Brouwer e Katie Mosack conduziram um estudo fascinante que nos mostra outra maneira de enfrentar a fome emocional, alterando nosso senso de identidade por meio de modificações sutis de um pensamento motivacional.[53] A finalidade era testar se simplesmente o uso de um substantivo em relação a uma intenção saudável poderia influenciar ativamente o comportamento das pessoas. Foi pedido a um grupo de voluntários para criar uma lista de expressões de identidade referentes a seus objetivos de saúde, isto é, se o objetivo fosse comer mais frutas, eles se tornavam *comedores de fruta*, se fosse fazer mais exercícios, eles se tornavam *praticantes de exercícios*, e assim por diante. Ao usar o substantivo, os participantes tornavam-se *executantes* ativos dentro de cada um dos seus objetivos. O resultado foi que os *executantes* comeram alimentos saudáveis com mais frequência, e, no mês seguinte a essa artimanha identitária, ampliaram suas outras condutas relacionadas a objetivos, em comparação àqueles no grupo de controle que só tinham recebido conselho nutricional padrão.

Gerir um pensamento motivacional, e depois comunicar esse novo script a outras pessoas, é mais uma ferramenta formidável em se tratando de alteração de identidades. Isso é muito mais do que "finja até conseguir" porque nossas crenças internas conduzem nosso comportamento. No entanto, é possível que você se sinta nervoso(a) ao tentar sua nova identidade pela primeira vez, o que é compreensível. Desse modo, pode ser útil se preparar com um experimento comportamental na fase de Ação da Abordagem CAA.

Abordagem CAA: Ação

Estratégias de curto prazo focadas em soluções para combater compulsões

As compulsões por comida podem ser irresistíveis, mas são rápidas, durando, normalmente, apenas uma questão de minutos. É por isso que uma distração pode ser um bom método, a curto prazo, para mudar os padrões de alimentação.[54] Embora algumas vezes a distração seja vista como uma maneira insalubre de lidar com os desafios da vida, em se tratando de compulsões essa é uma grande estratégia por ajudar a passar o tempo até que o desejo de comer se atenue. Aqui estão algumas maneiras rápidas e incisivas do uso eficiente da distração para desviar sua atenção até que passe o impulso de atacar um pacote de salgadinhos.

Recorra a um jogo

Essa é uma rara ocasião em que sugiro que você pegue seu smartphone, porque jogar um jogo mentalmente desafiador, tal como Sudoku ou Tetris, dirigirá sua atenção e seus recursos cognitivos para longe de sua preocupação com comida. É claro que você pode recorrer ao clássico e fazer palavras cruzadas em papel, ou qualquer outra coisa que funcione para você!

Dê um aperto em sua força de vontade

Estudos têm demonstrado que tensionar ou firmar grupos musculares pode, por sua vez, fortalecer sua força de vontade, ajudando a superar tentações alimentares, bem como aumentar a tolerância à dor física, facilitar a deglutição de remédios repugnantes e focar em mensagens emocionalmente difíceis.[55] Essa forma de cognição incorporada pode ser de especial valia quando, de fato, você quiser fazer mudanças sustentáveis de longo prazo nos padrões alimentares. Assim, na próxima vez em que sentir uma pontada de desejo, feche o punho e incorpore seu Rocky Balboa interior!

Aperte o botão de pausa em seu controle remoto mental

Comer sem pensar, no piloto automático, é um sintoma comum da fome emocional, mas podemos recuperar o controle do que colocamos na boca usando um controle remoto mental. Essa é uma técnica bem divertida com a qual você pode realmente brincar. Prepare-se imaginando que tenha um controle remoto no cérebro; pense em seu aspecto, imagine os botões, inclusive os de *pausar*, *reproduzir*, *avançar* e *retroceder*. Então, na próxima vez em que tiver uma compulsão e se pegar buscando petiscos relaxantes:

- Aperte mentalmente o botão de pausa do seu controle remoto interior e congele a imagem da vida real. Em outras palavras, pare o que estiver fazendo!
- Tire um momento e saia de si mesmo(a), imaginando ser um(a) observador(a) dessa cena.
- Em seguida, aperte mentalmente o botão de reproduzir e veja como esse 1º Ato se desenvolve; olhe-se do alto, devorando o chocolate, e pense em qual é a sensação. Pode haver um breve momento de gratificação instantânea, mas o que vem depois?
- Então, respire fundo e acelere essa cena para algum momento depois de ceder ao desejo, talvez uma hora depois.
- Agora você está no 2º Ato do seu filme interior. Pergunte a si mesmo(a): Como me sinto? Está decepcionado(a) consigo mesmo(a)? Frustrado(a), com uma sensação de autodepreciação ou culpa? Seja sincero(a) quanto ao que costuma sentir depois desse comportamento alimentar.

Essas emoções podem ser fortes, mas tente não as afastar, porque elas podem ajudá-lo(a).

- Agora que você viu o futuro, aperte o *retroceder* em seu controle remoto e volte para o presente. Repasse o 1º Ato, mas dessa vez não ceda à compulsão. Em vez disso, verifique se está realmente com fome física ou se está prestes a se lançar em um Comer do Pequeno T, lembrando-se de que o desejo passa em questão de minutos.
- Volte a perguntar a si mesmo(a): Como me sinto? Forte, no controle e com os dois pés no chão, talvez?
- Por fim, é hora de apertar o *play* de verdade e tomar uma decisão consciente na ação que você quer em seu filme da vida real. Aqui, você de fato tem a capacidade de mudar o 3º Ato e dar a palavra final.

O que esse exercício faz é trazer nossos pensamentos, sentimentos e atitudes de volta a nossa percepção consciente para recuperarmos o controle de nossas ações, o que impactará em toda nossa vida. Portanto, você pode usar essa técnica de controle remoto não apenas para superar o comer sem pensar, como um zumbi, mas também para mudar hábitos diários que já não lhe servem mais.

Ação de longo prazo para superar a fome emocional

Pelo fato de comer ser uma parte tão integrante de nosso mundo social, entrelaçada com nosso senso de identidade em relação aos outros, com frequência podemos sentir medo de mudar como e o que comemos perante nossos amigos, a família ou outros grupos de pessoas. Medo de provocação, humilhação, preocupação em ofender pessoas queridas ou meramente querer evitar a necessidade de se explicar podem ser barreiras tangíveis para mudança. No entanto, raramente essas apreensões são tão ruins quanto pensamos. Então, um experimento comportamental é uma boa maneira de desafiar esses aparentes obstáculos para mudança.

Experimente sua nova identidade com um experimento comportamental

O maior desafio para Mo era mudar seus padrões alimentares em situações familiares. Ele não queria que eles se preocupassem com sua saúde, já que era o provedor e o protetor. Também não queria preocupar a mãe recusando comida, e essas inquietações agiam como uma parede mental significativa para Mo superar sua fome emocional. Essa era a parte importante, essas reações familiares eram as expectativas e prognósticos de Mo. Ele não tinha nenhuma experiência direta do que iria acontecer caso não aceitasse sobremesa, já que ainda não a tinha recusado em uma refeição social. Vejo com muita frequência cenários semelhantes e, sem dúvida, eu mesma tive que criar coragem para participar de experimentos comportamentais para testar minhas próprias premissas sobre situações e minhas próprias reações e as de outros!

Alguns dos problemas mais comuns que noto têm a ver com dizer "não" e construir limites saudáveis. Por exemplo, pessoas que estão saindo do sério por causa de sua tendência a agradar, que temem perder relações sociais e seus papéis, se chegarem a dizer não. O álcool também é um ponto nevrálgico frequente para muitos, no qual existe uma preocupação de que não é possível se divertir sem um drinque, ou que uma festa será entediante, tensa ou sem graça se a conversa não for azeitada com bebida. Sendo assim, o experimento comportamental é um dos meus exercícios preferidos.

Então, com Mo, elaboramos um plano para testar seus pressupostos, o que você também pode fazer seguindo esses passos:

- Em primeiro lugar, pegue um papel e divida-o em cinco colunas. É bom anotar isso, uma vez que o ato de pôr a caneta no papel ajuda a esclarecer crenças. Também é útil ter um registro radical, porque aqui somos cientistas experimentais!
- Agora, comece anotando sua **situação experimental** – esse é o ponto de partida para você testar seu prognóstico, que

vem em seguida. Veja a situação que Mo decidiu testar no quadro a seguir.

- Logo depois vem seu **prognóstico**, ou seja, como você acha que a situação se desenvolverá. Anote quaisquer dificuldades que acredite que possa encontrar, de quem e de que maneira elas poderão surgir.
- Agora que você tem a sua situação experimental e seus prognósticos, reflita sobre de que **recursos** você também poderia lançar mão caso alguma das dificuldades viesse a ocorrer. Isso é importante porque não queremos mergulhar no fundo do poço sem um colete salva-vidas!
- Então, agora que você realizou o experimento, reflita e documente o verdadeiro **resultado**. Isso deve incluir o que aconteceu no dia, as reações dos outros e como você se sentiu com tudo isso.
- Por fim, resuma a mensagem a ser guardada desse experimento comportamental. Houve uma diferença entre o seu prognóstico e o resultado? A resposta deve ser o que você aprendeu com o experimento e que pode levar adiante em sua jornada.

Mo descobriu que suas expectativas e seus prognósticos estavam longe de ser precisos. Além disso, a experiência não foi fácil. Para ele, sem dúvida, foi desafiador estar vulnerável perante aqueles de quem cuidava e a quem protegia por tanto tempo, mas descobriu que aquela proteção que ele pensava estar oferecendo causava certo dano em seus relacionamentos, porque impedia a proximidade de sua família como ele realmente gostaria.

Situação experimental	Prognóstico	Recursos	Resultado	Mensagem a ser guardada
Estamos indo para a casa da minha mãe para nosso costumeiro almoço de domingo em família. Todos estarão lá, inclusive meu irmão, minha irmã e a família dela.	Mamãe passará a manhã toda preparando a comida e esperará que eu coma como normalmente faço. Posso imaginar meu irmão ficando confuso, e talvez nervoso, se notar uma diferença no meu comportamento. Acho que minha irmã também ficaria preocupada, e isso poderia levar todos a se sentirem constrangidos.	Minha esposa é meu maior recurso, então contarei a ela o que estou fazendo antes de irmos almoçar, de modo que ela possa me apoiar caso esses prognósticos se concretizem.	Minha mãe e toda a família notaram que eu não estava comendo tanto, mas o que me chocou foi que ficaram aliviados. Acontece que eles já estavam preocupados com o meu peso, mas acharam que me magoariam se tocassem no assunto. Foi comovente, então nesse sentido foi um pouco constrangedor, já que não estou acostumado a me abrir desse jeito. Isso realmente me alertou para a enorme pressão que eu estava sentindo.	Não preciso ser o forte o tempo todo. Sou forte, mas minha família quer me ajudar. Talvez eu não precise usar essa máscara o tempo inteiro.

Portanto, esse método "científico" de teste de prognóstico pode nos permitir ver que até pessoas que pensamos conhecer de verdade também podem estar nos escondendo seus verdadeiros sentimentos exatamente pelo mesmo motivo: evitar uma suposta mágoa. Dar esse primeiro passo, experimentando dessa maneira, pode ser uma etapa vital para que você e seus entes queridos se livrem dos Pequenos Ts.

Lembrete para combater a fome emocional

1. O que quero que a comida faça por mim?
2. O que mais você pode fazer para se nutrir – explore, no mínimo, três opções que não envolvam comida.
3. Sinto-me "eu" quando...

PARA PENSAR

Comer e beber estão interligados ao Pequeno T de diversas maneiras – como uma forma de autorrelaxamento, de recompensa e de identidade, e é uma Temática de Pequenos Traumas que normalmente tem seu ponto de partida ainda na infância. Isso não é uma surpresa, já que precisamos de alimento para sobreviver, mas num mundo de fácil acesso, 24 horas por dia, a alimentos altamente energéticos, tornou-se cada vez mais difícil moderar nosso consumo. Como grande parte da nossa atitude alimentar está no piloto automático, criar um alerta para nossos padrões de alimentação, desenvolver aceitação e agir para recuperar o controle são essenciais nessa temática.

CAPÍTULO 8

É O AMOR...!

Neste capítulo, exploraremos:

- Os diferentes tipos de amor
- Trauma de traição
- Inveja e ciúme
- Como nossa percepção de amor pode ser danosa
- Métodos para reaprender a amar

Assim como muitas pessoas, cresci em meio aos filmes de Hollywood e contos de fadas do mesmo modo purificados, a maioria dos quais apresenta o verdadeiro amor como a cura para todos os males. Embora eu tenha ficado aliviada ao ver que alguns dos estereótipos, sobretudo em normas de gênero, mudaram com o tempo, a noção de amor romântico, a de que existe uma pessoa em algum lugar para você que a entenderá e a completará, prevalece. No entanto, há inúmeros tipos diferentes de viver um amor – e de perder esse amor.

Olívia estava arrasada, profundamente angustiada pelo término de um longo relacionamento. Mas poderia não ser o tipo de rompimento que vem primeiro à mente. Olívia não estava decepcionada com seu príncipe encantado; estava vivenciando um profundo sentimento de perda pelo rompimento de uma amizade. Eis o que ela tinha a dizer sobre seu Pequeno Trauma de Amor:

Sinto-me muito idiota até por tocar nesse assunto. Sei que não deveria ser grande coisa, mas, quando você me pediu para pensar em algo que tivesse me mudado, é isso. E simplesmente não consigo superá-lo.

Uns dois anos atrás, eu tinha essa amiga íntima. A gente passava muito tempo juntas e trocávamos mensagens no WhatsApp ou falávamos por chat todos os dias. À época eu estava passando por uma fertilização in vitro, e o apoio dela foi incrível, porque o tratamento não funcionou, e isso foi outra jornada para mim. Então, é algo que não consigo tirar da cabeça; foi uma coisa importante, uma perda imensa, a que eu tive que me adaptar, que causou estragos na minha vida, mas agora estou bem com isso, encontrei alguma paz.

O que estou achando difícil de superar, e o motivo de ter vindo te procurar, é que essa amiga, que eu pensava ser uma verdadeira amiga, engravidou depois de tudo isso, e não me contou. Descobri por meio de uma postagem no Facebook, em que uma das amigas dela mencionou isso; ela não tinha postado um ultrassom, nem nada disso. E isso me deixou arrasada, totalmente arrasada, não porque ela iria ter um bebê, fiquei empolgada por ela, mas por não ter me contado e eu ter que descobrir daquele jeito. Não consigo descrever o quanto aquilo foi doloroso, e isso ainda me incomoda. Não acho que possa confiar em mais ninguém, não saio para encontrar pessoas, pelo menos ninguém novo. E não posso conversar sobre isso com ninguém porque, mesmo ao tocar nesse assunto, acho que a maioria das pessoas concluiria que sou amarga e invejosa. Mas juro que não sou, só me sinto devastada por ter conversado com ela durante esse tempo todo e ela não tocar no assunto. Então, agora, nós nem nos falamos mais.

Essa é uma clássica descrição de Pequeno Trauma; no fundo sabemos que algo nos afetou, mas desconsideramos o trauma como não merecedor de atenção e compaixão, ou sentimos que outras pessoas farão suposições e julgamentos negativos. E, como foi mencionado ao longo deste livro, os Pequenos Ts são cumulativos e com frequência agem como dominós; um Pequeno T pode instigar uma cascata de pensamentos e ações que nos impedem de seguir em frente. No caso de Olívia, começamos por analisar se a omissão da amiga quanto a sua gravidez seria percebida como uma traição, mas ela mesma questionou a validade disso: "Não era como se fôssemos um casal e ela estivesse me enganando, ou coisa do tipo". Mas existem muitos tipos de amor, todos eles podendo nos causar mágoa e a sensação de termos sido traídos.

Pequeno T em foco: traição

Quando somos traídos por alguém, podemos ter, subitamente, a sensação de ter perdido o chão; o que acreditávamos ser uma base sólida de confiança e segurança se estilhaça, e isso pode ter um efeito decisivo no indivíduo. A dor emocional que emana após uma traição pode ser tão aguda quanto um ferimento físico, e deixar cicatrizes psicológicas duradouras caso não seja adequadamente processada.

O trauma da traição pode ocorrer na infância, época básica para o estabelecimento de vínculos. Em termos psicológicos, se o cuidador do começo de vida for inconsistente ou negligente, isso pode resultar em um estilo de vínculo inseguro, dificultando, mais tarde, a formação de laços emocionais sob diversos aspectos. No entanto, o trauma da traição também pode ocorrer mais à frente, em relacionamentos românticos, amizades estreitas e em famílias adultas. Com frequência, pensamos a traição apenas em termos de nossos(as) parceiros(as) românticos(as), mas quebras de confiança em outros relacionamentos próximos pode ter tanto impacto quanto a infidelidade conjugal.

Nesse sentido, o trauma da traição pode ser associado a muitos incidentes, inclusive deslealdade, mentira, enganação (física ou emocional), fofoca, ou outros comportamentos que prejudiquem os laços de um relacionamento. Isso acontece porque, em termos evolucionários, somos criaturas sociais que confiamos em nossos grupos para proteção, segurança e sobrevivência. Hoje em dia, podemos não precisar dos outros, necessariamente, para afastar predadores perigosos, mas ainda estamos programados dessa forma como os seres humanos primitivos. É por isso que uma traição pode ser tão avassaladora, sendo percebida como uma ameaça a nossa sobrevivência.

A filosofia e a taxonomia do amor

Assim como Olívia, frequentemente pensamos que o único amor que realmente importa é o tipo de amor romântico glorificado – cair nos braços de alguém e imediatamente sentir como se estivesse em casa, o "apaixonei-me assim que te vi", o amor à primeira vista, "o(a) eleito(a)". Mas essa compreensão do amor presta um desserviço significativo a nosso bem-estar emocional, uma vez que existem muitos tipos de ligação amorosa.

No campo da filosofia, da teologia, da mitologia e da consciência popular, existem categorias de amor – alguns analistas citam quatro; outros, sete –, todas elas podendo nos ajudar a entender as complexidades de nossos relacionamentos. Em parte, elas são só uma curiosidade, porque as categorias abaixo não são tão usadas em psicologia, mas são uma informação sociocultural útil, porque você verá esses vários tipos de amor retratados inúmeras vezes no cinema, na arte, na música e em outras mídias que todos nós consumimos, diariamente:

- **Eros (amor romântico):** alguma vez você se perguntou de onde vinha a expressão "cair de amores"? Na mitologia grega, o pequeno querubim que agora chamamos de Cupido era, originalmente, chamado de Eros, o deus do amor romântico, sexual. Com suas flechas de ouro, o bochechudo Cupido podia provocar essa forma de amor intenso, apaixonado, tão fervoroso em seu desejo que era visto como uma espécie de loucura, levando à queda de Troia no infame caso de Helena e Páris.[56] Desse modo, quando a flecha atinge, esse tipo irracional de possessão de luxúria e desejo por outro também pode nos levar à queda.

- **Philia (amizade):** esse é um tipo de amor baseado em amizade, que se fundamenta em desejar o melhor para a vida de outra pessoa. Essa forma de benevolência compartilhada é equitativa e fundamentada em uma firme sensação de confiança e companheirismo. Philia pode ser parte de uma parceria sexual ou de um relacionamento platônico. Muitas vezes, pensamos nesse tipo de amor de companheirismo como vindo depois de Eros em relacionamentos românticos, mas ele também pode vir antes, e levar a um aumento de autoconsciência, autenticidade e discernimento. Acredita-se que esse tipo de amizade verdadeira proteja tanto a saúde mental quanto a física, sob a forma de apoio social positivo.

- **Storge (amor familiar):** esse tipo de amor tem a ver com família, e é o amor incondicional que os pais têm por seus filhos. Storge é parecido com Philia no sentido de que o doador só quer boas coisas para o destinatário, mas é assimétrico, já que as crianças, por natureza, são egocêntricas e não podem oferecer de volta esse tipo de amor prestativo. Esse tipo de amor é vital para a sobrevivência da espécie, porque os bebês e as crianças precisam ser amados e cuidados, independentemente de um comportamento que, provavelmente, não seria aceitável em outra dinâmica de relacionamento.

- **Ágape (amor pelo mundo):** esse é o amor universal, por exemplo, amor pela humanidade, pelo mundo natural, ou um amor religioso por seu deus. Uma característica central do Ágape é o altruísmo, ajudar os outros sem expectativa de retorno, o que o leva a ser visto como um tipo de amor desinteressado.

Acho que essas categorias de amor são boas para nos ajudar a esquecer a ideia de que o amor só tem a ver com "o(a) escolhido(a)". Na verdade, temos muitos "escolhidos" ao longo da vida, em todos os grupos acima, o que significa que não precisamos sucumbir à pressão à *la* Hollywood de encontrar nosso príncipe ou princesa (ou uma versão não binária disso) que, num passe de mágica, vai fazer tudo dar certo em nossa vida.

Pequeno T em foco: amizades tóxicas

Assim como nas relações românticas e familiares, as amizades também podem ser tóxicas, mas em geral discutimos isso muito menos do que as parcerias tóxicas, motivo de este ser um Pequeno T revelador. Nem todas as amizades terminam por serem tóxicas, então, algumas vezes pode ser difícil perceber se o relacionamento azedou, especialmente quando isso aconteceu aos poucos, em um longo período de tempo. Eis alguns sinais, bandeiras vermelhas se quiser, de que sua amizade pode ter se tornado nociva:

- Seu(sua) amigo(a) começou a menosprezar crenças e valores que sabe que você alimenta.

- Seu(sua) amigo(a) ultrapassou um limite pessoal para você, resultando em trauma por traição.

- Você começa a se sentir julgado(a) por seu(sua) amigo(a). Isso pode ser exemplificado com comentários maldosos sobre sua aparência ou suas roupas, seus outros relacionamentos ou seu trabalho, ou até coisas mínimas que você mal nota.

☑ Seu(sua) amigo(a) o(a) acusa de ser supersensível, quando você acha as ações dele(a) ou os comentários perturbadores, atentando contra seus sentimentos e sua experiência de vida.

☑ Você começou a se sentir rebaixado(a) ou humilhado(a) por seu(sua) amigo(a), particularmente em frente a outras pessoas, ou na mídia social.

☑ Quando você fala, não sente que está sendo ouvido(a), ou seu(sua) amigo(a) parece visivelmente entediado(a) com a conversa, a ponto de você não querer falar mais.

☑ A amizade parece ser muito unilateral, em que o único contato é o de sua iniciativa.

☑ Acontecem migalhas: quando um(a) amigo(a) só lhe dá migalhas suficientes para que você se mantenha no relacionamento. Por exemplo, as ocasionais mensagens de texto, ligações ou os ocasionais encontros, resultando em confusão e desapontamento por não ser nunca o bastante para manter um relacionamento sólido.

Amizades tóxicas podem drenar sua autoestima, sua confiança e sua energia emocional, então vale a pena identificar esses relacionamentos destrutivos e afastá-los, se necessário (ver Ação mais adiante). As amizades deveriam energizar e acalmar, não sugar a sua força vital.

Quando Olívia e eu investigamos sua amizade, o único problema que saltou à vista eram as migalhas. Esse é um dado interessante, porque um contato inconsistente pode ser uma bandeira rosa, e não vermelha. Uma bandeira rosa é como um sinal de pré-alerta. Por exemplo, quando o tanque de gasolina do seu carro está ficando vazio e a luz se acende, mas você sabe que ainda tem o suficiente para chegar ao posto de gasolina mais próximo. Bandeiras rosa em um relacionamento *poderiam* ser um indício de toxicidade, embora não necessariamente, mas são sinais de que você precisa examinar essa relação para ter certeza – assim como o medidor de gasolina baixo não é algo a ser ignorado. No caso das migalhas, a falta de comunicação e contato poderia se dever a outros fatores, então sempre vale a pena verificar (algo que aprofundaremos mais tarde, neste capítulo).

Por enquanto, isso nos deu um ponto de partida importante para desfazer a constelação singular de Pequenos Ts de Olívia. Isso será diferente para cada um, até para irmãos, amigos íntimos ou aqueles com quem mais nos identificamos. Então, para começar a ter algumas pistas para descobrir *como* Olívia ama, daremos início à primeira fase da Abordagem CAA, a Conscientização.

Abordagem CAA: Conscientização

Embora nem todos os Pequenos Ts se originem na infância, o amor é uma área intrinsecamente ligada à nossa experiência formativa no recebimento de cuidados. Sendo assim, é importante refletir sobre uma área respaldada por um enorme volume de estudos e pesquisas: o estilo de apego.

Apego é tudo

Como bebês, crianças de colo e na primeira infância, precisamos sem dúvida, para nossa sobrevivência, de alguém que cuide de nós. Não somos mamíferos que conseguem andar uma hora depois de nascidos, nem nos alimentamos instantaneamente, então, esse primeiro relacionamento estabelece a cena de nossa percepção do mundo. O quanto nossos cuidadores são responsivos em relação a nós, em nosso começo de vida, forma o que é conhecido como nosso "estilo de apego". Existem diferentes tipos de estilo de apego que desenvolvemos a partir da infância, e que seguem para moldar como nos sentimos em relação a nós mesmos e aos outros e como nos comportamos. Enquanto somos crianças pequenas, aprendemos com nosso principal cuidador – em geral as mães, mas pais, avós e outros adultos também podem preencher o papel – sobre relações humanas e conceitos, tais como fé, segurança e confiança para explorar o mundo. Esse apego recebe ajuda do toque físico e do hormônio de vinculação, a oxitocina, que acalma e conforta. As quatro principais categorias de estilo de apego são:

- **Apego seguro:** proporciona a uma pessoa a crença interna de que os outros responderão e retribuirão, significando que o mundo é, em geral, um lugar seguro. Os relacionamentos adultos tendem a ser confiáveis e duradouros, e em todos os tipos de amor são compartilhados sentimentos verdadeiros, portanto, essa base segura possibilita vulnerabilidade. Vinculadas com segurança, as pessoas também acham relativamente fácil buscar apoio quando precisam, e têm desenvolvidos mecanismos adaptativos de enfrentamento.

- **Apego ambivalente:** pode se originar de experiências inconsistentes de amor; às vezes, os cuidados eram sensíveis à necessidade da pessoa, outras vezes, havia uma falta de aconchego e atenção. O apego ambivalente adulto pode resultar em agarramento ou carência, em que existe uma preocupação subjacente de que os parceiros, e até certo ponto os amigos, na verdade não se importam realmente com eles. Esse medo pode deixar a pessoa temerosa de estabelecer vínculos com as outras; se o vínculo for estabelecido e quebrado, a intensidade de um rompimento pode ser avassaladora.

- **Apego evitativo:** acontece quando as necessidades de cuidado não foram atendidas adequadamente, o que leva à expectativa de que os outros não responderão e não retribuirão o afeto. Adultos com esse tipo de apego podem desenvolver problemas com proximidade e intimidade, e achar difícil revelar seus sentimentos para entes queridos. O apego evitativo também pode levar a pouco interesse visível em criar vínculos sociais e amorosos e, para os outros, tal pessoa pode parecer distante.

• **Apego desorganizado:** pode resultar de um ambiente instável, variando de uma prestação de cuidados excessiva para passiva, o que pode ser perturbador para um indivíduo. Essa forma menos comum de vínculo pode ser expressa como uma combinação de traços evitativos e ambivalentes, espelhando a experiência amorosa dos primeiros anos, isto é, agarramento, depois frieza.

Fatores que afetam o tipo de apego que desenvolvemos incluem a qualidade da parentalidade e da prestação de cuidados, mas muitas outras influências também exercem um papel; as próprias características e peculiaridades da criança podem ter um impacto no estilo de apego, portanto, é importante lembrar que esse processo é uma interação entre criança e cuidador. Isso explica como diversas crianças da mesma família podem ter estilos de apego completamente diferentes. Então, não vamos culpar totalmente os pais por nosso estilo de apego! Como vimos ao longo deste livro, o entendimento e a conscientização são, em geral, uma estratégia mais vantajosa do que a atribuição de culpa. Circunstâncias familiares, inclusive acontecimentos importantes na família, no ambiente e na cultura, também têm sua função, e mesmo como bebês, formamos múltiplos apegos que podem resultar em diferentes estilos.

Quando Olívia e eu revimos esses estilos de apego, ela observou que, em geral, quando criança, teve um apego seguro. Sentia que seus cuidadores foram responsivos e confiáveis, e se sentia apoiada – *"mas não diria que mamãe era dada a abraços, quando muito ela era morna, não fria, mas não calorosa como outras mães que eu conhecia".* Essa foi uma pequena dica, já que todos nós almejamos o toque físico (veja o quadro nas páginas 189-190), então estávamos começando a montar a tela do Pequeno T de Olívia. Sugeri que ela poderia ter diferentes formas de apego com a mãe e o pai, e isso pareceu jogar alguma luz na situação; ela revelou que, sim, seu apego com a mãe parecia mais ambivalente do que o apego seguro que tinha com o pai.

Por muito tempo, no estudo e na prática de psicologia e desenvolvimento, pensávamos que as pessoas tinham um único estilo fixo de apego desde a infância; em outras palavras, você só poderia ter um estilo, e ele permaneceria com você ao longo da vida. Mas agora existe uma compreensão maior das complexidades das experiências humanas e, basicamente, a vida simplesmente não é assim, os Pequenos Ts podem ocorrer ao mesmo tempo que bases seguras estão sendo construídas no começo da vida. Essas experiências não são mutuamente excludentes, mais um motivo pelo qual o Pequeno T possa parecer tão confuso; alguém pode sentir que, em geral, tem um apego seguro, "então por que estou tendo problemas?". Além disso, podemos ter diferentes estilos de apego nos diferentes tipos de amor. Por exemplo, um apego seguro no Eros (amor romântico), mas um apego ansioso no Storge (amor familiar).[57] Mas isso também nos oferece muita esperança – assim como o Pequeno T pode metamorfosear um tipo positivo de apego em algo que torne os relacionamentos mais complicados, entender e superar o Pequeno T pode transformar todos os tipos de amor em apegos seguros. Esse é o poder de admitir o Pequeno T em sua vida.

Pequeno T em foco: anseio de pele

O toque humano é vital para o desenvolvimento do apego. É por isso que, depois do parto, os recém-nascidos são colocados sobre a pele da mãe, e os pais são incentivados a praticar o contato pele a pele com seus bebês.

No capítulo 1, foi mencionado o trabalho seminal de Harlow sobre a privação materna com macacos rhesus, o qual sugere que os bebês têm uma necessidade inata (biológica) de tocar e se agarrar a alguma coisa para um conforto emocional, conhecido como "conforto tátil". O conforto e a percepção de cuidado que o toque nos dá é, portanto, vital para nosso funcionamento não apenas quando somos jovens, mas ao longo da vida. O toque humano libera a neuroquímica oxitocina, às vezes chamada de "hormônio do amor", o que ajuda no processo de vínculo. Também sabemos que a oxitocina estimula o humor, aumenta os sentimentos de confiança e reduz o hormônio do estresse, o cortisol. Desse modo, quando entramos em contato físico com outra pessoa, tal como um abraço, é provável que nos sintamos menos estressados pelo aumento da oxitocina e pela queda dos níveis de cortisol.

O contato físico também parece ajudar o nosso sistema imunológico. Um estudo com mais de quatrocentos adultos saudáveis descobriu que abraçar estimulou sensações de apoio social e protegeu contra o risco de contrair um resfriado comum.[58] Naqueles que contraíram resfriado, uma maior frequência de abraços e um apoio social visível levaram a sintomas menos severos.

No entanto, isso pode produzir desafios a quem vive só ou precisa se isolar por períodos de tempo, tal como aconteceu com muitos de nós durante a pandemia de covid-19. É provável que, nessa época, muitas pessoas tenham desenvolvido anseio de pele ou "privação de toque", mas a pesquisa também descobriu que acariciar e aconchegar um animal de estimação dispara um fluxo de oxitocina.[59] Portanto, para pessoas que se sentem mais à vontade com animais ou não podem interagir com outras pessoas, o toque físico com bichos de estimação também pode ajudar.

Amor em movimento

Retomamos a questão original da Abordagem CAA (capítulo 1) sobre que aspectos de vida foram mais importantes na formação de quem Olívia é hoje, e é aqui que a Temática do Pequeno T do Amor ficou mais clara.

Olívia revelou que, quando criança, a cada dois anos ela se mudava de residência, porque o pai era das Forças Armadas. Embora em casa ela se sentisse amada, tinha algum nível de consciência de que todas as mudanças deviam colocar muita pressão em sua mãe – "*talvez fosse esse o motivo de ela ser tão morna; ela realmente tinha que arrumar tudo cada vez que a gente se mudava, e deve ter sido difícil*". Também era difícil estabelecer amizades quando se sabe que, em pouco tempo, você será transferida para outro lugar. Embora sob alguns aspectos a tecnologia tivesse ajudado, já que ela podia se manter em contato com pessoas no país inteiro, e às vezes até do mundo, também era difícil ver que outras crianças, e depois adolescentes, não passavam por essa ruptura. Agora, geograficamente instalada, Olívia tinha medo de fazer amigos, em especial mulheres, mas como aquela colega pareceu muito autêntica, mergulhou de corpo e alma. Isso fez com que o rompimento da amizade parecesse muito debilitante, e nessa situação Olívia reconheceu o tipo de apego ambivalente que tinha com a mãe; sentiu-se grudenta, quase desesperada com a ideia de perder a amiga. Além disso, admitiu ter passado por um sentimento de perda doloroso, sombrio, ao ver a postagem da gravidez da amiga, ao mesmo tempo que sentiu uma calorosa felicidade por ela.

Se refletirmos sobre o Emobioma do capítulo 2, podemos reconhecer que é possível, na verdade provável, sentirmos várias emoções ao mesmo tempo, até aquelas que podem ser consideradas contraditórias. Para Olívia, ambas as emoções – uma sensação de inveja e de alegria pela gravidez da amiga – eram reais e genuínas.

Ciúme, inveja e o monstro de olhos verdes

Embora tanto o ciúme quanto a inveja possam parecer desagradáveis, existem diferenças importantes nessas emoções em se tratando do monstro de olhos verdes, expressão cunhada por Shakespeare. Simplificando, o ciúme é temer perder algo que seja importante para nós e está associado a outras emoções, como ansiedade, raiva e desconfiança perante essa potencial perda. A inveja é desejar possuir o que outra pessoa tem. Existem dois lados da inveja: um em que esse objeto ou experiência do desejo seria levado de alguém para que você o obtivesse, e o outro em que você apenas gostaria que vocês dois o tivessem. Sendo assim, a inveja pode criar sentimentos de desejo e inferioridade (por exemplo, "Que feriado maravilhoso você teve; eu gostaria de também poder dar uma escapada!"), mas o lado mais sombrio é que o ressentimento pode erguer a cabeça ("Ele não merece a carreira que tem; dou o maior duro no trabalho e eu é quem deveria ocupar aquele cargo").[60] Este último, o tipo mais negativo de inveja, é onde entra a frase do monstro de olhos verdes de *Otelo*, de Shakespeare, e esse tipo mais destrutivo de experiência emocional pode ser suprido com uma desaprovação tanto interna quanto externa e, às vezes, com sentimentos de vergonha e culpa.

Em geral, a diferença entre ciúme e inveja é o contraste entre "perda" e "falta". Isso pode ficar particularmente evidente quando se trata de amizades femininas, em que a pesquisa mostra que pessoas designadas mulheres ao nascer tendem a experimentar níveis mais altos de "ciúme de amizade" em comparação às designadas homens, perante a eventual perda das melhores amigas para outras.

No capítulo 1, mencionamos o conceito de protecionismo das mulheres em resposta ao estresse, no qual as mulheres têm uma programação mais evoluída para manter o grupo unido e intacto, conforme seu papel de sobrevivência. Esse é um dos motivos pelos quais as mulheres e meninas tenham tanta dificuldade com o rompimento de suas amizades, sobretudo se aquela amiga é vista desenvolvendo novos relacionamentos Philia (amor de amizade). É óbvio que existem muitas sutilezas nisso, mas, geralmente, apenas estar consciente de que esses sentimentos estejam um tanto arraigados pode ajudar na liberação e acomodação dos sentimentos desagradáveis de ciúme e inveja, e permitir sua exploração no Emobioma.

Abordagem CAA: Aceitação

Para passar, agora, do estágio inicial de Conscientização para o de Aceitação e progredir na Abordagem CAA, talvez seja bom mergulhar profundamente nesse tipo de amor Philia, uma vez que tendemos a ter uma porção de ideias sobre como as amizades funcionam, e de fato quantos amigos deveríamos ter, o que às vezes contribui para nosso Pequeno T.

Foco na amizade e no amor Philia

Uma das minhas melhores amigas mencionou a citação: "Amizades acontecem por um motivo, por um período ou para a vida inteira". Como inúmeros adágios famosos, é difícil saber exatamente a sua origem. Mas adoro esse ponto de vista porque me faz sentir bem quanto a algumas amizades que fracassaram ou implodiram.

Estudos mostram que existe um limite no número de amizades que conseguimos manter ao mesmo tempo.[61] O número de amigos íntimos, aqueles com quem você se abre, fica até tarde da noite conversando até que, do nada, o sol aparece – você sabe quem são –, normalmente não passam do que você pode contar em uma das mãos. Aqueles para sempre, mas que não são seus amigos mais chegados, giram em torno de quinze. Esses são os parceiros com quem você faz atividades e passa o tempo, mas não para quem você conta seus segredos mais íntimos. Em seguida, vêm as pessoas que você fica ansioso(a) para ver em festas, ou em outras comemorações importantes, como aniversários, casamentos, e até acontecimentos tristes, como funerais, mas com quem provavelmente não interage de maneira regular. Esses amigos, normalmente, ficam entre 35 e 50. Por fim, existe o círculo externo de amigos, por quem você tem um interesse social, e dos quais, porventura, gosta de ter notícias (ou, caso você seja um pouco mais velho, estarão em sua lista de cartões de Natal), mas com quem você só se comunica raramente, e eles somam cerca de 150. É possível que você tenha centenas de amigos e conhecidos a mais na mídia social, mas se fosse reduzir sua lista de amigos on-line àqueles com quem você ainda se preocupa e em quem pensa, provavelmente o número ficaria por volta de 150.

Mas também não tem nenhum problema caso você não chegue nem perto desse volume de relações, pois o caso tem muito mais a ver com qualidade do que com quantidade. Amigos também podem vir em diferentes formas e tamanhos. Um cliente meu, chamado Quinn, consultou-me ao perder seu melhor amigo; num rompimento com um parceiro, seu amado cockapoo (uma raça que surgiu da mistura de cocker spaniel com poodle) ficou com o ex de Quinn, já que ele possuía o cachorro antes. Na maioria dos países, animais são vistos legalmente como "bens móveis", isto é, propriedades, exatamente como um sofá ou uma joia. Isso está começando a mudar, mas, mesmo assim, vi inúmeras vezes o desenvolvimento de um Pequeno T com a perda de um animal. Trabalho com colegas no campo crescente da terapia assistida com animal e fica claro o quanto de amor incondicional um outro ser vivo, não humano, é capaz de dar e, portanto, como pode ser devastador separar-se de tais criaturas altruístas.

Então, qual é o motivo para o número estimado de amigos que temos em diversas zonas de amizade? Temos, na vida, apenas uma quantidade finita de espaço e tempo, seria impossível manter uma amizade profunda com cada um que entrasse pela porta – e, seja como for, muitos de nós não iriam querer isso! Além do mais, conforme avançamos pela vida, nossas esperanças, nossos sonhos e nossas circunstâncias mudam, e também mudam as nossas amizades. Pode não ser a ideia de Hollywood do amor Philia, mas é uma ideia realista e esperançosa.

Lidando com o colapso de uma amizade

Na terapia psicológica, a ruptura de um relacionamento é apenas metade da história; o reparo, ou as tentativas de reparo são tão importantes quanto, se não mais. Todos os tipos de relacionamento passam por rompimentos, embora, com o tempo, as amizades possam fracassar ou se metamorfosear em algo tóxico. É claro que um rompimento espetacular pode ocorrer após uma discussão, ocorrência ou situação significativas, exatamente como com qualquer ligação próxima. Sem dúvida alguma, quando isso acontece é mais fácil identificar, ao passo que a erosão lenta do que antes era um vínculo confiável, prazeroso e amoroso com frequência leve pessoas como Olívia a se sentirem completamente à deriva. Quanto mais tempo isso leva, mais profunda a marca do Pequeno T. Assim, se você sentir que uma amizade está azedando, leve em conta o processo de três fases do FIN, que se resume a ser responsável por sua própria experiência e ser proativo com o Pequeno T de Amor:

- **F é para Franqueza:** tenha uma conversa franca focada em você, ou seja, como você se sente com o que está acontecendo, usando afirmações a partir de "Eu", para evitar uma atitude defensiva; e dê a seu(sua) amigo(a) a chance de se colocar, tal como: "Ultimamente, *eu* sinto que nossa amizade tem sido unilateral...".

- **I é para Imaginação:** a seguir, desenvolva essa afirmativa em primeira pessoa, usando um pouco de imaginação e curiosidade – até nossos amigos mais íntimos podem esconder de nós circunstâncias difíceis, sobretudo pessoas que, por fora, parecem realmente fortes e autoconfiantes. Em geral, são essas as que mais precisam de amizades boas e isentas. Se o comportamento de seu(sua) amigo(a) em relação a você mudou muito e parece fora do normal, isso será particularmente importante. Assim, prosseguindo no primeiro passo, poderia dizer algo do tipo: "Ultimamente, eu sinto que nossa amizade tem sido um pouco unilateral, e estava me perguntando se você está bem...?".

- **N é para Não:** se você foi franco(a), amigável e caloroso(a), mas seu(sua) amigo(a) reagiu de maneira tóxica (veja quadro sobre amizades tóxicas nas páginas 184-185), provavelmente é hora de respeitar a sua própria paz e seus limites e simplesmente dizer "não" a esse relacionamento. Essa pessoa pode ter sido sua amiga por um motivo, ou por um tempo, mas não para a vida toda, e tudo bem. No entanto, se seu(sua) amigo(a) reagir de maneira positiva, isso pode ser uma verdadeira reviravolta para uma ligação mais profunda e mais gratificante, e o "não" aqui, nesse processo, tem mais a ver com manter seus limites pessoais em se tratando de relacionamentos.

Às vezes, as amizades ressurgem quando seus motivos ou períodos estão mais alinhados, então, ao usar o processo FIN, você pode se dar espaço e tempo para nutrir outras ligações que lhe são mais benéficas, sem fechar as portas completamente caso queira retomar uma relação. No entanto, mesmo pensar sobre esse processo pode causar uma sensação de angústia, então seja gentil consigo mesmo(a) e permita que seus sentimentos de perda e tristeza façam parte do seu Emobioma. Por fim, busque apoio emocional com outros amigos, mas não passe muito tempo criticando seu(sua) velho(a) amigo(a), porque isso pode levar aos tipos de ressentimento e ruminação que exaurem sua qualidade de vida e seu otimismo em relação ao futuro.

Olívia deu o passo corajoso para ter uma conversa com a amiga, e foi uma interação emocionalmente difícil e exaustiva, para dizer o mínimo. Houve lágrimas, abraços e alguns lampejos de esperança. A amiga admitiu o quanto havia se sentido mal com a maneira que sua notícia se espalhara e disse que simplesmente não sabia como contar a Olívia sobre a gravidez, após todos os seus insucessos com a fertilização *in vitro*. A amiga também revelou que, quando o bebê nasceu, ela sofreu com sua nova maternidade muito mais do que esperava e não sentiu que poderia expressar isso a alguém que não tinha sorte o suficiente para passar por esses problemas. Conciliar as exigências da maternidade, do trabalho e da vida em geral quase tinham derrubado a amiga de Olívia, e ela se viu inundada de mensagens de WhatsApp de grupos de apoio a pais, em meio a uma carreira como escritora *freelancer* e simplesmente procurando manter tudo funcionando. Esse era o verdadeiro motivo das bandeiras rosa de alerta na relação entre as duas. O que também surgiu nessa conversa FIN foi que sua amiga havia sentido que Olívia não a tinha escutado com atenção no passado, o que ela compreendia, uma vez que Olívia estava passando por uma fase terrível. Olívia achou difícil ouvir isso, mas fez o possível para não reagir e preferiu ficar com a honestidade da amiga. Quando nos confrontamos com o Pequeno T de Amor, é importante assumir a nossa parte da equação, por mais que isso seja difícil no começo.

A poderosa influência daquilo que vemos

Agora, estamos elaborando uma imagem bem mais abrangente da Temática do Pequeno T de Amor, e havia mais uma peça vital do quebra-cabeça. A teoria da aprendizagem social é basicamente "Eu faço o que você faz", ou espelhar o comportamento dos outros, com frequência dos nossos principais cuidadores ou de alguém que valorizamos e respeitamos.[62] Essa teoria foi introduzida no final da década de 1960 pelo psicólogo Albert Bandura, que elaborou teorias anteriores de condicionamento (ver capítulo 4), mas o professor Bandura notou que, para fazer associações, nós mesmos não precisamos experimentar algo diretamente: essas interligações também podem se formar por meio de aprendizagem indireta.

Os agora famosos experimentos do "João Bobo", de Bandura, de fato descobriram que, depois de testemunhar alguém batendo nesse boneco, as próprias crianças ficavam mais propensas a bater no brinquedo de plástico de maneira parecida. À época, houve uma enorme preocupação sobre a influência da TV nas crianças que viam violência, e, na verdade, em 1972, o Departamento de Saúde Pública dos Estados Unidos declarou que a violência na televisão era um problema de saúde pública. Até hoje, têm havido muitas críticas a esses experimentos, mas a teoria básica de que nossas experiências permitem certo aprendizado social permanece, motivo pelo qual o mundo a nossa volta e a informação que consumimos faz parte dos Pequenos Ts.

Para Olívia, que, assim como muitos de nós, incluindo eu mesma, cresceu com livros e filmes sobre como os melhores amigos eram amigos para sempre, esse foi o modelo do que ela acreditava que uma amizade deveria ser. Em sua própria família, ainda que eles estivessem sempre se mudando, sua mãe manteve o tempo todo uma amizade íntima com a melhor amiga. Na verdade, Olívia e os irmãos referiam-se a essa amiga como "tia", que esteve presente ao longo de sua vida, independentemente de quantas vezes eles se mudaram. Isso estabelece um nível alto para o padrão de Philia no sistema de crença de Olívia, de modo que quando suas amizades não chegavam à altura, realmente pareciam decepcionantes.

Abordagem CAA: Ação

As estratégias nesse estágio de Ação da Abordagem CAA podem ser úteis para todos os tipos de relacionamento amoroso, desde os relacionamentos românticos de Eros e ao amor tipo família de Storge, até o amor de amizade de Philia.

Abordagens de longo prazo para todos os tipos de amor

Aprenda a escutar

Os psicólogos aprendem uma habilidade chamada "escuta ativa", e isso é algo que você também pode aprender e usar para melhorar a qualidade de seus relacionamentos amorosos. A escuta ativa não é o mesmo que ouvir; ouvir palavras é uma forma bem passiva de comunicação, enquanto que a escuta ativa exige certa concentração e esforço. Esse esforço é, sem dúvida, valioso, e pode transformar completamente os relacionamentos íntimos. O propósito da escuta ativa é descobrir o significado emocional do que está sendo comunicado, não apenas o sentido literal das palavras ditas. Experimente a técnica de escuta **VISTAR**, que elaborei baseada no ensinamento do falecido grande psicólogo humanista Carl Rogers:

- **V é para Ver:** a escuta ativa envolve tanto a comunicação verbal quanto a não verbal. Então, comece prestando atenção no que você consegue ver. Seu ente querido estará comunicando uma gama de informações com a quantidade de contato visual, com o olhar, com os pequenos gestos, a postura física, as expressões faciais e até com as microexpressões.

- **I é para Incongruência:** um aspecto incrivelmente útil da escuta ativa é quando o que a pessoa estiver lhe dizendo verbalmente for incongruente, ou seja, contraditório com seus indícios não verbais. Normalmente, os sinais não verbais são o reflexo mais preciso de como a pessoa está se sentindo. Então, se seu(sua) parceiro(a) ou amigo(a) estiver dizendo: "É, estou bem, está tudo bem, sem problemas", mas, se os ombros estiverem curvados, os braços cruzados na frente e não for mantido um contato visual, você pode concluir, com segurança, que não está nada bem!

- **S é para Silêncio:** quando estamos apenas ouvindo o que o outro diz, e não escutando ativamente, nossa mente tende a correr à frente e pensar em como vamos responder. Isso, com frequência, leva a uma resposta afobada ou a interrupções imediatas; não existe espaço livre para que a parte ativa da escuta aconteça. De início, deixar espaço para o silêncio pode parecer intimidante, mas permitirá que você processe tanto as mensagens verbais quanto as não verbais (o que está sendo dito e como está sendo dito) e crie a oportunidade para seu(sua) parceiro(a) se abrir mais.

- **T é para Toque:** os seres humanos têm uma maneira intuitiva, não verbal, de se comunicar, conhecida como "toque social". O simples toque da mão sobre o braço do outro, ou um aperto no ombro, pode transmitir mais compaixão e entendimento em poucos segundos do que um longo monólogo. O toque social é particularmente efetivo quando a intenção é acalmar e acomodar um companheiro, mas pode ser usado para compartilhar uma série de experiências emocionais.

- **A é para Alarde:** a voz é, logicamente, importante na comunicação, e você pode prestar atenção a muitos aspectos, tais como característica, tom, velocidade, volume e articulação.

Não que você precise pensar em todos esses aspectos individualmente; você saberá, pela experiência de interagir com os outros, o que certos padrões de fala podem estar lhe dizendo. Por exemplo, se alguém estiver fazendo muito alarde, falando muito alto e disparando palavras como uma metralhadora, então é improvável que esteja bem! Contudo, todos têm seu padrão pessoal de fala, então pode ser melhor prestar atenção em ênfases, caso elas apareçam de maneira diferente do que nas conversas habituais.

- **R é para Repare em si mesmo:** outra dica para decifrar o significado emocional da comunicação do ente querido é notar o que acontece com o seu próprio corpo durante a interação. Por exemplo, você está sentindo uma tensão no corpo que não existia antes de começar esse diálogo? O que você está sentindo emocional, física e perceptivelmente agora? Em geral, nossas reações internas imediatas e inatas podem nos dizer muito sobre o que está acontecendo com os outros.

A escuta ativa é uma habilidade, e sendo assim requer um pouco de prática. Você e seu ente querido talvez queiram tentar praticar essa habilidade juntos. De qualquer maneira, desafio-o(a) a experimentá-la e ver como ela modifica o resultado das suas interações sociais.

Reaprenda a amar

Não tenho certeza de por que este capítulo parece tão cheio de acrônimos! Gosto de usar essas técnicas de fácil memorização porque, quando a vida anda agitada, pode ser difícil lembrar como demonstrar afeto por aqueles que mais nos importam. Essa é minha maneira de me lembrar das bases do AMOR:

- **A é para Abertura:** os relacionamentos prosperam na comunicação honesta e aberta, mas às vezes a maneira de fazer isso não fica clara. Pense naqueles momentos em que seu relacionamento estava mais profundo. Isso aconteceu quando vocês dois estavam posando no seu melhor, ou quando a máscara tinha caído e revelado algo sensível por dentro? Trata-se de se inclinar para sentimentos de vulnerabilidade, o que permitirá que seus vínculos mais próximos fiquem ainda mais fortes.

- **M é para Mudança:** o verdadeiro amor (não o amor de Hollywood) provém de uma aceitação profunda. As pessoas mudam, crescem e se transformam perante nossos olhos e podem ser apoiadas por nós, mas não nos cabe tentar mudar aqueles a quem amamos. Não se trata de acomodar um abuso intencionalmente, de um Grande T ou Pequeno T, e sim, se alguém ultrapassou o limite do aceitável para nós, mesmo que seja alguém a quem amamos profundamente, não podemos impor uma mudança a essa pessoa. Nesse exemplo, a autoproteção é imperativa, e é possível que você tenha que se afastar de um relacionamento – não podemos mudar o outro. No entanto, em relacionamentos saudáveis, permitir que a pessoa amada seja quem e o que ela é, num contexto de um espaço confiável e seguro, é o apogeu do amor humano.[63]
- **O é para Opiniões:** quando admitimos e respeitamos as opiniões e os valores de uma pessoa, os laços também se reforçam. Isso não significa que você tenha que concordar com seus amigos e entes queridos em tudo, mas ter alguns valores semelhantes ajuda a concordar em discordar em problemas mais superficiais.
- **R é para Respeito:** esse primeiro aspecto do amor é tão importante e envolve a escuta, que tem uma técnica própria acima.

Aprender essas habilidades amorosas foi uma verdadeira reviravolta para Olívia e sua amiga, e embora eu não possa dizer que a amizade entre elas foi magicamente retomada do dia para a noite, sobretudo por elas estarem, de fato, em percursos muito diferentes, agora havia certa esperança de reparação. Reconhecer que era uma época em que elas estavam atravessando fases diferentes na vida permitiu a Olívia soltar o ar represado nesse relacionamento e focar no que ela poderia fazer para melhorar a qualidade de todos os seus vínculos amorosos.

Finalmente, sobre o amor...

Pense em todas as pessoas que amaram você por ser quem é – reflita sobre isso durante um minuto.

Lembretes para estimular o amor

1. Anote três qualidades que você tenha nos relacionamentos, e como demonstra cada uma delas para as pessoas queridas.
2. Quais são as coisas mais importantes que você aprendeu com os relacionamentos? Aqui, pense em diferentes tipos de amor e explore cada um deles.
3. De que maneira você extrai força das pessoas queridas?

PARA PENSAR

Aqui, apenas tocamos de leve na temática do amor do Pequeno T, uma vez que o amor, realmente, teve tudo a ver com isso. No entanto, estar consciente do Pequeno T envolvido em todas as formas de amor, além do amor romântico de Eros, pode começar a ajudá-lo(a) a navegar por dificuldades que surgem com outros vínculos, tais como as amizades. Embora os estilos de apego iniciais sejam importantes, eles não estão lavrados em pedra, e podemos criar vínculos futuros gratificantes, da maneira que escolhermos, depois de desenvolvermos um senso de aceitação e partirmos para a ação.

CAPÍTULO 9

DORMIR, TALVEZ SONHAR

Neste capítulo, exploraremos:

- O básico na fisiologia do sono
- Procrastinação de vingança no sono
- A Teoria da Rotulagem e a pessoa altamente sensível
- Como descansar seu relógio biológico pela restrição do sono
- Reprogramação do cérebro para uma boa qualidade e quantidade de sono

Você tem dificuldade para dormir? Problemas durante a noite são outro Tema de Pequenos Ts que vejo com frequência e, assim como muitos outros, quando as pessoas me procuram, já tentaram mil remédios, poções, mandingas e todos os tipos de produtos e de mudança de hábito. Mas, se você perguntar a alguém que dorme bem o que ele faz para cair no sono, normalmente a resposta é "nada", o que é tão enfurecedor quanto irresistível.

A economia global do sono vale centenas de bilhões de dólares, e é uma indústria que cresce rápido, portanto, é um negócio de gente grande. Mas a lógica nos diz que se algum desses produtos realmente funcionasse, não haveria uma competição tão feroz pelo nosso sofrimento noturno. Contudo, os Pequenos Ts podem nos levar a algumas respostas.

Vamos começar dando uma olhada na narrativa de Harper:

Sei que sou sensível demais, é por isso que não consigo dormir. A vida inteira, me disseram que sou sensível demais. Meu pai me chamava de "A princesa e a ervilha", por causa do conto de fadas em que a princesa percebia uma ervilha minúscula debaixo de uns vinte colchões. Ele dizia isso com carinho, quase se vangloriando, como se fosse uma prova de que eu era diferente, talvez especial, mas agora a minha sensibilidade está acabando totalmente comigo.

Minha mãe diz que sempre fui assim, não só em relação ao sono, mas a tudo. Na escola primária, lembro-me de ficar nervosa quando minhas amigas brigavam, nem mesmo era comigo, isso não acontecia tanto, mas umas com as outras. E eu não gostava muito da gritaria no parquinho, ou das crianças que me empurravam. Sem dúvida, eu ficava mais feliz nos momentos de leitura em silêncio.

Mas, nessa época, o sono não era um grande problema; isso realmente começou depois que sofri uma cirurgia. A dor durante a recuperação me mantinha acordada à noite, então eu passava horas e horas on-line, não assistindo a Netflix ou coisa do tipo, mas pesquisando e assistindo a aulas gratuitas. Mas o meu padrão de sono acabou ficando muito descontrolado, e sei que o cansaço me faz sentir ainda mais sensível a coisas que nem chegam a incomodar outras pessoas. Então, procurei como consertar isso, e tentei mesmo, mas nada parece ter ajudado.

Preciso desesperadamente dormir, porque sinto que estou ficando maluca. Será que você pode, por favor, me ajudar a ser menos sensível?

Harper já entendia muito de sono – e estou dizendo *muito*. Se alguma vez você já teve problema para dormir, provavelmente também conhece muita coisa. Um sono de extrema má qualidade pode fazer a pessoa se sentir delirante, motivo pelo qual ele é usado como método de tortura. Então, os insones passam horas e horas on-line, pesquisando tudo o que podem sobre o sono, a ponto de isso se tornar uma obsessão. Mas eu não diria que isso satisfaz a fase de Conscientização da Abordagem CAA, porque, com frequência, a preocupação com o sono é um fator de manutenção da disfunção do sono.

Por que somos tão obcecados com o sono?

O sono é um estado natural de descanso e restauração para o corpo e a mente, mas por muito tempo tem sido um certo mistério para nós. Existem inúmeras fábulas, vários contos de fadas e de folclore sobre o sono, demonstrando o quanto ele nos fascina desde o começo da humanidade. A narrativa de Harper incluía apenas uma dessas histórias infantis, sobre uma grande busca de um príncipe por sua princesa. Ele apenas saberia se havia escolhido corretamente, se a dama em questão passasse uma horrível noite de sono. Embora, hoje em dia, isso não seja exatamente romântico, uma vez que, muito provavelmente, a princesa estaria num humor horroroso na manhã seguinte, é interessante que o sono mais leve seja visto como algo superior. Nesse conto, dormir mal era a própria medida da realeza, mas qualquer pessoa que tenha tido problemas crônicos para dormir provavelmente acharia essa associação bem odiosa. E qualquer pessoa com sono leve confirmará o fato de que um sono perturbado, sem dúvida, não é uma bênção. No entanto, ao longo dos séculos, e em especial para as mulheres, a pessoa com sono sensível tem sido retratada em arte, em cultura narrativa e em outras representações sociais. Perceba, sempre fomos obcecados com o sono, e só agora é que podemos rastrear cada contração e tremor noturno.

O que é insônia?

Em média, dez por cento das pessoas sofrem de um sono ruim o bastante para ser diagnosticado como insônia, mas um terço de nós experimenta um sono agitado a ponto

---

de ter dificuldades relacionadas ao sono durante o dia.[64] Isso pode incluir falta de concentração e esquecimento, irritabilidade e um limiar baixo para estresse, além de sonolência e cansaço durante o dia. Contudo, o diagnóstico de insônia se limita a três itens.

Os três indicadores de insônia são:

☑ Problemas para pegar no sono;

☑ Problemas para manter o sono;

☑ Problemas com um despertar cedo, em que não se volta a dormir.

Em geral, para um diagnóstico de insônia, um ou todos esses fatores precisam ocorrer três vezes por semana, no mínimo por três meses.

Além disso, o impacto dessa perturbação de sono precisa significar que sua capacidade de funcionamento durante o dia diminui, no sentido de que você não consegue arcar com seus deveres, papéis e responsabilidades habituais. Para que seja dado um diagnóstico firme de insônia, isso precisa estar, basicamente, atrapalhando a sua vida.

Abordagem CAA: Conscientização

Para dar início à jornada de Harper com seu Pequeno T de sono ruim, quis explorar algumas de suas crenças sobre sua necessidade fisiológica. Sendo assim, começamos a fase de Conscientização com uma pequena aula introdutória.

Introdução ao sono

Durante o sono, normalmente estamos alheios ao mundo à nossa volta, mas, mesmo que estejamos inconscientes desses processos, nosso corpo e mente estão incrivelmente atarefados, uma vez que numerosas mudanças nos níveis de atividade do nosso cérebro, dos músculos e de outros sistemas do organismo foram estudados e documentados nos campos da fisiologia do sono e da psicologia. Sabemos que no interior do cérebro são organizadas novas memórias e que existe um tipo de processo de limpeza, no qual detritos mentais do dia são eliminados.

Os benefícios do sono são incontáveis; sua saúde mental e física depende do sono para funcionar. Estudos mostram que um mau sono consistente está associado a um declínio cognitivo, problemas cardiovasculares, ansiedade, depressão, dor crônica, e assim por diante, em praticamente toda condição em que foi feito um estudo do sono. Isso acontece porque o sono, assim como comer, é necessário à sobrevivência, então a falta dele está fadada a piorar qualquer condição subjacente. No entanto, a hipersonia também pode ser um problema, em que um excesso de sono também faz mal a sua saúde. É novamente um pouco como um cenário de Cachinhos de Ouro – você precisa da *sua* quantidade certa de sono. Algumas pessoas dizem que ficam ansiosas para se levantar após uma noite de cinco a seis horas de sono, enquanto outras juram que precisam de dez horas para funcionar direito. Para a maioria das pessoas, a quantidade de sono necessária depende da idade de cada um, com o adulto médio demandando de sete a nove horas por noite, e os mais velhos um pouco menos, aproximadamente de sete a oito horas.[65]

Mas nem tudo é quantidade, a qualidade também é importante. Um sono frequentemente agitado pode resultar em um alto nível de cansaço durante o dia, ainda que você tenha ficado oito ou nove horas na cama. Na verdade, muitas pessoas não sabem que têm transtornos que as acordam ao longo da noite até irem ao médico. Elas apenas de sentem cansadas o tempo todo. Esses indivíduos também podem estar ganhando peso, já que o mau sono leva ao consumo adicional de calorias, ou podem, de maneira geral, sentir que estão se esforçando muito para chegar ao fim do dia. Isso acontece porque o sono não é apenas um processo, é uma série de fases que funciona em ciclos.

Geralmente, passamos por quatro ou cinco ciclos completos por noite, com quantidades variáveis de cada fase de sono em cada ciclo (veja o gráfico na ilustração à frente). Como inúmeras explicações neste livro, dormimos dessa maneira por motivos evolucionários. Não fomos feitos para dormir profundamente por sólidas oito horas, porque isso tornaria os seres humanos excepcionalmente vulneráveis a predadores. Nosso sono evoluiu, de modo que existem períodos de sono mais leve e até de vigília, para o caso de haver uma ameaça no ambiente. Da mesma maneira que nossa resposta ao estresse não acompanhou os avanços do mundo, nosso sono continua, fisiologicamente, muito parecido com o dos primeiros humanos. Sendo assim, alguns problemas acontecem porque nos convencemos de que não *deveríamos* acordar de modo algum durante a noite e, quando realmente temos períodos de vigília, nossa mente começa a disparar com ruminações e preocupações, impedindo-nos de voltar a dormir.

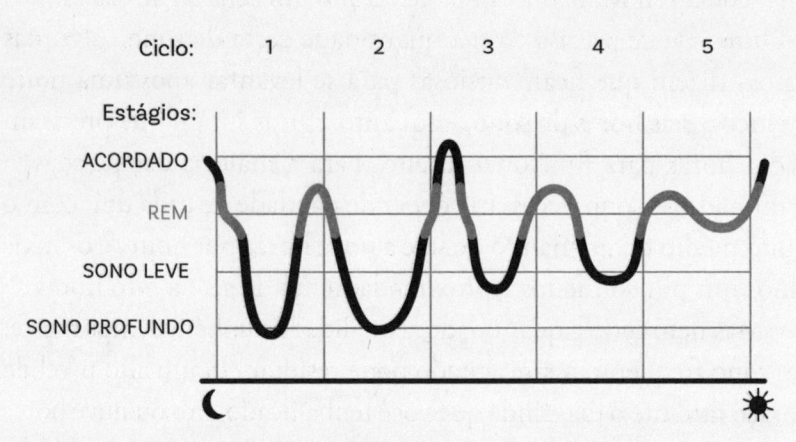

Figura 9.1: Ciclos e estágios do sono

Foi exatamente isso que aconteceu com Harper. Quando conversamos sobre os tipos de pensamento que ela tinha durante os períodos de vigília, ela disse que, em geral, eram sobre sono – de como ela era sensível demais, e iria se sentir péssima no dia seguinte, sem conseguir fazer X, Y e Z, e assim por diante – até as primeiras horas da manhã, quando caía num colapso de exaustão. Então, é claro, aparentemente segundos depois, seu alarme tocava e a situação que ela tanto temia passava a acontecer.

Procrastinação do sono por vingança

Só vou assistir a mais um episódio dessa série de suspense... ou talvez dar uma olhada nas redes sociais por mais alguns minutos... Qualquer que seja o método ou adiamento, se você estiver retardando a ida para a cama, é bem provável que seja um caso de procrastinação do sono por vingança. O motivo de fazermos isso, o que é incrivelmente comum hoje em dia, é nos "vingarmos" de nosso eu diurno por ignorar algumas de nossas necessidades fundamentais. A vida é alucinante, e tendemos a ficar num movimento incessante desde o momento em que acordamos até cairmos no sono, com pouco espaço ou consideração para momentos de surpresa, alegria, ou mesmo divagações. Então, no fim de um longo dia, nosso eu interior rebelde marca território e exige um pouco de tempo "para mim", ainda que saibamos que isso impactará no dia seguinte, em termos de cansaço, mau humor, e uma sensação geral de "já basta". A procrastinação do sono por vingança é mais comum em jovens e mulheres,[66] e é uma resposta ao estresse diurno e à falta de tempo livre no tempo em que estamos acordados. Mas pesquisas mostraram que temos tempo sim durante o dia,[67] apenas não é mais em uma grande fatia, como era nas gerações anteriores. Agora temos "fragmentos de tempo", espalhados ao longo do dia.[68] O problema surge porque tendemos a preencher essas brechas de tempo com trabalho, administração da vida e mais diversas tarefas sem graça. Desse modo, em vez de ficar se recriminando por ter ido para a cama tarde demais, use seus fragmentos de tempo durante o dia para fazer qualquer coisa que o(a) faça sorrir – brinque com o cachorro, use uma técnica breve de *mindfulness*, sente-se ao ar livre –, porque isso satisfará o(a) seu(sua) rebelde interior.

Profecias autorrealizáveis de sono

Lá se foram os dias (bom, a maioria, espero!) de se acreditar firmemente que os próprios sonhos possam oferecer uma visão pré-cognitiva para o futuro, mas vejo muitas pessoas preverem a própria ruína na hora de dormir. E é aí que os Pequenos Ts realmente entram na jogada. Harper havia dito que ela sempre fora sensível, ou melhor, lhe disseram que desde muito nova ela era sensível. Foi assim que ela explicou, depois, de que maneira sua presumível sensibilidade afetava seu sono e, para ser bem franca, estava consumindo sua vida:

Não ingiro mais cafeína de jeito nenhum. Comecei reduzindo, depois fiquei sem tomar cafeína depois do meio-dia, mas agora nem mesmo tomo chá. Comprei cortina de blackout, máscara para os olhos, plugues de ouvido sob medida, moldados para se encaixar nas minhas orelhas. Tenho tocador de ruído branco e de sons da natureza, baixei todos os aplicativos e rastreadores de sono e tenho toda uma biblioteca de audiobooks com histórias para a hora de dormir, para tentar me ajudar a adormecer. Experimentei melatonina, valeriana, todas as raízes e tinturas que consegui achar. Nada ajuda, nada. Não como à noite e eliminei completamente comidas condimentadas. Comprei todos os suplementos ligados ao sono, inclusive óleo de canabidiol, e meu banheiro está cheio de sais de Epsom e óleos de lavanda. Uma vez, meu médico me deu uma receita de comprimidos para dormir para uma semana, o que ajudou, mas fiquei tão sonolenta de dia que não consegui fazer nada e senti uma ressaca horrorosa. Acho que ficaria dependente delas, e se tem uma coisa que não quero é ficar dependente de remédios controlados.

Ruminações e preocupações com a sensibilidade do sono assinalavam cada aspecto dos dias de Harper. Ela também havia desenvolvido rotinas bem rígidas em relação ao sono, em que qualquer desvio desses rituais levava a tal estado de estresse que viagens, férias ou mesmo passar um tempo com a família eram lembranças distantes do passado.

É por isso que a próxima parte da jornada de Harper comigo foi um tanto surpreendente para ela. Perguntei: "E se a sua sensibilidade for, de fato, seu superpoder?".

Abordagem CAA: Aceitação

Passar da Conscientização da Abordagem CAA para a Aceitação não era suficiente para questionar o conhecimento de Harper sobre o sono e sua fisiologia. Isso porque o sono era o sintoma dos seus Pequenos Ts, não o Pequeno T por si mesmo. Como todas as Temáticas do Pequeno T, as dificuldades com o sono tinham começado de gota em gota, depois viraram uma cascata de problemas que estavam paralisando a vida de Harper. Isso porque o Pequeno T vai se transformando em uma bola de neve, mas com frequência só começamos a perceber seus sintomas e sinais depois que algo acontece em nossa vida que perturba o precário equilíbrio do castelo de cartas. Para Harper, isso foi a sua cirurgia, mas os tentáculos dos Pequenos Ts retrocederam até *A princesa e a ervilha*. Harper havia sido rotulada como "sensível demais" para esse mundo terreno.

Em nosso trabalho, ela revelou que havia escutado a frase *"Você só é sensível demais"* mais vezes do que conseguia contar, a tal ponto que a havia internalizado até o fundo da alma. Com frequência, parecia uma acusação, uma falha pessoal e inevitável. Portanto, quando reformulei isso como um superpoder, Harper olhou para mim com olhos profundamente cansados, cintilando de lágrimas, e o caminho para a aceitação começou a se materializar para ela.

Pequeno T em foco: Teoria da Rotulagem

A Teoria da Rotulagem tem sido usada com mais frequência em sociologia e criminologia para explicar atos criminosos e comportamento agressivo, mas também

---

tem seu lugar nos cuidados com a saúde mental e psicológica. Basicamente, essa teoria explica como determinado tipo de comportamento desenvolve-se de julgamentos externos sob a forma de rótulos, o que depois passa a definir as ações de alguém. Em outras palavras, se você disser por vezes suficiente a uma criança que ela é má, malcriada ou inútil, as chances são de que ela viverá de acordo com esse rótulo, e lhe mostrará exatamente o quanto é malcriada.

O mesmo se aplica a uma característica como a sensibilidade, em se tratando de sono. Embora algumas pessoas possam ser mais sensíveis do que outras, se você destacar o quanto alguém tem sono leve, provavelmente essa pessoa ficará superatenta a qualquer barulhinho, movimento ou outros fatores ambientais e, portanto, terá uma má noite de sono. Isso é especialmente verdade se o rótulo tiver alguns ganhos sociais para o indivíduo. Por exemplo, uma criança pequena quer, fundamentalmente, a atenção de seus cuidadores, então, ao incorporar tal rótulo, ela pode ter mais tempo com seus cuidadores à hora de dormir. Além disso, esses rótulos podem ser reforçados se algum desvio dessa categorização for ignorado ou até proibido. Por fim, quando esse rótulo é conferido publicamente, pode ser arriscado demais alguém agir contra ele, pela possibilidade de causar sofrimento emocional (sob a forma de constrangimento) para os que são mais estimados, ou seja, os pais, especialmente quando estamos formando nosso senso de identidade.[69]

Sendo assim, com muita rapidez e facilidade, um rótulo pode transformar um(a) bom(boa) garoto(a) em um(a) delinquente, mas também funciona de maneira inversa, e podemos resolver um comportamento difícil usando a Teoria da Rotulagem de maneira positiva.

A pessoa altamente sensível

Na década de 1990, uma onda suave estava se formando bem longe, nos mares do meio acadêmico. Elaine Aron, uma psicóloga pesquisadora americana, começou a conduzir estudos que refletiam sua própria experiência. A Dra. Aron havia considerado difíceis certos aspectos da vida. Durante uma sessão de psicoterapia, seu terapeuta ressaltou que ela era uma "pessoa altamente sensível", ou PAS,[70] não de uma maneira depreciativa, mas como uma observação. Esse momento incrivelmente significativo levou a Dra. Aron a reunir dados e mais tarde elaborar uma escala para ver se outros tinham esse traço. No decorrer de sua carreira, ela estimou que de quinze a vinte por cento da população é altamente sensível.[71] Aspectos dessa característica incluem:

- Ser afetado(a) pelo humor e pelo clima de outras pessoas num contexto social.
- Ser sensível a barulho, luz, texturas ásperas, cheiros fortes, dor, fome e estimulantes (por exemplo, cafeína), e como tal, esforçar-se para controlar esses estimulantes.
- Nervosismo ou ansiedade quando as exigências são altas, o desempenho está sendo observado ou há mudança de planos de última hora.
- Altos níveis de conscientização, forte vontade de evitar cometer erros, e padrões de pensamento insistente quando um suposto erro é cometido.
- Ter uma alta consciência dos detalhes de um ambiente, conseguindo apreciar as sutilezas e a beleza do mundo externo.
- Ter e desfrutar um mundo interior rico e complexo, bem como arte, música e outras áreas criativas.

Atualmente, esse conceito é muito mais conhecido, e embora originalmente a Dra. Aron tenha conceitualizado o PAS como um traço neutro de personalidade, o termo "sensível" ainda é frequentemente usado como um tipo de insulto ou microagressão para diminuir pessoas. Se olharmos as definições dessa palavra, ela pode significar "ser facilmente ofendido ou preocupar-se com facilidade"; no entanto, ela também se refere à rapidez de percepção ou de resposta a mudanças, sinalizações ou influências mínimas e, num sentido evolucionário, isso seria vantajoso. A capacidade de notar diferenças sutis no ambiente sem dúvida teria protegido não apenas um indivíduo, mas o grupo, e teria sido um recurso valorizado nos seres humanos primitivos. Mas agora, em um mundo barulhento, pulsante e em constante mudança, esse aspecto virou de cabeça para baixo e se tornou uma fraqueza, embora eu não pense assim.

A essa altura, Harper e eu executamos um exercício: juntamos diversos super-heróis e seus supcrpoderes em alguns papéis grandes presos na parede da minha sala. Ficou mais ou menos assim:

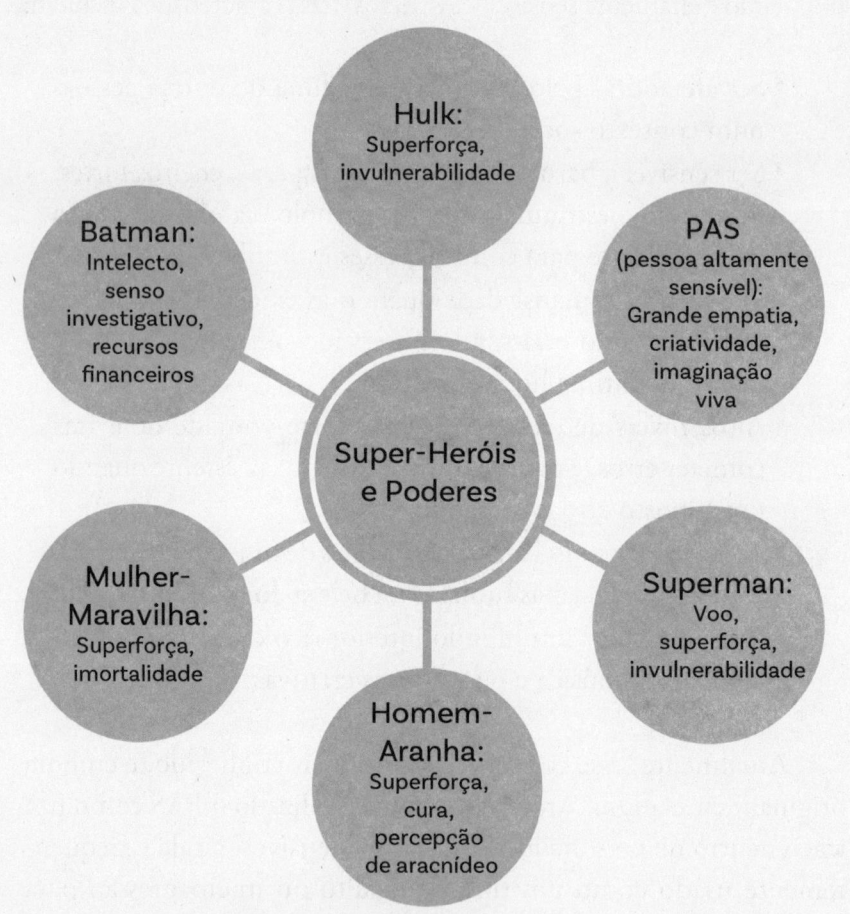

Figura 9.2: Mapeamento cerebral de forças

Quando nos afastamos e refletimos, ficou claro que muitos dos nossos amados super-heróis tinham poderes bem harmonizados, e essa sintonia era o que os tornava extraordinários. A seguir, trabalhamos um pouco mais com o exercício de ressignificação, para ajudar com a fase de Aceitação, listando as qualidades positivas de Harper. E muitas delas estavam sob a forma do PAS da Dra. Aron: sua capacidade de notar os sentimentos de outras pessoas, o que fazia dela uma amiga e confidente maravilhosa; a maneira de mergulhar na música, a tal ponto que parecia uma experiência extracorpórea; e sua afinidade com animais. Então, finalmente voltamos a olhar para nosso mapa mental de super-heróis e investigamos se esses personagens fictícios conseguiam usar suas capacidades excepcionais em *todas* as situações, ou se tinham que administrar ligeiramente suas habilidades. Acho que você sabe a resposta, e ela tem sido reforçada em observações feitas em diversas culturas e sociedades.

Muitas partes do mundo celebram o indivíduo mais calado, mais reflexivo e até mais sensível; apenas nas sociedades ocidentais é que ser ousado, barulhento e claramente extrovertido tem sido visto como uma força que supera todas as outras. E isso, mais uma vez, é o efeito cumulativo de Pequenos Ts – não significa que exista algo de "errado" em ser sensível; Harper só estava em um ambiente que tornou isso difícil para ela, e por isso criou um sistema de crença que constantemente lhe dizia que esse aspecto era problemático.

Terapia do sonho

Como seres humanos, ao longo da história temos ficado fascinados com nossos sonhos, mas o que eles significam, se é que significam? Embora a área de análise de sonhos não se fundamente na ciência, agora existem muitos estudos que nos dão algumas pistas sobre o propósito dos sonhos. Notavelmente, Sigmund Freud, pai da psicanálise, sugeriu que os sonhos são uma maneira do subconsciente nos contar a natureza de nossos desejos e vontades mais profundos. Outro notável psicanalista, Carl Jung, contra-argumentou propondo que os sonhos comunicam nossos problemas de vida desperta à mente consciente, via imagens e temas universais, aos quais se referiu como arquétipos. Essas figuras seminais, portanto, acreditavam que os sonhos realmente têm um propósito, e estudos atuais sugerem que isso possa ser verdade, em se tratando de emoções – e Pequenos Ts.

A maioria dos estudos realizados nas últimas décadas do século XX descobriu que grande parte dos sonhos parecia ser negativa; cerca de um quarto dos registros da lembrança de sonhos estavam associados a sensações desagradáveis.[72] A teoria que corre é que essa é uma maneira de o cérebro processar emoções mais difíceis, que as pessoas podem achar penoso expressar quando acordadas. Em outras palavras, nossa mente pode estar lidando com Pequenos Ts enquanto dormimos. Na verdade, a neurocientista Rosalind Cartwright estudou o trauma do divórcio e descobriu que esses sonhos desagradáveis – até pesadelos – pareciam permitir que as pessoas, que desenvolviam depressão após um rompimento, se recuperassem de seu trauma emocional com maior êxito.[73]

Portanto, na próxima vez em que você tiver um sonho ruim, tente ressignificá-lo de uma experiência horrível para um pouco de terapia gratuita! Isso pode animá-lo(a) para o dia seguinte.

Abordagem CAA: Ação

É certo dizer que nem todo mundo com problemas de sono é altamente sensível. Assim como em todos os Pequenos Ts, cada um terá seu próprio conjunto singular de feridas e arranhões que o leva a uma vida menos agradável, mas, a meu ver, existe uma maneira universal de lidar com o Sono de Pequeno T. Tudo se resume a desativação e associação, e nesse nosso mundo frenético de apenas 24 horas, a primeira pode ser especialmente transformadora. Aqui estão maneiras de passar o dia para fazer com que o sono volte a ser um processo natural.

Ação CAA: estratégias para a hora de dormir

Uma questão de eficiência: como usar a restrição de sono para melhorar a qualidade do sono

Se o seu sono chegou ao ponto de lhe parecer desesperador, e você se sente sem esperança de voltar a tê-lo num padrão natural, uma técnica chamada "restrição de sono" pode redefinir seu relógio biológico. Esse é um método exigente, então aconselho que você só o considere quando tiver um cronograma claro, de modo a poder ter a melhor chance possível de se ater às etapas abaixo. Usei essa técnica com pessoas que tinham Pequenos Ts de sono bem complicados, e ela se comprovou um divisor de águas na vida delas. Veja como funciona:

Fase 1

Para começar, você precisa conhecer a eficiência do seu sono, então mantenha uma caneta e um bloco ao lado da cama por no mínimo uma semana para descobrir:

- **a quantidade de tempo que você passa na cama**, em média, em cada noite durante uma semana, esteja você acordado(a) ou dormindo;
- a quantidade estimada de tempo em que **você estava dormindo**, mesmo que fosse um sono perturbado.

Não recomendo o uso de um rastreador ou de aplicativos de sono, porque eles tendem a aumentar a preocupação desajustada com o sono. O velho método de caneta e papel funciona bem.

A seguir, vamos usar um pouco de matemática, porque precisamos calcular sua pontuação de eficiência de sono utilizando as informações acima. É bem simples: você só precisa dividir a quantidade média de tempo em que dorme pela quantidade de tempo em que passa na cama. Depois, multiplique por 100 para ter uma contagem de eficiência de sono como essa:

(TOTAL DE TEMPO DORMINDO ÷ TOTAL DE TEMPO NA CAMA) x 100 = SUA EFICIÊNCIA DE SONO

Aqui está o exemplo de Harper:

(5,5 horas dormindo ÷ 10 horas na cama) x
100 = 55 por cento de eficiência de sono

Ninguém tem 100 por cento, mas uma boa eficiência de sono fica em torno de 80 a 85 por cento (para aqueles sem problemas de saúde de longo prazo), então a falta de sono de Harper estava, sem dúvida, lhe causando problemas significativos durante o dia.

Fase 2

Agora que você sabe em que ponto está com a sua eficiência de sono, podemos passar para a fase de restrição de sono:

Sua **JANELA DE SONO** é a quantidade média de tempo que você dorme, não a quantidade de tempo que passa na cama. Agora, esse será o tempo total que você se permitirá ficar na cama enquanto executa essa técnica. Para Harper, foram cinco horas e meia.

Em seguida, estabeleça sua **HORA-LIMITE**, que é basicamente a hora em que você vai para a cama para começar sua janela de sono. Para Harper, que andava indo para a cama bem cedo, significando que passava muito tempo deitada, preocupando-se com o motivo de não conseguir dormir, concordamos que seu tempo-limite seria bem mais tarde, à meia-noite.

Por fim, combine esse tempo-limite com sua janela de sono para se dar uma **HORA DE ANCORAGEM**, que é a hora em que você precisa sair da cama, mesmo que ainda esteja cansado(a). No caso de Harper era às 5h30, o que pareceu bem rigoroso! Mas o importante era melhorar a eficiência de sono e reverter alguns dos padrões prejudiciais de sono que ela havia desenvolvido.

HORA	HORA-LIMITE
22h	
23h	Meia-noite – Hora de dormir, vá para a cama
0h	
1h	**JANELA DE SONO**
2h	
3h	5h30 permitidas na cama
4h	(Seu tempo médio dormindo)
5h	
6h	**HORA DE ANCORAGEM**
7h	
8h	5h30 – Acorde, saia da cama

O objetivo é usar esse esquema durante uma semana para dar a seu corpo e sua mente um forte acionamento de sono. Mas, durante essa semana, atenha-se a essas três regras de restrição de sono, mesmo que fique saturado(a):

- só se permita ir para a cama depois de ter cruzado a **hora-limite**;
- só fique na cama pela quantidade de tempo da sua **janela de sono**;
- saia da cama pela manhã, na sua **hora de ancoragem**, mesmo que ainda se sinta cansado(a) ou sonolento(a).

Fase 3

Nessa fase final, você pode começar a aumentar seu tempo dormindo, mas primeiro precisa recalcular sua eficiência de sono e ajustar sua janela de sono baseando-se na seguinte orientação:

- se sua eficiência de sono estiver, agora, acima de 85 por cento, você pode acrescentar 15 minutos à sua janela de sono. Para Harper, isso significou que 5 horas e 45 minutos era sua nova janela de sono;
- se sua eficiência de sono estiver entre 80 e 85 por cento, por favor, mantenha a mesma janela de sono por mais uma semana;
- se sua eficiência de sono estiver abaixo de 80 por cento, por favor, diminua sua janela de sono em 15 minutos.

Como você pode ver, esse é um processo gradual, portanto, requer certa paciência. Se sentir que já tentou de tudo, tente isso porque é um método poderoso para se livrar de um sono sem qualidade.

Etapas de ação prática para desativar fisiologicamente a mente e o corpo

As dicas a seguir geralmente são incluídas em orientações para "higiene do sono", que nada mais são que práticas para um bom sono – trata-se de um sono impecável! Essas sugestões gerais, do tipo "regra de ouro", ajudam a reduzir a ativação fisiológica da mente e do corpo, tornando possível adormecer na hora de dormir. Os primeiros seres humanos não precisariam de todas essas orientações, mas agora que vivemos em um mundo tecnológico, em que a comida, por exemplo, é altamente processada, pode ser útil ficar atento(a) a todos os estimulantes a que somos expostos diariamente, e reduzi-los quando necessário. No entanto, tenha em mente que isso também deve ser flexível para caber em sua vida, jornada e família. Se começar a se sentir ansioso(a) ou rígido(a) sobre qualquer coisa a seguir, vale a pena dar uma olhada em seus padrões de pensamento (ver capítulo 4).

A velha máxima de deixar o quarto apenas para dormir e fazer sexo ainda tem seu peso, então livre-se das telas, inclusive dos smartphones e dos tablets. "Mas eu uso o meu celular como despertador!", já estou adivinhando o que você vai dizer. Mas permita que eu seja bem franca: você está diante de um desafio. É barato e fácil comprar um despertador tradicional, ou um simulador de amanhecer para ajudá-lo a começar o dia. A resistência em deixar o celular fora do quarto tem muito mais a ver com procrastinação do sono por vingança e seus Pequenos Ts, então, se você estiver achando difícil deixar de lado as suas mensagens, suas redes sociais ou e-mails à noite, trabalhe nessas temáticas subjacentes.

Cafeína, chocolate e alguns alimentos (condimentados, aromáticos e picantes) são estimulantes, então os substitua por comida não estimulante a partir do meio da tarde. A cafeína tem, em média, de cinco a seis horas de sobrevida, dependendo da sua capacidade genética de metabolizá-la, então, se você tomar algo cafeinado à tarde para se animar durante o temível declive do meio da tarde, será o equivalente a tomar uma xicarazinha de café bem na hora de ir para a cama.[74]

Refeições pesadas e calóricas – pães, macarrões e outras comidas ricas em amido – podem, inicialmente, nos fazer sentir sonolentos, porque nosso sistema digestivo precisa processar tudo isso; mas, como essas refeições são pesadas, nosso estômago precisa trabalhar muito mais para digeri-las, o que pode ativar o corpo e nos acordar. É claro que a velha e boa pizza no jantar com amigos não é nociva; essas sugestões são para lhe dar um alicerce firme na sonolência, que proporcionará um descanso de boa qualidade e restaurador, de modo que o sono já não seja um campo de batalha para a mente e o corpo.

É comum o equívoco de que tomar bebida alcoólica antes de deitar ajude a dormir. Na verdade, embora um drinque possa nos deixar sonolentos, normalmente o álcool perturba o sono enquanto é metabolizado pelo organismo. O princípio básico é de que cada medida de álcool consumida (mesmo durante o dia) equivale a uma hora perdida de sono. Como nossas medidas de álcool têm crescido regularmente e o potencial de vinho e cerveja tem aumentado, pode ser difícil saber exatamente o quanto estamos bebendo. Uma grande taça de vinho, por exemplo, agora equivale a um terço de uma garrafa; portanto, se você tomar três taças grandes de vinho em um dia, terá consumido uma garrafa inteira! Isso significa cerca de nove a dez unidades alcoólicas, o que torna improvável que você tenha uma boa qualidade de sono durante a noite.

Muitos medicamentos controlados e outros comprados livremente também podem interferir no sono. Remédios usados normalmente, como beta bloqueadores, corticoides e antidepressivos ISRS (inibidores seletivos de recaptação da serotonina), alteram nossa fisiologia, então não é de se surpreender que possam atrapalhar o sono. Por exemplo, os corticoides imitam os efeitos dos hormônios produzidos pelo organismo nas glândulas suprarrenais, que são parte do sistema nervoso, e sendo assim ativam a mente e o corpo. Se precisar tomar remédios, converse com seu médico para ver se pode ingeri-los mais cedo, para ter tempo de desativar.

Em geral, a temperatura ideal do quarto é por volta de 18 °C, mas o que isso de fato significa é que um quarto muito quente ou muito frio pode dificultar o sono, já que o corpo precisará trabalhar mais para se esfriar ou se esquentar. Nosso corpo começa a esfriar naturalmente à noite, para incentivar o sono, e podemos usar um truque para induzir ainda mais essas sensações. Ao tomar um banho morno antes de dormir, sua temperatura interna subirá e depois diminuirá conforme o corpo esfria, produzindo uma sensação de sonolência. Use essa estratégia como parte do seu ritual de sono (a seguir) para se embalar naturalmente em um estado de torpor.

Evoluímos para movimentar o corpo todos os dias, então, se seu trabalho for junto a uma mesa e/ou sedentário, como a maioria em nosso mundo moderno, tente integrar algum movimento em seu cronograma, caso contrário seu corpo não terá chance de queimar fisicamente um pouco da sua energia. No entanto, evite exercícios cansativos nas três ou quatro horas antes de dormir, porque isso reativará o corpo.

Desativando pensamentos perturbadores na hora de dormir

Pensamentos intrusivos sobre sono podem ser difíceis na hora de dormir, mas muitos de nós também repassam na mente, vezes seguidas, acontecimentos do dia. Às vezes, não são nem mesmo acontecimentos do dia, mas fatos ocorridos semanas, meses ou anos atrás. Essas percepções e projeções mentais de uma gafe, um erro ou uma crítica ativam a resposta inata ao estresse sob a forma de ruminação e preocupação de que isso se repita. Talvez você se lembre de, dez anos atrás, ter esquecido o nome de alguém em um casamento, e sentir o sangue subir até o rosto, as mãos trêmulas pelo peso de olhos condoídos no círculo de conversa. Com muita frequência, nossa mente encena histórias infindáveis de deslizes assim que entramos debaixo dos lençóis. Em geral, isso acontece imediatamente, e as pessoas afirmam se sentir impotentes para interromper essas narrativas internas. Estudos mostram que esses padrões de pensamentos infelizes são inimigos do sono,[75] já que o **sono nunca supera a resposta ao estresse**.[76] Nosso desejo de sobreviver perante ameaças (reais ou supostas) é forte demais. Mas existe uma técnica simples para desativar esses pensamentos, uma das minhas preferidas para a hora de dormir e durante a noite.

Diga mentalmente a palavra "um" a cada segundo. Ela não tem conotação emocional, então não vai acionar a resposta ao estresse, mas o fato de se concentrar para dizer a palavra mentalmente manterá sua mente focada apenas o bastante para que ela deixe de entrar numa roubada com os erros do passado e os medos do futuro, impedindo você de dormir.

Use o poder das associações e programe sua rotina da hora de dormir

No capítulo 4, vimos que as associações podem nos afetar negativamente, levando a uma ativação da resposta ao estresse e a comportamentos do tipo evitativo, via Pequenos Ts. Mas podemos controlar o poder das associações e usá-las para o bem, não para o mal!

Instintivamente sabemos que as crianças precisam de uma rotina de desaceleração para relaxar, mas de certo modo nos esquecemos disso quando nos tornamos adultos. De fato, somos todos apenas crianças grandes vagando pela vida, então podemos aproveitar algumas lições de uma rotina infantil para a hora de ir para a cama, como uma maneira de fazer associações entre certas atividades e o momento de dormir. Ao estabelecer uma série de sinais, podemos desativar a mente com suavidade. Embora muitos de nós adorariam que nosso cérebro trabalhasse como um interruptor de luz, com um botão liga-desliga, não estamos programados dessa maneira. Mas podemos estabelecer uma rotina para a hora de dormir, desligando gradualmente aquele computador que zumbe em nossa cabeça.

Rotina para a hora de dormir

Por volta de sessenta a noventa minutos antes de ir para a cama, comece sua rotina para o momento do sono, desligando a TV, os tablets, os computadores e interrompendo qualquer outra atividade estimulante. Em vez disso, escolha uma atividade que desacelere e relaxe, tais como ler, ouvir uma música calma, uma meditação gravada ou alguma forma de arte.

Você pode tentar o truque do banho para acalmar. Por que não fazer seu próprio mini-spa com iluminação relaxante e velas aromáticas? Exercícios suaves de respiração e alongamento também podem fazer parte da sua rotina de desaceleração.

Você também pode descarregar a sua mente escrevendo uma lista de tarefas; assim, quando passar uma fase desperta durante a noite, sua mente não se apressará em lembrar as obrigações para o dia seguinte. Outras formas de escrita também podem ser benéficas: escrever um diário como parte de uma rotina para a hora de dormir é outra maneira de liberar a agitação do dia.

Experimente e descubra o que funciona para você. Lembre-se de que pode levar tempo para desenvolver diferentes associações e reprogramar o cérebro com novas vias neurais, mas depois que essas associações estiverem fortalecidas você descobrirá que só em começar sua rotina para a hora de dormir, já se sentirá sonolento(a).

Lembrete para buscar um sono profundo

1. Sua palavra do dia é... Escolha uma e explore por que escolheu essa palavra.
2. Anote o que gostaria de deixar neste dia.
3. Em seguida, anote o que você gostaria de levar consigo para o dia seguinte.
4. Escolha uma "palavra do dia" para amanhã. Pense no que significa para você.

PARA PENSAR

Existe uma epidemia de problemas relacionados ao sono pelo mundo, e como precisamos dele para nos recuperar e funcionar diariamente, é crucial para o bem-estar físico e psicológico chegarmos ao cerne do Pequeno T que esteja contribuindo para essa temática. Embora as pessoas altamente sensíveis possam estar extremamente sintonizadas com seu entorno, e assim acordar com mais facilidade, além de estarem predispostas a pensamentos invasivos na hora de dormir, a perturbação do sono não é de maneira alguma uma exclusividade das PAS. Conhecer os impulsores de um mau sono, aceitar a sua singularidade e partir para uma ação estratégica que redefina seu relógio biológico, tudo isso a ajudará a obter uma boa noite de sono.

CAPÍTULO 10
TRANSIÇÕES

Neste capítulo, exploraremos:

- Fases da vida e o relógio social
- Dano moral
- Passando por transições dentro de um espaço liminar
- Menopausa e a geração sanduíche
- Abrindo mão e seguindo em frente

Quando eu cursava a faculdade de psicologia, havia um foco imenso no desenvolvimento infantil, mas menor no desenvolvimento ao longo da vida. A psicologia do desenvolvimento tendia a usar teorias de estágios, em que as crianças progrediam sequencialmente através de fases muito estabelecidas dentro de faixas etárias. Lembro-me de, na época, pensar que aquilo não poderia ser totalmente preciso e que, mesmo que uma criança estivesse fora desses limites, não significava que houvesse algo de errado com ela, ou que ela estivesse "atrasada", uma vez que nós, como seres humanos, variamos um bocado. Agora, a maioria dos meus colegas concordaria que as teorias de estágios servem mais como guias do que como marcos rígidos, embora estejamos tão acostumados a usar padrões de referência de desenvolvimento, que eles de fato podem criar uma imensa ansiedade. Os pais, em particular, podem se tornar compreensivelmente preocupados com os êxitos alcançados, mas algumas crianças simplesmente apresentam certos indicadores quando lhes dá na telha!

Contudo, isso vai além da infância, e na maioria das culturas existe uma ideia comum de que nós, enquanto adultos, "deveríamos" alcançar certas metas em determinadas épocas da vida. Se não tivermos cruzado essas linhas invisíveis, essa sensação de "não corresponder" pode ser, por si só, uma forma de Pequeno T, já que olhamos para os outros e acreditamos que, de algum modo, eles têm tudo resolvido.

A essa altura, gostaria de lhe apresentar Freya, uma moça simpática que me procurou à beira do seu trigésimo aniversário:

> *Sei que é bobagem, mas estou achando apavorante a virada para os 30 anos. Não sinto que tenha feito nada até agora, e nem mesmo sei o que deveria estar fazendo, não com o trabalho, se devo continuar com o meu relacionamento ou qualquer outra coisa. Não acho que um dia conseguirei comprar uma casa e, sem um lar estável, como poderemos chegar a pensar em ter filhos? Tudo, quero dizer tudo, parece fora do alcance e, quando tento falar sobre isso com a minha família, eles só me dispensam dizendo que vai dar tudo certo. Mas como? Nem tenho mais certeza de quem sou, ou de quem deveria ser. É como se eu estivesse voltando para trás, porque sabia o que fazer quando comecei a trabalhar, ou pelo menos pensei que soubesse, e agora simplesmente não sei. Não sei o que deveria estar fazendo comigo mesma, ou com a minha vida. O que eu deveria fazer?*

Claro que eu não tinha uma resposta para Freya, uma vez que ela mesma é quem tinha a solução. Só precisamos recorrer à Abordagem CAA para descobri-la.

Afinal, de quem é o estágio?

Eu diria que as teorias mais famosas a respeito de estágio incluem *Psychosocial Stages of Human Development* [*Estágios psicossociais do desenvolvimento humano*], de Erik Erikson, e *Seasons of a Man's Life* [*Estágios da vida de um homem*], de Daniel Levinson (veja tabela na página 230).[77] Ambas as teorias viam a fase adulta como o desenvolvimento a partir dos 18 anos, com uma série de estágios definidos, incluindo início da idade adulta, idade adulta média e idade adulta tardia. Parte do nosso conhecimento sociológico e psicológico das pessoas baseou-se nesses tipos de teorias, mas vale a pena considerar por um momento o cenário em que esses conceitos foram criados.

A teoria de Erikson foi publicada em 1950; e a de Levinson, em 1978. Se pararmos para pensar em como a vida era nessas décadas, como os papéis de gênero se desenvolviam, por exemplo, podemos começar a ver por que, talvez, deveríamos considerar com reservas esses estágios amplamente aceitos. Além disso, até o título da teoria de Levinson é um tanto tendencioso – Man's Life – e reflete o fato de que ele e a maioria dos psicólogos, pesquisadores e cientistas basearam suas conclusões em pesquisas feitas predominantemente com participantes homens cisgênero. Na verdade, mais tarde Levinson realizou entrevistas com mulheres e encontrou certas diferenças, o que não é de surpreender. No entanto, como a finalidade de tais modelos era identificar os temas comuns no período de vida adulta, eles naturalmente compartimentaram as pessoas e excluíram a complexidade e a variedade da experiência humana, bem como a influência do contexto de uma pessoa.

Pequeno T em foco: viés sexual em pesquisa científica

Quando Levinson publicou sua teoria, provavelmente o título não fez erguer nenhuma sobrancelha. Até recentemente na pesquisa científica e médica havia a crença generalizada de que o corpo feminino (e a mente, aliás) era complexo demais para ser estudado. Agora, isso nos parece espantoso, mas a vasta maioria dos estudos inovadores baseia-se na biologia masculina (em humanos, animais e até em células).[78, 79] Sem dúvida, isso respingou na pesquisa psicológica e na formação teórica, problema de que temos ciência desde a década de 1970,[80] embora muitos modelos de transições e desenvolvimento na vida adulta ainda se baseiem enormemente nessas ideias. Então, vale a pena sempre termos isso em mente, além de outras tendências demográficas.

Desenvolvimento Psicossocial Adulto

Período de desenvolvimento	Conflitos psicossociais de Erikson	Transição/ pontos de crise de Levinson	Tensões sociais e do relógio biológico
Vida adulta inicial (20-40 anos)	Intimidade *versus* isolamento	Transição para a vida adulta inicial (17-22 anos)	Término dos estudos; primeiro emprego; busca de parceiro(a)
		Transição dos 30 anos (28-33 anos)	Preocupação com escolha de parceiro(a) e de carreira; parentalidade
Vida adulta média (40-65 anos)	Generatividade *versus* estagnação	Transição da meia-idade (40-45 anos)	Sonhos não realizados em foco agudo, tanto na família quanto na carreira; perimenopausa
		Transição dos 50 anos (50-55 anos)	Ninho vazio; menopausa; pressões da geração sanduíche
Vida adulta tardia (65 anos-morte)	Integridade do ego *versus* desespero	Transição da vida adulta tardia (60-65 anos)	Aceitação das escolhas de vida, aposentadoria forçada ou outra; deterioração da saúde; avós

Apesar dos vieses, não podemos ignorar que houve muitas descobertas valiosas nesse conjunto de pesquisa e teorização, principalmente o fato de que ao longo da vida passamos por várias fases de desenvolvimento, e que dentro desses períodos existem numerosas transições, frequentemente citadas como "crises". Se compararmos lado a lado as teorias de Erikson e Levinson, particularmente os conflitos psicossociais do primeiro e os pontos de transição deste último, podemos começar a criar uma imagem de como as transições têm relação com o Pequeno T. Em geral, não é que a transição em si cause Pequenos Ts, mas sim que os Pequenos Ts podem dificultar muito a superação das pessoas que estejam passando por uma crise transicional ou um conflito psicossocial. O que Freya estava descrevendo soava, sem dúvida, como uma crise – uma crise transicional, na verdade –, e precisávamos lidar com a fase de Conscientização da Abordagem CAA para descobrir se alguns Pequenos Ts estavam deixando a jornada mais difícil para ela.

"Sou jovem demais para me sentir assim!": a crise transicional

A teoria de Levinson claramente incluía uma transição aos 30 anos, às vezes citada como "virada dos 30" ou "crise transicional". Mas, é claro, nem todo mundo que se aproxima dos 30 anos terá uma crise, ou ela poderá acontecer mais tarde. No entanto, todos vivenciamos transições em várias épocas da vida. Ainda assim, o principal corpo de pesquisa sobre crises transicionais focou, como era de se esperar, na "crise da meia-idade", expressão cunhada pela primeira vez em 1957 pelo psicanalista e cientista social canadense Elliott Jaques. Ao observar pessoas de meia-idade (sobretudo, homens) em seu consultório, Dr. Jaques demonstrou os agora clássicos comportamentos da crise da meia-idade: tentar parecer jovem, comprar um carro esporte e dormir com qualquer pessoa, num esforço para se agarrar à juventude e deter o declínio inevitável do corpo e a futura morte.[81]

Mas o mais interessante no relato do Dr. Jaques foi que aqueles que não tinham alcançado as próprias expectativas, e as expectativas da sociedade em relação às conquistas na vida, pareciam sofrer esse estado de crise com mais intensidade do que os outros e lutavam mais com essa transição do que as pessoas que habilmente haviam atingido todos os marcos socioculturais em períodos específicos. Em outras palavras, a pergunta "Como estou me saindo para a minha idade?" com frequência tilinta no ouvido das pessoas ao olhar para amigos, entes queridos e conhecidos nas redes sociais, e isso também acontece na primeira fase adulta, por volta dos 30 anos.

O relógio social: um parâmetro para comparação

É comum falarmos sobre o relógio biológico quando discutimos os marcos da vida – bom, pelo menos quanto a ter filhos –, mas raramente sobre o relógio social.[82] Assim como o biológico, o relógio social é uma corrida contra o tempo, com expectativas culturais e sociais para grandes acontecimentos da vida atreladas à idade, tais como garantir seu primeiro emprego, estar em uma relação estável ou se casar, comprar uma casa, ascender na carreira e se aposentar, só para citar alguns. O relógio social parece ser um fenômeno universal, a ponto de ter sido criado um jogo de tabuleiro a partir dele! Eu tinha me esquecido completamente de *O Jogo da Vida* até o último Natal, quando meus sobrinhos quiseram jogá-lo. Existem mais peças, mas não mudou muito. Trata-se de uma demonstração pontual de como o relógio social é disseminado em tantas culturas. No entanto, o que você nunca conseguirá entender a partir desse jogo de tabuleiro infantil é como o relógio social afeta as pessoas e o quanto isso pode variar.[83] Assim como muitas coisas em psicologia, se você acreditar que é importante, então será, mas muitas vezes quando você olha por trás das cortinas, nada é o que parece.

Se revirmos a narrativa de Freya, existem inúmeros "deveria", dúvidas, incertezas, que são todos formas de pensamento "tudo ou nada" (capítulo 4). Mas essa maneira de conceituar nossa trajetória de vida não é um engano da parte de Freya, e sim o tipo de Pequeno T que deriva de uma vida em um ambiente que apoia a noção de um relógio social. Para ajudá-la a espiar por trás dessa cortina sociocultural de Pequeno T, começamos sua jornada na Abordagem CAA com um exercício que lhe possibilitou ter uma visão panorâmica da sua trajetória de vida até hoje.

Abordagem CAA: Conscientização

Exercício: mapeamento da vida

Com frequência, uso uma técnica de mapeamento da vida com clientes como Freya, que estão numa encruzilhada, pois um distanciamento é útil para aumentar a Conscientização. Pegamos uma folha de papel em branco e colocamos a data de nascimento de Freya no lado esquerdo de uma linha reta, assim:

Nascimento ⟶

Depois, pedi a Freya que pensasse em suas experiências e as registrasse em seu mapa de vida. Você também pode fazer isso, anotando:

- os marcos ou acontecimentos que têm sido significativos para você – sem se preocupar com convenções sociais sobre o que deveria ter sido conseguido em certas datas;
- as conquistas ou realizações das quais você se orgulha, ou que fizeram você mudar em algum aspecto importante.

Distribua os acontecimentos positivos na metade superior do mapa de vida; e os negativos, abaixo. A altura de cada linha deverá refletir o quanto o acontecimento afetou você, de maneira que possa começar a ver o que tem sido mais transformador na sua vida (tanto o bom quanto o não tão divertido). Você também pode acrescentar a idade em que ele ocorreu para ter uma visão mais clara da cronologia. Para cada um deles, é bom escrever algumas palavras como descrição.

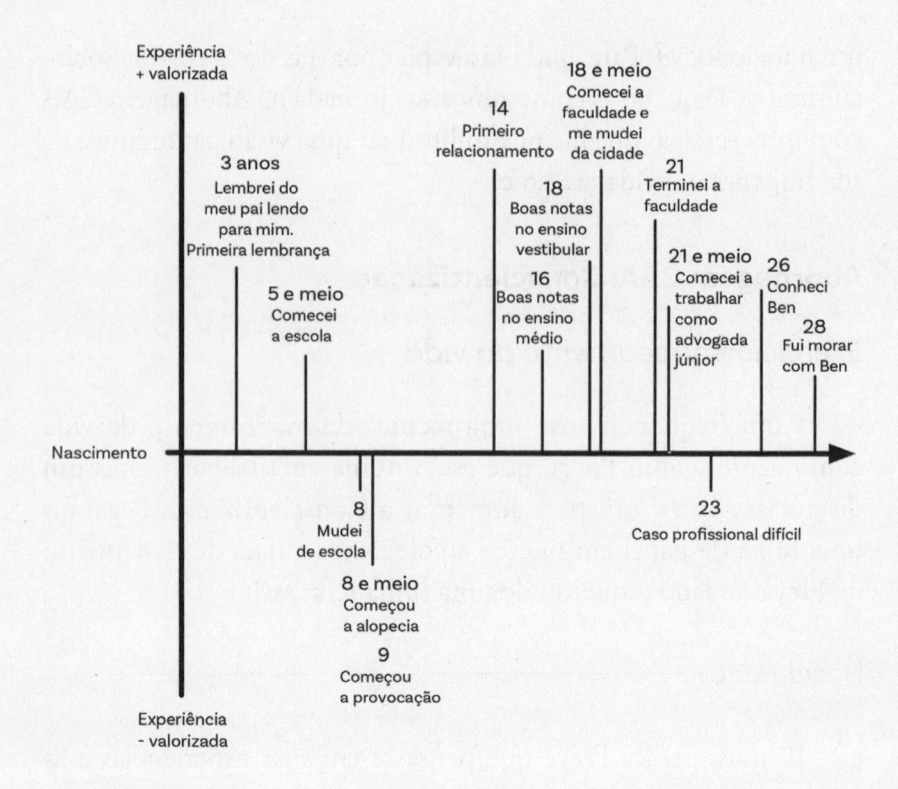

A seguir, reflita sobre as questões pertinentes abaixo para descobrir mais detalhes nessa fase de Conscientização da Abordagem CAA:

- Que obstáculos você superou durante a sua jornada? Como?
- O que você descobriu sobre si mesmo(a) durante os altos e baixos?
- Você consegue ver alguns valores comuns ou de ocorrência frequente em seu mapa da vida?

Agora, dê um passo para trás e faça uma avaliação do seu mapa de vida, mas olhe como se ele pertencesse a outra pessoa. Como você se sente em relação a essa pessoa quando olha a distância para o mapa de vida dela?

Olhando o mapa de vida de Freya, tanto seus Pequenos Ts quanto alguns acontecimentos importantes entraram em foco. Se você se lembra, no capítulo 1 tocamos brevemente na diferença entre

Pequenos Ts e acontecimentos de vida, sendo este último experiências mais óbvias e notáveis que a maioria das pessoas reconheceria como sendo desafiadoras e/ou transformadoras. Freya já tinha passado por algumas delas: mudança de escola, começo/fim de escola/faculdade, realização pessoal importante, mudança de casa – e elas de fato a impactaram. Mas estávamos mais interessadas nos Pequenos Ts, e dois desses cortes e arranhões mais sutis destacaram-se para mim. Um deles, em especial, foi o caso difícil de Freya no trabalho.

Uma criança num mundo adulto

Freya era uma advogada júnior especializando-se em direito de família quando lhe pediram para ajudar em um divórcio amargo, envolvendo duas crianças. Ela já sabia que qualquer caso de partilha de bens podia se tornar bem complicado, mas disse que não estava preparada para o quanto aquele caso se revelou terrível.

A cliente de Freya estava "lançando mão de todos os meios" para conseguir o acordo que queria, e Freya disse que foi a essa altura que começou a aflorar uma dúvida substancial sobre sua trajetória de vida. Tinha estudado muito, e agora estava com uma dívida significativa de empréstimo estudantil. Sabia que ganhava muito bem para sua idade, mas começou a sentir como se o custo fosse alto demais para sua bússola moral. Mencionou que, à época, sentiu-se como uma garotinha, supostamente uma adulta, mas completamente indefesa na situação, porque, como advogada júnior, ela não tinha escolha senão trabalhar no caso, ou perderia o emprego, a carreira e nunca conseguiria a segurança financeira necessária para começar a própria família.

Pequeno T em foco: injúria moral

O conceito de injúria moral surgiu originalmente de situações como um combate armado e casos de emergência médica, em que alguém testemunha, deixa de agir sobre

---

ou mesmo executa algo que vai contra seus valores morais e crenças.[84] Houve muitos registros de injúria moral durante a pandemia de covid-19 vindos de trabalhadores do sistema de saúde que tiveram que racionar tratamento, o que afetou a sobrevivência de alguns pacientes gravemente enfermos, indo contra seu juramento de "não causar dano" a nenhum dos pacientes. No entanto, a injúria moral pode ocorrer com qualquer pessoa, em qualquer cenário onde haja injustiça, crueldade aparente, degradação da situação de alguém ou qualquer outra quebra de um valorizado código moral.

O Pequeno T que se forma com frequência começa com perplexidade, depois se transforma em ressentimento em relação a outros, então em uma combinação de culpa e vergonha em relação a si próprio. Como todos os Pequenos Ts, se acontecesse em uma zona de guerra, conseguiríamos identificá-lo muito mais prontamente, mas quando um dano moral sutil ocorre, como no caso de Freya, as pessoas acham difícil discuti-lo e chegar a um consenso.

Minha colega, a psicóloga Sheila Panchal, realizou alguns estudos esclarecedores sobre a "virada para os 30" e descobriu que a revisão feita por Freya de sua trajetória profissional não era incomum naquela etapa da vida.[85, 86] Tendo investido tempo significativo e dinheiro naquela trajetória, perceber que aquilo não era tudo que prometia ser foi desafiador. Juntamente com isso há um anseio de turbinar o salário e o *status* para subir um nível, o que parece ainda mais intenso em épocas de alta do custo de vida. Os dias inebriantes do final da adolescência e do hedonismo dos 20 anos tendem a esmaecer quando as pessoas à beira dos 30 anos começam a perder a presunção de serem fisicamente invencíveis e de poderem se matar de tanto trabalhar. Na verdade, eu diria que, a essa altura, a crise da virada para os 30 é particularmente assustadora.

Para Freya, o dano moral que ela sofreu também a fez questionar sua escolha de carreira e, até certo ponto, seu relacionamento. Se olharmos novamente a tabela da página 230, podemos pensar sobre essas duas batalhas internas como o conflito entre a intimidade e o isolamento. A certa altura da vida, pode ser quando estamos perto dos 30 anos, mas também mais cedo ou mais tarde – existe uma tensão emocional e psicológica entre a necessidade de proximidade e o desejo de ser independente. É óbvio que a experiência de Freya no trabalho fez com que ela se sentisse isolada quando precisava de apoio; no entanto, ela quis mostrar que estava lidando com independência. Essa tensão a deixou com uma sensação de flutuar no espaço, à solta e confusa.

Abordagem CAA: Aceitação

Para passar para a fase de Aceitação da Abordagem CAA, em se tratando do Pequeno T das Transições, é bom fazer uma pausa e contemplar esse espaço em que Freya se encontrou.

Espaço liminar

"Espaço liminar" ou liminaridade é um lugar em que podemos ficar muito emperrados.[87] O "travamento" parece incomodar e se caracteriza por uma sensação de confusão, ambiguidade e falta de entendimento – como Freya revelou em nosso primeiro encontro. É um pouco como perder o chão e observar isso sem saber como reagir; o que era conhecido sobre o *self*, papéis e estruturas sociais, é questionado e com frequência se torna motivo de agonia, uma vez que se tem um pé preso no passado (pré-liminar) e outro na hesitação de captar um estado futuro, pós-liminar.

Culturalmente, sabemos que as pessoas podem ficar presas no espaço liminar, motivo pelo qual temos muitas cerimônias e rituais para nos ajudarem a passar, com a maior suavidade possível, de um estado a outro – normalmente chamados de "ritos de passagem". Mas, mesmo assim, pode ser difícil achar o nosso caminho em meio à névoa da liminaridade, e essas tradições podem estar ligadas a noções ultrapassadas de idade e estágio, como acima.

Exercício: Cebola da Transição

Para ajudar você a lidar com uma transição complicada, atravessar esse espaço liminar e entrar na fase de Aceitação da Abordagem CAA, existe uma técnica que gosto de chamar de "Cebola da Transição" (ver Figura 10.1). No centro da sua Cebola, anote a transição pela qual você está passando neste momento. Depois, desenhe a camada da sua Cebola a partir do exemplo a seguir; acrescente o que sente que tem sido importante para você em relação a essa transição, o que pode ser uma mistura de experiências e Pequenos Ts. Pense nas seguintes categorias e explore o que estiver influenciando sua experiência na transição que está no centro da sua Cebola:

- Seus relacionamentos, ligações e vínculos: essas relações podem ser da infância ou aquelas que você tem no presente, e que ache que influenciam em sua fase de transição.
- Suas experiências de vida, incluindo seus Pequenos Ts: você pode ter descoberto diversos exemplos de Pequenos Ts ao longo deste livro e pensado em alguns que só você tem e que podem estar te empacando.
- Seu contexto cultural e a sociedade em que você vive: dependendo da transição que você está analisando, isso pode incluir uma organização na área de trabalho (por exemplo, se você estiver reavaliando a carreira ou se aposentando), sua comunidade, que poderia incluir crenças religiosas e espirituais (com frequência, isso é relevante, quando se lida com a transição para uma sociedade, para a parentalidade ou para a morte de um ente querido), ou até visões sociais mais amplas que possam estar influenciando sua maneira de sentir essa transição.

A ideia aqui é destacar como os nossos diferentes níveis de vida impactam a maneira de vivenciarmos uma transição. Em outras palavras, raramente trata-se de você sozinho(a) e por si mesmo(a), criando a sensação de travamento; em vez disso, é esse contexto mais amplo da nossa existência que coloca em nós expectativas do relógio social.

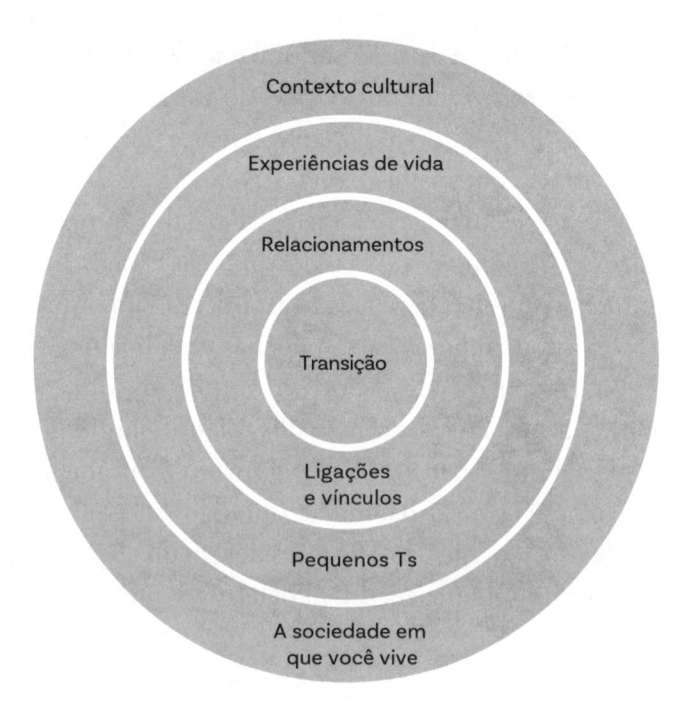

Figura 10.1: Cebola da Transição

É aqui que a Aceitação, como conceito, de fato se revela. Assim como grande parte do trabalho com os Pequenos Ts que andamos fazendo neste livro, o propósito aqui é ligar os pontos entre nossa experiência vivida e as coisas que impactam nessa experiência. Só quando fazemos essas ligações é que a sensação de isolamento se desvanece e podemos começar a trabalhar em direção ao terceiro estágio da Abordagem CAA, a Ação. Embora tais fatores pessoais, expectativas e associações sociais em geral pareçam muito óbvios depois do exercício, frequentemente deixamos passar a fase de Aceitação na vida – em geral, em detrimento nosso.

Peguemos o exemplo da transição (ou não) para a parentalidade. Atendi inúmeras pessoas que escolheram não ter filhos, mas que lutaram num espaço liminar com essa decisão, até termos a oportunidade de explorar algumas dessas expectativas do relógio social e como cada camada de seu contexto (de acordo com a Cebola) estava dificultando que eles passassem de um estado pré-liminar para uma aceitação pós-liminar. A pressão cultural e social para ter filhos pode ser penosa para todos. No outro lado do espectro, trabalhei com indivíduos que tinham tido filhos em diferentes pontos cronológicos da vida e sentiam como se fosse cedo demais/tarde demais/fazendo isso na hora errada em relação ao relógio social. Isso nos conta algo importante sobre como nossas crenças, nossas expectativas e nosso ambiente afetam nossa experiência de transições. Em outras palavras, talvez não exista uma hora "certa", apenas uma boa hora para *você*.

Se voltarmos para Freya por um momento, outro elemento fundamental de sua crise na virada dos 30, que surgiu no exercício da Cebola de Transição, mas não estava em seu mapeamento de vida, dizia respeito a seu contexto familiar. Quando estávamos discutindo a camada de relacionamentos e ligações dentro do círculo sociocultural, Freya mencionou que era difícil pensar no que estava passando, uma vez que sua mãe debatia-se com a menopausa; ou seja, assim como inúmeros Pequenos Ts, ela não achava que seus sentimentos tinham importância quando sua mãe parecia estar tendo uma "verdadeira transição". Além disso, a mãe estava tendo problemas com a terapia de reposição hormonal e sofria uma série de sintomas, inclusive ansiedade e irritabilidade. Como se não bastasse, ainda precisava cuidar dos próprios pais (avós de Freya), além de trabalhar e sustentar o irmão mais novo. Realmente, ela parecia estar muito sobrecarregada. Sendo assim, na mente de Freya, a transição da mãe negava sua experiência a tal ponto que ela não havia compartilhado seus sentimentos com a mãe por medo de pesar ainda mais sobre ela. Isso contribui para uma sensação avassaladora de isolamento.

Menopausa e a geração sanduíche

Existem algumas transições na vida que são marcadas por mudanças definitivas na fisiologia humana. Provavelmente, a menopausa é o exemplo mais óbvio na vida adulta. Os seres humanos estão vivendo muito mais. Desde a década de 1840, a expectativa de vida nos países mais privilegiados vem aumentando quase linearmente em dois anos e meio por década;[88] no entanto, a idade média para o começo da menopausa não mudou, aos 51 anos. A perimenopausa pode começar dez anos antes, entre o início e o meio dos 40 anos. Considerando que agora vivemos até os 80, podendo ultrapassar essa marca, é factível que metade da vida biológica de uma pessoa possa ser passada dentro do processo da perimenopausa, menopausa e pós-menopausa, uma parcela bem maior se compararmos com quando a média de tempo de vida era menor. Em muitas áreas do mundo, pessoas também estão tendo bebês mais tarde, de modo que sintomas de menopausa, crianças mais velhas ainda em casa (ou indo e voltando) e pais idosos requerendo cuidado adicional, tudo isso possa acontecer ao mesmo tempo, debaixo de um só teto.

Cerca de um terço dos sintomas é severo o bastante para atrapalhar as atividades diárias durante essa transição fisiológica e, para muitas pessoas, pode durar mais de uma década. Alguns dos primeiros sintomas da perimenopausa incluem altos níveis de ansiedade e sensação de estar sobrecarregada. Tenho recebido bastantes clientes que me procuram depois do clínico geral lhes ter receitado antidepressivos. Embora os medicamentos tenham sua importância, aquelas que pertencem à geração sanduíche e que experimentam uma menopausa sintomática podem viver momentos extremamente difíceis; reconhecer isso pode ajudar bastante e levar a formas mais sustentáveis de enfrentamento da situação.

O que queremos dizer com "sanduíche" é semelhante à explicação de Freya, em que há uma dupla responsabilidade de cuidados, e frequentemente é aí que entra o conflito entre generatividade e estagnação, presente na teoria de Erikson. A generatividade tem a ver com deixar sua marca no mundo e contribuir para a próxima geração, o que geralmente era visto como o objetivo. Mas também precisamos cuidar de nós mesmos para reduzir as chances de estagnação, o que pode ser difícil quando se está preso(a) entre pais que precisam de assistência e filhos que ainda precisam de amparo.

Freya parecia instintivamente ciente disso e, portanto, não queria sobrecarregar a mãe com mais problemas.

No entanto, ela não levou em conta o fato de que a menopausa não é de todo ruim; um estudo da Universidade de Cambridge relatou que, durante a menopausa e na pós-menopausa, as pessoas sentem-se mais capazes de se abrir e dizer o que pensam.[89] A menopausa também pode desencadear uma onda de confiança e força, com indivíduos relatando maior sintonia com seus sentimentos e menos constrangimento por conta de inibições[90] – desde que os sintomas sejam tratados adequadamente. Sempre é bom enfatizar o quanto os sintomas psicológicos e físicos da menopausa podem ser reais e debilitantes e o quanto um tratamento adequado devolve a vida às pessoas. Dessa maneira, discutir esses tópicos e o tipo de conflito que a mãe de Freya pudesse estar enfrentando foi útil, porque abriu uma porta de volta à intimidade, por meio de uma conversa franca de Freya com a mãe.

Abordagem CAA: Ação

A fase de Ação nos Pequenos Ts de Transição tem muito mais a ver com atravessar o espaço liminar e levar a aprendizagem de transições anteriores para transições novas. Os exercícios podem ser usados para qualquer crise transicional, então foque no que você estiver passando neste momento.

Exercício: cabo de guerra da crise transicional

Esse é um exercício que pode resultar em uma mudança profunda durante a liminaridade, ajudando-nos a passar da fase da Aceitação para o estágio de Ação da Abordagem CAA.[91]

Comece pensando naquilo com que você tem lutado; depois trabalhe no seguinte:

- Visualize essa batalha com o arqui-inimigo de um super-herói. Ou, em vez disso, imagine um monstro, um demônio, ou qualquer outro tipo de personagem poderoso, abominável, mas tem que ser algo com capacidade para destruir você.

- Vocês dois estão parados no topo de um vulcão, em lados opostos do buraco profundo, escuro e flamejante. Você pode sentir aquele calor em seu rosto e sabe que o desfiladeiro à sua frente desce até o centro da Terra. Você e o supervilão estão em um cabo de guerra poderoso sobre o vulcão, ambos puxando e arrastando uma corda grossa.

- O seu desejo de arrastar seu oponente até a cratera parece avassalador, porque a sua vida depende disso. Você está usando toda a sua energia, mas você e seu inimigo estão bem equilibrados em termos de força e poder. Parece uma verdadeira batalha.

- Agora, solte a corda. Qual é a sensação?

Eu realmente amo esse exercício, porque a mudança mental é, em geral, imediata. Qual foi a sua sensação enquanto lia a descrição? Se não conseguir encontrar as palavras, volte para a página 84 e dê uma olhada na Roda das Emoções, ou rabisque o que estiver sentindo – o que for melhor para você.

Esse exercício nos ajuda a ver que, em geral, a luta está dentro de nós mesmos, com nossos próprios pensamentos e expectativas, o que pode se tornar o foco da crise transicional. Quando estamos focados apenas na batalha, no cabo de guerra, é impossível ver as soluções existentes que podem nos ajudar a passar por uma transição. É por isso que seguir a Abordagem CAA é tão importante. Sem Conscientização, Aceitação e depois Ação, podemos nos perder na luta e usar toda nossa energia e todos os nossos recursos lutando para ficar no mesmo lugar. Correr para ficar parado, ou puxar continuamente um cabo de guerra, com apenas nós mesmos na outra ponta, não é divertido para ninguém. Com muita franqueza, é exaustivo, normalmente não apenas para você, mas também para todas as pessoas que te amam.

Uma carta do(a) seu(sua) futuro(a) eu

Para entender como passar para a Ação, pense em uma época no futuro, no espaço pós-liminar, em que tudo se resolveu muitíssimo bem. Considere diferentes aspectos da sua vida, tanto os grandes quanto os pequenos, dos aparentemente insignificantes aos mais substanciais – e imagine como tudo isso pareceria em uma máquina do tempo.

Agora, pegue caneta e papel (é importante que isso seja escrito à mão) e escreva uma carta do(a) seu(sua) futuro(a) eu para a versão atual de você. Se quiser, dê uma olhada no capítulo 2 e pense em cada área da Avaliação de Vida. O que cada uma dessas áreas pareceria sob o ponto de vista de realização? Lembre-se, alguns componentes podem ser mais importantes para você do que outros; família e liberdade pessoal poderiam deixar em segundo plano a segurança financeira e a carreira, ou o contrário. Depende totalmente do que você valoriza.

Explore em detalhes para o seu eu atual, com suas próprias palavras, como é estar nesse ponto futuro. Descreva a sensação, o contexto e o entorno, que tipo de pensamentos você tem e as várias ações que realiza diariamente. Aqui estão algumas sugestões de psicologia de *coaching* para ajudar na escrita da sua carta:

- Pense nos seus sonhos referentes às áreas da vida que lhe são mais importantes. Como eles são?
- Se você tivesse recursos ilimitados (não apenas financeiros, mas tempo, apoio e incentivo), o que se proporia a fazer?
- Tente não considerar apenas seus sonhos e ambições prementes de acordo com suas possibilidades atuais, mas sim em termos de seu potencial.
- Como isso transformaria a qualidade de seus relacionamentos, de seu trabalho e de sua saúde?

Uso bastante esse exercício porque ele ajuda a cobrir a distância entre o "depois" e o "agora", e progride pelo espaço liminar.

Para Freya, esse exercício indicou que ela ainda amava sua carreira, mas, acima de tudo, precisava de mais apoio emocional da família (inclusive da mãe) e no trabalho. Mas nem todas as histórias têm um final de conto de fadas, pelo menos não na vida real, então eu queria compartilhar com você que, durante o tempo em que trabalhamos juntas, Freya rompeu com o namorado. Ela confessou que grande parte da pressão do relógio social que sentia tinha a ver com as expectativas dele de como a vida "deveria" dar certo, e em seu trabalho no conflito intimidade-isolamento, Freya sentiu necessidade de se libertar desse relacionamento Eros, romântico, que sentia ser esperado dela. Na verdade, inclinou-se para o lado do isolamento do ponto de crise transicional, o que lhe deu mais independência e a ajudou a ter relacionamentos mais próximos e mais significativos com outras pessoas. Deixou de se preocupar tanto com o tique-taque do relógio social, e isso a ajudou a "desempacar".

Planejamento de prazo mais longo para transições

Um dos aspectos mais difíceis de uma transição é que ela pode parecer inesperada. O Pequeno T tem muito a ver com isso, já que pode desencadear uma fase liminar, como foi o caso com Freya e a injúria moral que ela vivenciou. No entanto, sabemos que existem certas transições pelas quais a maioria de nós passará, logicamente levando-se em conta as diferenças individuais, culturais e sociais. Um exemplo disso na vida adulta tardia é a aposentadoria, que em geral ocorre em meio ao conflito final do desenvolvimento adulto proposto por Erikson – aquele da integridade do ego *versus* desespero. A integridade do ego tem a ver com a reflexão sobre a vida que passou e sentir-se satisfeito com as conquistas; ao passo que ocorre uma sensação de desespero se estivermos cheios de arrependimentos ou sentirmos que a vida foi desperdiçada.

Seja pago ou voluntário, seja em casa ou dentro de uma organização externa, o trabalho nos proporciona uma sensação de propósito, dá estrutura e rotina a nossos dias e também pode ser um importante aspecto de nossa identidade. Além disso, a maioria dos empregos oferece contatos sociais e amizades que são fundamentais para nosso bem-estar. Essas podem ser algumas das razões pelas quais se aposentar pode ser um desafio, e de fato muitas pessoas passam por depressão após a aposentadoria, principalmente se foram forçadas a isso por problemas de saúde, responsabilidades no cuidado de terceiros ou impossibilidade de encontrar outro emprego.[92] Ainda que o mundo do trabalho tenha mudado de "emprego para a vida inteira" para tipos mais fluidos de carreiras, a maioria de nós, a certa altura, verá um término em sua vida profissional. Embora existam muitas maneiras de restabelecer os elementos psicossociais e a estrutura que o trabalho proporciona, incluindo trabalho voluntário, *hobbies* e o desenvolvimento de novos relacionamentos, há barreiras mentais que bloqueiam nossa capacidade de realmente aproveitar esses anos.

Estudos mostram que pessoas com uma visão negativa quanto ao envelhecimento tendem a entrar mais em conflito com a ideia de aposentadoria.[93] Portanto, se tiver preocupações com a aposentadoria, o envelhecimento ou qualquer outra transição, aqui estão algumas maneiras de tornar a passagem um pouco mais suave:

- Se estiver prestes a se aposentar (ou mesmo pensando em uma mudança de carreira), peça a outras pessoas que agora estão "sem trabalho" para citarem os três melhores aspectos da aposentadoria delas, e três coisas para as quais elas gostariam de ter se preparado. O mesmo vale para toda transição. Não fique no escuro, temendo o desconhecido; parta para a ação buscando a experiência e o conhecimento de outras pessoas.
- Descubra exemplos positivos dentro de uma cultura e de uma mídia mais amplas. Tendemos a só pensar em exemplos positivos para jovens, mas eles são úteis em qualquer idade. Observe as qualidades que você admira em cada modelo e como eles demonstram seus valores durante esse estágio transicional. Considere como você pode assimilar essas características em sua vida diária. Por exemplo, você pode seguir um colega aposentado que decidiu se dedicar à comédia de *stand-up*. Isso não significa que você precise fazer uma apresentação de trinta minutos, mas você poderia explorar o próprio senso de humor com sua família.

- Por fim, olhe para as transições pelas quais você passou com sucesso no passado e identifique os recursos pessoais dentro de você que o(a) ajudaram a percorrer essas estradas, às vezes, acidentadas. Talvez sua humildade, lealdade ou integridade o(a) ajudasse a passar por uma transição. Talvez fosse mesmo o seu senso de humor que o(a) levou para o outro lado. Vá fundo, você pode não ter vivenciado a mesma transição no passado, mas terá de onde tirar experiência baseando-se em seus valores essenciais que o(a) guiarão para o próximo trampolim da vida.

 ## Lembretes para lidar com transições

1. Que aspectos da vida mais te surpreenderam? De que maneira?
2. Pense em você quando adolescente. Que três perguntas você faria para seu eu atual?
3. O que você sabe ser verdade agora, que não sabia um ano atrás?

 ## PARA PENSAR

As transições fazem parte da vida, mas isso não significa que elas sempre sejam fáceis. Normalizar fases transicionais tendo consciência de que outras pessoas também passam por isso é um bom ponto de partida para navegar essa Temática do Pequeno T. Aceitar que existe um processo de desapego de quem e do que você já foi, e capacitar o próximo estágio de vida, também ajuda. Por fim, planejar à frente para as transições que você encarará no futuro é uma boa maneira de apoiar seu sistema imune psicológico em relação a essa Temática do Pequeno T.

CAPÍTULO 11

PULAR NO ABISMO: SUA RECEITA PARA A VIDA

Neste capítulo, concluiremos com:

- A Abordagem CAA para toda a vida
- Como seguir as setas pelo caminho
- Como limitar o excesso de escolhas
- Porque generosidade é essencial
- Prescrição para uma vida menos complicada

Então, cá estamos nós, no último capítulo de nossa jornada. Minha esperança é de que você consiga usar, se não todos, alguns exercícios deste livro – agora e no futuro. Mesmo só tomar consciência dos Pequenos Traumas como um conceito real, válido e tangível já pode ser de um benefício significativo. Existem muitos outros Pequenos Ts para abranger neste livro, então se você vivenciou algo que o(a) faz sentir desconfortável, indigno(a) de apoio ou que o(a) leve a questionar o domínio de si mesmo(a), é bem provável que seja uma forma de Pequeno T.

Mas chega uma hora em que se deve pular no abismo em vez de apenas contemplá-lo. A ideia de contemplar o abismo até que ele olhe de volta para você foi introduzida pelo filósofo alemão Friedrich

Nietzsche; como em todas as grandes citações filosóficas, existem várias interpretações, inclusive se perder como consequência de olhar com muita intensidade para as áreas sombrias da psique humana interna. Se exploramos essa noção em relação aos Pequenos Ts, podemos ver que existe um perigo em gastar tempo demais contemplando as duras realidades do curso da vida e as difíceis circunstâncias pelas quais passamos; esse é o risco da Conscientização sem Aceitação e depois Ação. Sendo assim, meu desafio a você, agora, é combinar o que você aprendeu com os ensinamentos finais deste capítulo, assumir o controle do passado, viver plenamente o presente e pular com ousadia para dentro de um futuro de prosperidade.

Abordagem CAA para toda a vida

Ao longo deste livro, usamos a minha Abordagem de Conscientização, Aceitação e Ação, a CAA. Você pode aplicar esse método em qualquer dificuldade que apareça em seu caminho; quanto mais usá-lo, mais aperfeiçoará essas habilidades psicológicas vitais. Como qualquer habilidade, a prática tornará mais fácil usar a Abordagem CAA, pois sua mente buscará a Conscientização com mais rapidez, você se abrirá mais para a Aceitação dos problemas difíceis da vida, que são complexos e diários, e terá mais poder para partir para a Ação de levar a vida em sua

Abordagem CAA: Aceitação

Qual é o seu propósito?

Ahhh... Uma pergunta tão breve para um conceito tão vasto. Algumas pessoas passam a vida inteira tentando descobrir um propósito, e existe algo a ser dito sobre isso. Com frequência, quando as pessoas têm filhos, elas dizem que finalmente descobriram seu propósito: cuidar de outros seres humanos e educá-los. Outras pessoas encontram propósito em seu trabalho e em atividades comunitárias, ou numa combinação de todas essas coisas. No entanto, esse pode ser o ponto controverso – com tantas opções, o que podemos fazer para nos ajudar a descobrir nosso propósito?

Exercício: siga a seta

Para ajudar a estreitar essas escolhas, vamos jogar o jogo *Siga a seta*. Cada um dos itens abaixo é um valor essencial que, para você, tem muita importância ou não interessa. Para cada categoria, mova a seta para a direita, se você valorizar demais, ou para a esquerda, se não der a mínima para ela.

Criatividade
Espontaneidade/viver a vida no momento
Exercícios/esporte
Habilidades artísticas
Habilidade musical/gosto
Independência
Negócios/ganhar dinheiro
Política/comunidade
Relação com amigos ou família
Senso de humor
Valores religiosos

A lista acima não é limitante, e você também pode acrescentar suas próprias categorias.

Agora, que setas apontam para o futuro? Tire um momento para refletir sobre o motivo de elas terem importância para você.

Esses são os seus valores fundamentais, seu conjunto único de estrelas que o(a) ajudará a encontrar um propósito significativo na vida e iluminará seu caminho para casa se algum dia você se desviar do rumo. E o segredo é o seguinte: você pode ter mais de um, pode ter inúmeros valores, propósitos e caminhos na vida. Em grande parte do tempo, as pessoas nos dizem que precisamos encontrar nosso único e verdadeiro propósito – meio como nosso único e verdadeiro amor –, mas isso é mesquinho demais. A vida é generosa quando a vemos desse jeito.

Em seguida, pergunte a si mesmo(a): "De que maneira minha vida se move nessa(s) direção/direções?". Tenha isso em mente enquanto continua a leitura.

Diagrama Venn de propósito e a ocidentalização do ikigai

Enquanto segue as setas pelo caminho, é possível que você tenha contato com o conceito japonês de *ikigai* e a figura a seguir lhe seja familiar. Se não, essa teoria afirma que seu propósito pode se encontrar na sobreposição de um diagrama Venn, em que aquilo que você ama, aquilo em que você é bom(boa), aquilo de que o mundo precisa e aquilo pelo que você pode ser pago(a) encontram-se todos no centro intermediário.

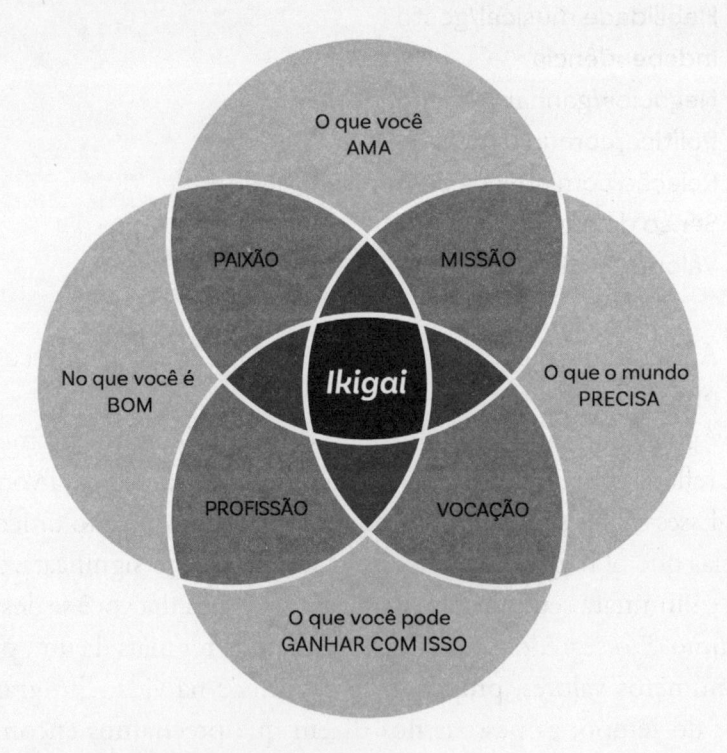

Figura 11.1: Diagrama Venn de ikigai

Minha mãe passou uma parte significativa da vida no Japão, então perguntei a ela sobre essa estrutura. Ela disse que reconhecia partes dela, mas achou que era rígida demais, e ficaria surpresa se atender a todas essas condições fosse realmente fiel ao conceito original. Sob meu ponto de vista profissional, minha tendência seria concordar e acreditar que a necessidade de reunir todas essas quatro circunstâncias estabelece um padrão anormalmente alto para a maioria das pessoas. Se pensarmos mais em flexibilidade psicológica, que é parte fundamental do sistema imune psicológico em termos de função adaptativa, seu propósito pode ser algo que você ame fazer e no qual é bom(boa) (isto é, uma paixão), mas não aquilo para o qual você é pago(a). Então também é possível que você precise dedicar algum tempo para algo de que o mundo precise e do qual você possa tirar um rendimento (no modelo de *ikigai* acima, isso seria uma vocação), certificando-se de que ainda tenha algum tempo para dedicar a seus projetos pessoais.

Como acontece com muitos Pequenos Ts sociais, a insistência de que todas as estipulações devam corresponder a uma vida bem vivida coloca-nos sob uma imensa pressão, e como tal é contraproducente. Essa é uma visão ocidental de *ikigai*, orientada para resultados, enquanto uma visão mais tradicional tomaria esses aspectos de propósito pessoal como um *continuum* vitalício, que muda e se desenvolve ao longo de uma vida. Contudo, é possível que você consiga acrescentar um pouquinho das próprias setas a mais áreas da sua vida para ampliar o tempo que tem nessa Terra.

Comida para viagem e sobrecarga de escolhas

Se tem uma coisa que aprendi durante minha vida atrapalhada é que os seres humanos são fascinantes. E embora queiramos escolhas infinitas, essa pluralidade de opções, na verdade, não nos é muito propícia. Sobrecarga de escolhas é um termo que usamos em psicologia no qual muitas opções levam a uma paralisia da decisão.[94] Mas existe uma maneira fácil de limitar essas possibilidades, algo que eu mesma uso em casa. De vez em quando, meu parceiro e eu pedimos comida para viagem, mas, como existem muitas escolhas, passávamos metade da noite discutindo o que gostaríamos de comer. Então, em um Natal, sem combinar nada, compramos um para o outro dados que ajudam na escolha da comida! Devo reconhecer que meu parceiro se saiu melhor na escolha do presente, um lindo cubo de madeira personalizado, enquanto eu peguei uma versão de brinquedo, de plástico, em uma loja de presentes (interprete isso como quiser!), mas nós dois chegamos à conclusão de que precisávamos de ajuda nesse assunto trivial. No entanto, o interessante em usar uma ferramenta de seleção ao acaso é que ajuda a focar a mente; em alguns dias, o dado pode cair em "hambúrguer", mas olhamos um para o outro e dizemos: "Não, vamos pedir pizza". Isso significa que, ao limitar suas opções, você estará em uma situação melhor para saber o que realmente deseja. Sendo assim, quando estiver pensando em suas escolhas de vida, risque todas, menos três; jogue fora as outras e siga em frente com as áreas restantes da vida para as quais agora você tem espaço mental para levar a sério.

Experimente antes de comprar

Você se lembra daquelas lojas que faziam ursinhos de pelúcia customizados? As crianças amavam o conceito, mas talvez os pais não gostassem tanto porque os brinquedos eram muito caros! Mas você podia entrar nas oficinas e escolher o tipo de brinquedo de pelúcia, as roupas, os acessórios e muitos outros itens *antes* de comprar um. E se você pudesse fazer isso com seu *ikigai* e "experimentar antes de comprar" na sua vida?

O professor-adjunto e diretor-executivo do Programa de Design em Stanford, Bill Burnett, sugere exatamente isso.[95] Em vez de descartar toda a sua vida – o que, em sua pesquisa, ele descobriu que geralmente acaba não dando muito certo –, acrescente componentes de suas setas à sua vida corrente e veja qual é a sensação. Por exemplo, uma de suas setas pode ser "habilidades artísticas", mas você se sente oprimido(a) com a ideia de ir a um centro de ensino de adultos para aprender artes plásticas. Em vez disso, pense em lugares onde seu desejo artístico possa ser mais presente em sua vida, talvez incorporar sua chama artística à sua casa por meio de redecorações ou tentar algumas atividades que vir no Pinterest. Assim como na criação do urso de pelúcia, você pode verificar o que se encaixa, o que dá certo e o que é factível para você, uma vez que só sabemos se algo realmente vai nos trazer realização se tentarmos por conta própria. Vender seu apartamento no centro da cidade e se mudar para uma casa sem energia elétrica ou água encanada para viver da terra poderia parecer uma mudança de vida fantástica, mas só quando você estiver lá, lembrando-se do quanto odeia aranhas e percebendo como é difícil cultivar algo remotamente comestível, é que tudo se torna real. Em vez disso, talvez você queira tirar um ano sabático do seu trabalho sem graça e tentar, por alguns meses, com um grupo, aquele estilo de vida natural que parece idílico, antes de se desfazer de tudo. Essa mudança pode, ou não, ser tudo de bom que dizem ser, mas, assim como os dados para escolher comida para viagem, experimentar antes de partir para uma vida totalmente nova lhe dá mais clareza e uma experiência direta das suas opções sem o risco de ficar a ver navios.

Abordagem CAA: Aceitação

Vou dizer mais uma vez que a Aceitação pode ser a fase mais difícil da Abordagem CAA e que frequentemente é ignorada. Isso pode acontecer porque associamos coisas ruins que acontecem em nossa vida ao fato de *sermos pessoas ruins*, mas não é esse o caso. É verdade que podemos nos sentir mal-amados, indignos e fragilizados, e essas experiências são incrivelmente difíceis de lidar. Em vez disso, frequentemente racionalizamos os Pequenos Traumas no sentido de que devemos ter feito algo terrível para merecer tal tratamento. Mas quando passamos para um ponto de aceitação, e não de resignação, ficamos aptos a criar um sistema imune psicológico forte e ser um pouco mais gentis conosco. Aqui está um lembrete da diferença entre resignação e aceitação. A essa altura, pode ser bom analisar se você se sente mais à vontade com a ideia de aceitação e o quanto ela é importante para a sua consciência do próprio eu.

Resignação	Aceitação
Rigidez psicológica	Flexibilidade psicológica
Sentir-se impotente e paralisado(a)	Sentir-se empoderado(a) para agir
Autojulgamento e recriminação	Cultivar uma sensação profunda de autocompaixão
Mentalidade de escassez	Mentalidade de abundância
Desistir e/ou ceder	Recalibrar para tomar uma atitude positiva
Tolerar dificuldades	Aprender com as dificuldades
Aguentar firme	Aperfeiçoar-se profissionalmente
Aversão a mudanças	Abertura para mudanças
Resistência	Reconhecimento
Ser conduzido(a) por julgamento	Ser conduzido(a) por valores

Os Pequenos Ts e o sistema imune psicológico

No final do capítulo 1, falamos sobre o conceito de sistema imune psicológico e o comparamos ao sistema imune físico, que nos protege contra uma série de patógenos nocivos, tais como vírus e bactérias. Nascemos com alguma imunidade, mas grande parte do sistema imunológico desenvolve-se ao longo da vida, particularmente na primeira infância, quando entra em contato com esses invasores microscópicos. Nosso corpo monta, então, uma reação contra o intruso, e essa resposta física é que nos dará sintomas, como tosse, nariz escorrendo e cansaço, no caso de um resfriado comum.

O sistema imune psicológico funciona de maneira muito semelhante e nos dá sensações desagradáveis quando vivenciamos Pequenos Ts, sob a forma de resposta ao estresse e de emoções que preferiríamos não sentir. Mas tanto os sintomas físicos quanto os psicológicos são importantes porque permitem que nossos sistemas imunes se desenvolvam e se adaptem ao nosso ambiente. Sem alguns desafios, teríamos apenas a imunidade básica com a qual nascemos, e considerando o quanto alguns acontecimentos importantes da vida podem ser difíceis, talvez isso não seja suficiente para uma boa saúde psicológica.

Portanto, estando **conscientes** dos Pequenos Ts, aceitando que esses cortes e arranhões psicológicos acontecem na vida e realizando **ações** positivas para lidar bem com essas experiências, podemos transformar pequenos traumas em *anticorpos emocionais*, também conhecidos como habilidades de enfrentamento.

Em outras palavras, o conceito de Pequeno T não tem a ver com uma ideia de passividade ou resignação, mas sim com uma maneira de assumir o controle do seu passado de modo que você possa possuir o presente e desenvolver um futuro de prosperidade, e não apenas de sobrevivência.

Preste atenção nos seus "Mas..." e não use os Pequenos Ts como desculpa

Nesse sentido, os Pequenos Ts **definitivamente não são desculpas**. Uma maneira de ter certeza de que você não está permitindo que os Pequenos Ts assumam a sua vida de modo negativo é prestar atenção no seu uso do "mas" e do "porque" – tanto em sua narrativa interna quanto na maneira de se comunicar com os outros.

Por exemplo, preste atenção nos seus "mas" em casos assim: "Eu gostaria de falar com meu amigo, mas ele me deixou tão nervoso que acho que não posso conversar com ele". Em casos assim, mude para: "Eu gostaria de falar com meu amigo, e ele me deixou nervoso. Então, vou conversar com ele mesmo que eu esteja nervoso".

Ao substituir o "mas" por "e", abrimos diferentes possibilidades para o futuro. Isso também nos dá uma versão muito mais realista da complexidade da vida e da emoção humana. Podemos estar simultaneamente nervosos(as) com um amigo, e ainda assim nos preocuparmos profundamente com ele. No entanto, quando usamos "mas", estamos impedindo uma progressão à frente e nos prendendo atrás de um muro de "mas". Quando isso é substituído por "e", podemos derrubar esse muro e seguir em frente.

Também fique de olho no uso de "porque": "Não quero concorrer à promoção porque, no passado, tive uma má experiência no trabalho". Ajuste para: "Quero concorrer à promoção, embora no passado eu tenha tido uma má experiência no trabalho".

Apenas suavizar a linguagem aqui não muda o passado – é claro que não podemos mudar o passado –, mas afrouxa a influência que nossos Pequenos Ts exercem sobre o presente. Além disso, estar atento(a) a sua intenção e alterá-la tanto em sua narrativa interna quanto na conversa com terceiros permitirá um movimento de avanço. Sendo assim, entre em sintonia com esse *script* mental e tente substituir afirmações como "não posso", "não vou" e "não consigo" por termos mais empoderadores.

Seja o(a) diretor(a) desse grande sucesso chamado vida

Essa alteração na maneira de contarmos nossa história, seja para nós mesmos, seja para outros, pode ser ampliada. Os exemplos anteriores podem ser vistos como frases no enredo do seu sucesso de bilheteria, ou seja, a sua vida. Assim como em qualquer filme de sucesso, o papel do diretor é central para a história que chega à tela. Diferentes tipos de *takes*, enquadramentos e ritmos afetarão o clima do filme, e o diretor usa essas ferramentas para focar nossa atenção na história que quer contar, bem como a inclusão de um tempo maior ou menor na tela para determinada cena.

Para ver como isso funciona, primeiro escreva as linhas gerais do seu roteiro, incluindo acontecimentos, experiências, Pequenos Ts e outros momentos fundamentais que fizeram com que você seja quem é hoje (isso se liga a nossa questão inicial de Pequeno T no capítulo 1). Esses são os pontos principais do seu filme, não as interpretações, então normalmente são a informação antes de qualquer "mas" ou "porque" quando você estiver escrevendo. No exemplo da seção anterior, nosso protagonista queria ver o amigo – esse é o ponto central nesse cenário simples. Agora, brinque com esse exemplo para dar à ação uma série de significados e consequências. Temos duas possibilidades acima; quais são as outras que você pode arrumar?

Espero que esse exercício ajude você a ver que tem poder de intervenção não apenas sobre o futuro, mas sobre como interpreta o passado e vive sua vida atual.

Abordagem CAA: Ação

Nesse estágio final de nossa expedição pelos Pequenos Traumas, quero compartilhar com você algumas ações cotidianas que favorecem tanto o corpo quanto a mente, o sistema imune físico e o psicológico. Quaisquer que sejam as condições, apresentações ou temáticas que estudei, da fadiga crônica ao comer emocional, da ansiedade à decepção amorosa, esses princípios são inalteráveis.

Sua prescrição diária para o resto da vida

Se obtive alguma compreensão nesses vinte anos de estudos e trabalho no campo da saúde é que, quanto mais levamos nossa vida em harmonia com o mundo natural, mais nos sentimos fundamentados(as) e em paz com nossa experiência de vida. Isso pode soar meio *hippie*, mas faz sentido no campo científico; somos parte do mundo natural, não importa o quanto a tecnologia afaste nosso corpo e mente disso. Nosso funcionamento interno e os processos fisiológicos estão sincronizados com o ciclo solar em um ritmo circadiano de 24 horas. Isso não tem a ver apenas com o sono, embora o sono seja, de fato, um assunto de vida ou morte, uma vez que temos muitos ritmos biológicos que são estimulados em um nível molecular, em resposta ao ambiente. Existem também outros ritmos mais longos, por exemplo, o ciclo menstrual.

Funcionar de acordo com esses ritmos, e não contra eles, em geral ajuda a saúde mental e física, porque precisamos deles para nos estimular ou nos sedar menos com sintéticos – seja por meio de informações, seja com substâncias ou pensamentos nocivos. Sendo assim, aqui estão minhas dicas de Ações para ajudá-lo(a) a viver a vida que é melhor *para você*.

Faça da luz uma amiga, e não uma inimiga

A luz é, de longe, o fator ambiental mais importante em se tratando do ritmo circadiano de 24 horas. Nossa mente e nosso corpo funcionam melhor quando dormimos durante a escuridão e somos ativos à luz do dia. No entanto, com a invenção da luz artificial, podemos ver o que estamos fazendo qualquer que seja a hora do dia. Isso não é uma crítica a Thomas Edison, já que o desenvolvimento da lâmpada foi um passo gigantesco da Revolução Industrial, estimulando economias ao redor do mundo e elevando os padrões de vida de bilhões de pessoas. Mas, assim como inúmeros recursos que criamos, a tendência humana é empurrar uma coisa boa longe demais. Em nossas sociedades atuais, que não param nunca, achamos muito difícil nos desligar, tanto literal quanto figurativamente. Agora, passamos grande parte do dia em ambientes internos, com luz artificial, que é qualitativamente diferente da luz natural, e não dá ao nosso cérebro os mesmos sinais. Pesquisas descobriram que a luz artificial nos impacta como indivíduos, em nosso ambiente e em nossa saúde.[96] Por muito tempo focamos, sobretudo, nos distúrbios do sono e Transtorno Afetivo Sazonal (TAS), mas estamos cada vez mais cientes de que a falta de luz diurna pode ser um fator perene numa variedade de transtornos de saúde mental e de bem-estar físico.

Pequeno T em foco: Transtorno Afetivo Sazonal

O Transtorno Afetivo Sazonal (TAS) é um transtorno muito comentado assim que as noites começam a surgir mais cedo. Mas existe uma discussão acalorada sobre se ele é ou não "real". O TAS é uma subcategoria do Transtorno Depressivo Recorrente Significativo, diferindo apenas no fato de estar associado a estações específicas. A maioria das pessoas que relata depressão sazonal tem sintomas no inverno, mas cerca de dez por cento dos casos parecem estar associados ao verão. Para receber o diagnóstico de

TAS, você precisaria perceber um ponto claro de começo e fim, que possa ser associado às mudanças de estações, e estar livre dos sintomas nas outras épocas do ano por, no mínimo, dois anos, com mais episódios sintomáticos em sua vida do que não.

Embora algumas pesquisas tenham demonstrado alguma associação entre a luz natural e o humor, o mecanismo fisiológico para isso ainda permanece vago. Sabemos que a luz do dia realmente afeta a produção de melatonina e serotonina, o que, por sua vez, influencia o ciclo de sono/vigília (ciclo circadiano), e que o sono ruim frequentemente leva ao mau humor.

De fato, ao se aprofundar nas pesquisas, estudos nos Estados Unidos relatam que apenas um por cento das pessoas que vivem na Flórida sentem TAS, em comparação a nove por cento de quem vive no Alasca. No entanto, pesquisadores em países como a Noruega e a Islândia encontraram poucos exemplos de TAS, mesmo considerando que seus dias de inverno são extremamente curtos. Então, qual é a questão? Bom, isso poderia ter mais a ver com nossas expectativas e crenças sociais do que com qualquer outra coisa. Nos Estados Unidos, o tempo quente e ensolarado é, em geral, associado a "boas" sensações, tais como felicidade, mas nos países escandinavos, em que o tempo é mais consistente em todo o país, pode haver um maior apreço à beleza das estações sombrias. A maneira de lidarmos com dias extremamente frios em diferentes partes do mundo também poderia ser um fator. A palavra norueguesa *friluftsliv* pode ser traduzida como "vida ao ar livre" e tem o sentido de, qualquer que seja a temperatura, incorporarmos a vida a céu aberto. Então, talvez o TAS pudesse, em parte, ter a ver com nossas convicções – estas criadas ao longo de uma vida, e que, como tal, formaram um tipo de Pequeno T.

Acho que o próximo tipo de tecnologia de "bem-estar utilizável" terá algo a ver com isso. Eu não ficaria surpresa ao ver um sensor de luz natural acoplado ao corpo, que alimentaria dados a seu smartphone e soltaria um alerta para você sair ao ar livre e absorver um pouco de luz natural. Mas você não precisa esperar por essa tecnologia. Em vez disso, assegure-se de sair ao ar livre todos os dias, ainda que por apenas vinte minutos, para absorver um pouco de vitamina D, um estímulo ao bom humor.[97]

A arte do descanso

O descanso é o primo pobre do sono em nossas vidas intensas. Pesquisadores da Universidade de Durham avaliaram dezoito mil pessoas de 134 países, perguntando quanto tempo de descanso elas tinham por dia e que tipo de atividades relaxantes praticavam. Talvez não seja de se surpreender que a maioria – na verdade, mais de dois terços da amostra – disse que gostaria de descansar mais. Os pesquisadores também descobriram que pessoas que descansavam menos relatavam um bem-estar geral menor.[98]

Ocupar-se com trabalhos altamente exigentes, conciliar múltiplas responsabilidades familiares, tentar se encontrar com os amigos, divertir-se um pouco e viver a vida em geral, tudo contribui para nossa sociedade inquieta. Não estamos apenas fazendo coisas demais desde muito cedo até muito tarde: estamos esticando tanto a corda que ela pode acabar arrebentando. Ou, pelo menos, essa é a impressão que a vida moderna pode dar no final da semana!

Mas também existe o Pequeno T das normas sociais, expectativas e rótulos que, com frequência, nos impedem de descansar. Uma cliente que estava claramente exausta me contou que, por mais que estivesse cansada, se consideraria "preguiçosa" caso descansasse durante o dia. No entanto, se nos voltarmos para o mundo natural – do qual somos uma parcela complexa –, é fácil ver que a natureza sabe como descansar. As estações mudam, o dia se transforma em noite e o tempo todo nosso ambiente se regenera, se restaura e se renova continuamente, sem resistência.

Da mesma maneira, é importante criar períodos de descanso em nossa vida diária. Isso não significa, necessariamente, dormir ou cochilar, mas sim atividades que nos permitam "desligar" dos estressores da vida, algo como ler, ouvir música ou passar um tempo na natureza.

Restaure sua energia com espaço e tempo

Precisamos dedicar espaço e tempo para conseguir descansar e nos recuperar, da mesma maneira que dedicaríamos esses recursos preciosos para trabalhar ou para uma finalidade específica. Embora possa ser difícil achar tempo em nosso cotidiano, as sugestões a seguir só levam alguns minutos e podem ser usadas como parte dos seus "fragmentos de tempo", aqueles pequenos intervalos de tempo que tendem a ser preenchidos com navegação em redes sociais e acessos sem sentido à internet. Também pode ser útil esclarecer os diferentes tipos de descanso de que todos nós precisamos para nos sentir profundamente recuperados e rejuvenescidos.[99]

Físico: essa é a categoria mais óbvia, mas não significa apenas dormir ou ficar sentado passivamente. Exercícios de respiração (veja capítulos 1 e 4) ajudam a ativar o sistema nervoso parassimpático, que move o corpo em um estado de "descansar e digerir". Além disso, se seu trabalho for sedentário, o descanso físico tem mais a ver com dar ao corpo um descanso da constante posição estática sentada, que causa dor e desconforto, sob a forma de um suave alongamento à própria mesa ou levantar-se da cadeira a cada hora para movimentar o corpo. No entanto, se seus dias forem fisicamente ativos, criar momentos de completa imobilidade agirá como um descanso.

Mental: o "brain fog", ou seja, a confusão mental, é, neste momento, um problema generalizado. O descanso mental tem a ver com a superação do impulso de realizar múltiplas tarefas ao mesmo tempo, focando em uma só. Desligue os aplicativos e os alertas de celular, saia do e-mail e feche a porta para criar períodos de tempo em que se concentra em uma só tarefa. Isso requer um pouco de prática, já que muitos de nós estão arraigados ao mito das múltiplas tarefas, mas vale o esforço.

Social: o descanso social não significa necessariamente solidão – embora possa ser isso, caso você necessite –, mas sim passar um tempo com pessoas que não precisam ser impressionadas, com as quais você possa ser total e profundamente *você*. Essas pessoas são seus carregadores de bateria, então, agarre-se a elas pela sua sobrevivência! Importante: às vezes essas pessoas são apenas conhecidas, e não nossos entes queridos, porque pode ser mais fácil sermos nós mesmos com quem vemos apenas de vez em quando.

Sensorial: todos nós precisamos de quantidades variáveis de estímulo sensorial, e quem for altamente sensível (capítulo 9) pode precisar de mais tempo em silêncio do que os outros. Reservar simplesmente alguns momentos para fechar os olhos durante o dia e dar um descanso ao sentido da visão pode ser útil. Repetindo, não se trata de entrar num isolamento solitário, já que o estímulo sensorial menos artificial que recebemos quando estamos na natureza também é repousante.

Emocional: procure os vampiros emocionais na sua vida, que sugam sua energia, e limite (ou corte completamente) o tempo gasto com essas pessoas. Os exercícios do capítulo 2 também ajudarão a alimentar seu Emobioma e oferecerão uma trégua a emoções incessantes.

Criativo: atualmente, nossa mente passa tanto tempo em trabalho analítico que poucos de nós têm a chance de alimentar sua parcela criativa. Sinto-me profundamente criativa depois de visitar meus museus preferidos e esforço-me para agendar uma visita regularmente. Se isso não for possível, ou não for a sua praia, permita-se tempo e espaço para fazer uns rabiscos em três intervalos de cinco minutos ao longo do dia. Livros de colorir para adultos também são relaxantes, especialmente os que trazem padrões detalhados de mandala.

Espiritual: você não precisa ser religioso(a) para se beneficiar das qualidades relaxantes da espiritualidade. O segredo é sentir-se integrado(a) ao mundo que ocupamos, e isso pode ser obtido por meio da ajuda a outras pessoas. Na verdade, sabemos que ajudar outro ser humano aumenta nosso próprio bem-estar, uma vez que age como um descanso do autofoco, cujo excesso pode ser exaustivo.[100] Sentir-se recuperado(a) por meio de fontes espirituais também tem a ver com se sentir seguro(a) em nosso propósito (acima), mais um motivo pelo qual alinhar-se com suas setas possa ser tão benéfico.

O truque aqui é adequar o descanso à vida que você vive. O tipo de descanso que você precisa será diferente do de seu(sua) parceiro(a), de seus amigos e sua família, portanto, o respeito a esse método personalizado é a chave para um verdadeiro descanso.

Coma alimentos naturais e movimente o corpo

Embora este não seja um livro sobre nutrição ou exercício, seria totalmente negligente não mencionar o impacto sobre nosso sistema imune psicológico daquilo que colocamos na boca e de como queimamos essa energia. Então, minha humilde sugestão é: *Coma alimentos naturais e movimente o corpo.*

Existem mais dietas do que consigo contar, ou até considerar. A indústria do emagrecimento foi um dos únicos setores de bem-estar que cresceu durante a pandemia de covid-19 e, assim como nossas cinturas, continua se expandindo.[101] Portanto, existe um imperativo financeiro muito real para nos deixar confusos sobre o que deveríamos e não deveríamos comer. Além disso, existem inúmeros trabalhos de pesquisa sobre a eficácia de todas essas dietas, e na minha opinião tudo se resume ao seguinte: tente comer alimentos que se pareçam o máximo possível com sua forma natural. Simples assim: frutas e vegetais, nozes e sementes, um pouco de peixe e, talvez, um pouquinho de carne branca, caso você coma carne,[102] que sejam recém-colhidos ou frescos.

É claro que se você tem alguma necessidade médica isso pode diferir um pouco, mas a grande quantidade de horas gastas nesse assunto parece bem excessiva. Se sua bisavó conseguisse reconhecer o alimento, provavelmente ele é bom! Contudo, se for uma forma de alimento geneticamente modificado, ultraprocessado, fique longe ou coma-o em porções bem pequenas.

Além disso, lembre-se de que os seres humanos não se desenvolveram para consumir 24 horas por dia, 7 dias por semana. Na pré-história, não havia serviços de entregas via aplicativo, então jejuávamos por longos períodos a cada ciclo de 24 horas e, quando a comida era escassa, enfrentávamos jejuns ainda mais longos. Todos os trilhões de micróbios em nossas vísceras precisam de tempo para fazer seu trabalho e precisam que você deixe o ambiente sossegado para que o serviço se cumpra, motivo pelo qual agora se recomenda o jejum durante a noite de no mínimo onze a doze horas. Na verdade, a palavra inglesa "breakfast", ou o nosso pouco usado "desjejum", significa exatamente isso: quebrar o jejum noturno.

A segunda parte da minha pequena cantilena é sobre movimento, e uso a palavra movimento de propósito, uma vez que "exercício" pode ter todas as formas de conotação e Pequenos Ts acoplados! Como já disse, nosso corpo não se desenvolveu para ficar sentados o dia todo junto a uma mesa; precisamos nos movimentar para manter a mente e o corpo saudáveis, mas não significa uma sessão de ginástica de duas horas, todos os dias (a não ser que você curta, é claro!). Uma maneira fácil de pensar sobre isso é:

- Se você costuma fazer certa coisa sentado, será que conseguiria fazer em pé? Por exemplo, trabalhar no computador: você poderia usar uma mesa ajustável? Se a resposta for não, tudo bem; não custava nada perguntar.
- Se você costuma fazer certa coisa em pé, será que conseguiria fazer caminhando? Por exemplo, falar ao telefone: você poderia falar andando?

O fato maravilhoso de caminhar é que ajuda a manter a forma física e a saúde mental, e você nem mesmo precisa esperar que lhe faça bem para que funcione. Pesquisadores da Universidade Estadual de Iowa descobriram que não importa onde ou por que as pessoas caminhavam; o simples ato de se levantar e pôr um pé em frente ao outro faz com que nos sintamos melhor mental e fisicamente.[103]

Caminhar é uma das maneiras mais fáceis de aumentar sua atividade diária e, realmente, faz diferença. Tendemos a nos ater a números, mas os dez mil passos diários são, na melhor das hipóteses, uma estimativa do número ideal. Agora sabemos que o número está mais em torno dos sete mil, mas ainda acho que o aspecto mais importante disso é apenas se movimentar. Se você puder desafiar o seu corpo, aumentar seus batimentos cardíacos e ficar um pouco ofegante regularmente, então constatará melhorias em seu condicionamento físico e na saúde como um todo.

Criar vínculos não é negociável

Precisamos de vínculos humanos. Esse fato é incontestável. No capítulo 1, destacamos a epidemia de solidão e o quanto ela é nociva tanto para a saúde mental quanto para a saúde física. Como criaturas sociáveis, evoluímos para viver em grupos, e embora hoje em dia possamos não precisar necessariamente de outras pessoas para comida, abrigo e segurança em relação a predadores, ainda precisamos de outras pessoas como forma de aumentar nossa sensação de pertencimento, como apoio social e, com frequência, como um meio para nosso propósito. Sendo assim, a sensação de conexão com o outro é, sem dúvida, algo ligado à nossa saúde como um todo, não "apenas" um bem-estar emocional. Não é necessária uma maratona de conversas profundas e significativas; até microinterações, como um bate-papo enquanto espera o ônibus ou aguarda na fila do caixa do mercado, também nos ajudam a sentir conectados. Embora de início possa parecer esquisito, tenha em mente que tendemos a subestimar o quanto os desconhecidos passam a gostar de nós após um pouco de conversa fiada – fenômeno chamado de "liking gap" [desequilíbrio de afeição, em tradução livre].[104]

É ótimo poder encontrar os outros pessoalmente, mas às vezes é impossível. Falar ao telefone, mesmo apenas sobre coisas triviais, como o clima, pode criar a sensação de estar vinculado ao grande mundo perverso. Agora, existem inúmeras maneiras de se chegar até as pessoas, mas preste atenção nas redes sociais: pesquisas mostram que curtir passivamente postagens ou navegar sem interação leva a um estado depressivo e sensações de inadequação. Use essas incríveis ferramentas tecnológicas para o bem e se conecte realmente, comunicando-se com amigos, com a família ou apenas com pessoas que tenham interesses comuns. O que quer que você goste, por mais abstrato que seja, haverá uma página sobre o assunto. Disso não há dúvida.

Conexões com pelos, penas, escamas ou folhas

Tudo bem: sou uma pessoa que ama animas, então sou um pouco tendenciosa, mas existem dados que mostram que o tempo passado com bichos ajuda a nos sentirmos conectados com outro ser vivo. Para aqueles que amam felinos, estudos mostraram que o ronronar ajuda a reduzir os níveis de estresse, ativando nosso inato sistema nervoso parassimpático de descansar e digerir.[105] De modo um tanto maluco, até assistir a vídeos de gatos pode trazer benefícios. Na verdade, agora existem festivais em que pessoas se reúnem para assistir a vídeos de gatos! E isso é, de fato, respaldado por evidências nas quais se descobriu que aqueles que assistiram a vídeos de gatos no horário livre sentiram-se mais positivos em geral e com mais energia.[106] Mas, acima de tudo, os animais também podem nos dar uma sensação de vínculo. Assim, se por algum motivo você não conseguir se ligar a pessoas, pense, em vez disso, em passar algum tempo com outras criaturas vivas: gatos, cachorros, répteis, seja o que for! Eu chegaria ao ponto de dizer que até cuidar de plantas pode criar uma sensação de tranquilidade, pois algumas pesquisas apontam que interagir com plantas dentro de casa reduz o estresse.[107]

Cultive gratidão diariamente

Meu companheiro e eu fazemos isso toda noite, mas você pode praticar gratidão a qualquer hora do dia. Contudo, acho bom fazer esse exercício na mesma hora a cada dia para que se torne um hábito. No campo da psicologia positiva, um bom número de pesquisas descobriu que cultivar uma sensação firme de gratidão melhora o bem-estar e nos dá uma perspectiva ampla da vida.[108] Essa técnica é tão fácil que fica difícil acreditar que realmente funcione, mas sugiro isso com frequência e, quando confiro com as pessoas meses depois, suas visões de fato mudaram. Tradicionalmente, os psicólogos e terapeutas sugerem que você pense em três coisas pelas quais é grato. Não precisam ser acontecimentos importantes e positivos, como ter um filho ou arrumar um novo emprego, mas sim as pequenas coisas na vida. Meu parceiro e eu listamos cinco coisas, já que as primeiras duas são sempre as mesmas: um ao outro e família. Mas, caso contrário, os aspectos do dia pelos quais somos gratos são mínimos, como um passeio agradável no parque ou um elogio no trabalho. Sua gratidão pode ser por qualquer coisa, porque esse método é uma maneira de reeducar o seu cérebro para ver o lado bom da vida.

Como vimos no capítulo 4, estamos programados para buscar no ambiente ameaças a nossa sobrevivência, então é preciso um pouco mais de esforço para notar o lado bom. Mas ele está lá, mesmo que pequeno.

Você não tem que primeiro amar a si mesmo(a)...

Mas você não precisa esperar amar a si mesmo(a) para fazer tudo isso. Conheci muitas pessoas que achavam que não poderiam partir para a ação antes de "primeiro se amarem". Essa ideia, difundida por pessoas aparentemente bem-intencionadas, deixa os indivíduos isolados e solitários, travados à espera do dia mágico no qual alcançarão o amor-próprio. Mas se você não recebeu um amor incondicional no início da vida, pode ser bem difícil amar a si mesmo(a) por não ter nenhum modelo desse amor para seguir (veja capítulo 8). Estou falando com você, com compaixão e experiência, que amar primeiro a si mesmo(a) não é de maneira alguma o maior amor de todos, mas sim o maior mito. Terapia, orientação ou permitir que alguém o(a) ame antes, tudo isso pode ajudar. Então, por favor, não espere para começar esse processo, já que trabalhando nele você estará demonstrando amor por si mesmo(a) antes mesmo de senti-lo.

...mas pode começar sendo gentil consigo mesmo(a) - e permanecer jovial no processo!

Não custa nada ser gentil – bom, nada em termos frios e simples como dispor de dinheiro vivo –, mas muitas pessoas acham desafiador ser gentis consigo mesmas, muito mais do que demonstrar generosidade e compaixão aos outros. Se você ainda não desenvolveu o amor-próprio, talvez ajude começar trabalhando a autogentileza, porque um estudo fascinante sugere que isso pode fazer o relógio voltar atrás e nos manter jovens. Um estudo analisou o comprimento do telômero – um marcador do envelhecimento biológico – em grupos de pessoas que praticavam meditação da compaixão, semelhante à das páginas 169-170, e naqueles que não a praticavam. Os pesquisadores descobriram que pessoas que praticavam esse tipo de gentileza tinham um comprimento relativo maior de telômero do que o grupo de controle – os telômeros encurtam com a idade e estão associados a uma antecipação da mortalidade.[109] Portanto, desenvolver uma sensação de gentileza em relação a si mesmo(a) é fundamental até naqueles dias em que você pode não se amar.

A vida é uma maratona, não uma corrida de curta distância... Mas você tem que se manter no páreo

Ao chegarmos ao fim desse tempo que passamos juntos, quero, do fundo do coração, incentivar você a usar o que aprendeu e dar um salto rumo ao desconhecido – em geral, não é tão assustador quanto parece. E mesmo que mais Pequenos Ts surjam em seu caminho, agora você conta com um arsenal de ferramentas, anticorpos emocionais e habilidades para lidar com o que a vida jogar no seu colo. Mas aqui está um último exercício, caso você ainda esteja se sentindo nervoso(a) em relação a isso.

Exercício: o diário do "Quase perdi isso!"

Você já deu uma revisada em sua última semana e descobriu ser quase impossível se lembrar de alguma coisa digna de nota? Podemos deixar passar muito do que a vida tem a oferecer se ficarmos constantemente presos(as) em nossa mente. Minha sugestão aqui é se envolver no mundo durante uma semana, escrevendo um diário de "Quase perdi isso!" das coisas que lhe teriam passado despercebidas caso estivesse muito mergulhado(a) no buraco negro dos próprios pensamentos. Muitas vezes, são ocorrências pequenas, triviais, mas muito fascinantes, tais como um raio de sol num dia nublado, um momento carinhoso entre mãe e filho na mesa ao lado em um café, ou qualquer outra coisa ínfima que torna a vida mais interessante.

Na verdade, a vida tem a ver com coisas insignificantes, seja um Pequeno T ou o encontro de momentos mágicos no cotidiano. Nós é que escolhemos ao que nos prender e do que abrir mão.

Lembretes para buscar uma vida mais próspera

1. O que você faz que o(a) deixa se sentir mais vivo(a)?
2. Se não pode mudar algo em sua vida, de que modo você consegue ficar em paz com isso?
3. Se não agora, quando?

Observação final

Quero lhe agradecer por vir comigo nessa cruzada sobre os Pequenos Traumas. Um dos motivos de eu ter escrito este livro foi permitir que mais pessoas se sentissem vistas, e você também pode ajudar nisso. Se lhe for confortável, por favor, compartilhe seus Pequenos Ts comigo e com outras pessoas com as hashtags #PequenoT e #TinyT nas redes sociais. Quanto mais luz todos nós jogarmos sobre esses pequenos traumas, mais fácil será falar a respeito disso e processar esse diminuto, mas insidioso problema.

Obrigada mais uma vez e tudo de bom em sua incansável jornada.

AGRADECIMENTOS

Quando revelei pela primeira vez minha ideia sobre os Pequenos Ts para Dorie, minha supermaravilhosa agente literária, ela tinha me convidado para um chá da tarde (com espumante, imagine só!) no Wolseley, em Piccadilly. É o tipo de restaurante com jeitão antiquado, que facilmente poderia ser um cenário saído dos livros de Harry Potter, o que, sem dúvida, era exatamente a Londres que eu imaginava quando criança. Estou mencionando isso porque meu coração palpitou quando vi os olhos da minha querida agente brilharem um pouco mais depois que mencionei esse tipo de trauma cumulativo, tão frequentemente ignorado e desconsiderado por "não ser ruim o suficiente" para merecer cuidado e atenção. Tínhamos recém-começado a trabalhar juntas, e foi a essa altura, num ambiente tão cinematográfico, que soube que meu instinto estava correto: o mundo precisava saber sobre o Pequeno T. Portanto, quero agradecer, do fundo do meu coração arizoniano, a essa pessoa iluminada que é minha agente literária Dorie Simmonds, por acreditar em mim e nos Pequenos Ts. Posso ter vencido a batalha das vírgulas, mas lutaremos juntas na guerra contra a epidemia global das dificuldades em saúde mental.

No entanto, em pé de igualdade no apoio e incentivo estão meus dois garotos ruivos, Neil Mordey e Boobah. Ambos me deram evidências em tempo real da minha hipótese "você não tem que amar primeiro a si mesma" e provaram que inúmeros chamegos e amor verdadeiro podem, de fato, instilar a vida de volta em uma alma sem viço. Eu estaria errada se não incluísse minha melhor amiga Tessa Lacey – para mim, você é uma inspiração diária, e como Neil e Ginge, é o farol que me guia para casa em águas turbulentas. E, se for preciso, agradeço a minha grande irmãzinha Amy Roy, que o tempo todo me mantém ancorada na nostalgia da década de 1980. Sinceramente, o que eu faria sem vinte memes retrô por dia?

Existem inúmeras outras pessoas para agradecer sinceramente, incluindo Lydia Good e a equipe da Thorsons e HarperCollins; todos os incríveis jornalistas da área de saúde, a quem me sinto com sorte para considerá-los meus amigos; minha antiga coautora Louise Atkinson, que me ensinou como destruir o demônio do excesso de detalhes; e os profissionais em comunicação Mars Webb e Julia Champion, por me ajudar a difundir o termo Pequeno T. À minha supervisora, Dra. Siobhain O'Riordan – conhecimento enciclopédico da psicologia coaching! Mas também aprecio imensamente seu estilo caloroso e incentivador de apoio, que me ajudou em muitas outras áreas da vida além do trabalho. Nesse sentido também, David Smith, meu terapeuta pessoal, você realmente me animou e me orientou nessa jornada, obrigada.

Falando em motivação, Jeniffer Kennedy, não faço ideia de como você sempre sabe exatamente o que dizer, mas você é de longe a melhor incentivadora de todos os tempos! Também quero agradecer à amiga da minha família, Charlotte Smyth, que conheceu aquela menina desengonçada e muito tímida no deserto, e que também me apoiou de inúmeras maneiras (normalmente, acompanhada de um bolo!). Sem dúvida, você é minha "família conquistada".

Mas, mais uma vez, quero contar ao mundo sobre o meu querido pai, Graham Kinghorn Arroll, que foi arrancado de nós nos primeiros dias da primeira onda da covid-19. Cada parte do meu corpo está corroída por você ter falecido quando estava indo tão bem, após tantos anos opressivamente difíceis. Mais do que a qualquer outra pessoa, este livro é para você, em homenagem ao amor incondicional e inabalável que você sempre me dedicou. Você sofreu demais, mas minha maior esperança é de que, através das suas batalhas, eu consiga jogar uma luz em todo o escopo dos desafios da saúde mental. Eu te amo, papai.

Por fim, para todos que têm sido ignorados, estigmatizados, marginalizados e manipulados psicologicamente em se tratando de saúde mental, sua experiência vivida e sua constelação de Pequenos Ts são tão únicas quanto vocês, mas vocês não estão sozinhos. Vamos falar tanto sobre os Pequenos Ts que eles não poderão mais ser varridos para debaixo do tapete, e prepararemos o terreno para uma melhor compreensão e um melhor tratamento do espectro que é a saúde mental.

NOTAS

1   Holmes, T. H. e Rahe, R. H. "The social readjustment rating scale", *Journal of Psychosomatic Research*, 11(2) (1967), pp. 213-18.

2   Lackner, J. M. Gudleski, G. D. e Blanchard, E. B. "Beyond abuse: The association among parenting style, abdominal pain, and somatization in IBS patients", *Behaviour Research and Therapy*, 42(1) (2004), pp. 41-56.

3   Bretherton, I. "The origins of attachment theory: John Bowlby e Mary Ainsworth", *Developmental Psychology*, 28(5) (1992), p. 759.

4   De Schipper, J. C., Oosterman, M. e Schuengel, C. "Temperament, disordered attachment, and parental sensitivity in foster care: Differential findings on attachment security for shy children", *Attachment & Human Development,* 14(4) (2012), pp. 349-65.

5   Se você não assistiu a *Curtindo a vida adoidado* ou todo o catálogo dos filmes de John Hughes, pare imediatamente de ler este livro e acesse seu serviço de streaming mais próximo! Inúmeros exemplos de Pequenos Ts podem ser encontrados nos filmes da década de 1980.

6   Passmore, H. A. Lutz, P. K. e Howell, A. J. "Eco-anxiety: A cascade of fundamental existential anxieties", *Journal of Constructivist Psychology* (2022), pp. 1-16, DOI: 10.1080/10720537.2022.2068706.

7   Seligman, M. E. *The Hope Circuit: A Psychologist's Journal from Helplessness to Optimism*, Hachette UK, 2018.

8   Layard, P. R. G., e Layard, R. *Happiness: Lessons from a New Science*, Penguin UK, 2011 [Ed. bras. *Felicidade: Lições de uma nova ciência*. Rio de Janeiro: Best-Seller, 2008].

9   Agarwal, S. K., Chapron, C., Giudice, L. C., Laufer M. R., Leyland, N., Missmer, S. A., Singh, S. S. e Taylor, H. S. "Clinical diagnosis of endometriosis: a call to action", *American Journal of Obstetrics and Gynecology*, 220(4) (2019), pp. 354-364.

10 Chen, E. H., Shofer, F. S., Dean, A. J., Hollander, J. E., Baxt, W. G., Robey, J. L., Sease, K. L. e Mills, A. M. "Gender disparity in analgesic treatment of

emergency department patients with acute abdominal pain", *Academic Emergency Medicine*, 15(5) (2008), pp. 414-18.

[11] Diener, E., Seligman, M. E., Choi, H. e Oishi, S. "Happiest people revisited", *Perspectives on Psychological Science*, 13(2) (2018), pp. 176-84.

[12] Brickman, P., Coates, D. e Janoff-Bullman, R., "Lottery winners and accident victims: Is happiness relative?", *Journal of Personality and Social Psychology*, 36(8) (1978), p. 917.

[13] Kraft, T. L. e Pressman, S. D. "Grin and bear it: The influence of manipulated facial expression on the stress response", *Psychological Science*, 23(11) (2012), pp. 1372-8.

[14] Wilkes, C., Kydd, R., Sagar, M. e Broadbent, E. "Upright posture improves affect and fatigue in people with depressive symptoms", *Journal of Behavior Therapy and Experimental Psychiatry*, 54 (2017), pp. 143-9.

[15] Keyes, C. L. "The mental health continuum: From languishing to flourishing in life", *Journal of Health and Social Behavior* (2002), pp. 207-22.

[16] Affleck, W., Carmichael, V. e Whitley, R. "Men's mental health: Social determinants and implications for services", *The Canadian Journal of Psychiatry*, 63(9) (2018), pp. 581-9.

[17] Confira as autorizações em: Lomas, T., "Towards a positive cross-cultural lexicography: Enriching our emotional landscape through 216 'untranslatable' words pertaining to well-being", *The Journal of Positive Psychology* (2016), pp. 1-13. DOI: 10.1080/17439760.2015.1127993.

[18] Jiang, T., Cheung, W. Y., Wildschut, T. e Sedikides, C. "Nostalgia, reflection, brooding: Psychological benefits and autobiographical memory functions", *Consciousness and Cognition*, 90 (2021). DOI: 10.1016/j.concog.2021.103107.

[19] Cheung, W. Y., Wildschut, T., Sedikides, C., Hepper, E. G., Arndt, J. e Vingerhoets, A. J. "Back to the future: Nostalgia increases optimism", *Personality and Social Psychology Bulletin*, 39(11) (2013), pp. 1484-96.

[20] Sedikides, C., Leunissen, J. e Wildschut, T., "The psychological benefits of music-evoked nostalgia", *Psychology of Music* (2021). DOI: 10.11.77/03057356211064641.

[21] Cheung, W. Y., Hepper, E. G., Reid, C. A., Green, J. D., Wildschut, T. e Sedikides C., "Anticipated nostalgia: Looking forward to looking back", *Cognition and Emotion*, 34(3) (2020), pp. 511-25, DOI: 10.1080/02699931.2019.1649247.

[22] Vervliet, B. e Boddez, Y. "Memories of 100 years of human fear conditioning research and expectations for its future", *Behaviour Research and Therapy*, 135 (2020), pp. 1-9.

[23] Pittman, C. M. e Karle, E. M. *Rewire Your Anxious Brain: How to Use the Neuroscience of Fear to End Anxiety, Panic, and Worry,* New Harbinger Publications, 2015.

[24] Rozlog, L. A., Kiecolt Glaser, J. K., Marucha P. T., Sheridan, J. F. e Glaser, R. "Stress and immunity: Implications for viral disease and wound healing", *Journal of Periodontology*, 70(7) (1999), pp. 786-92.

[25] Scholey, A., Haskell, C., Robertson, B., Kennedy, D., Milne, A. e Wetherell, M. "Chewing gum alleviates negative mood and reduces cortisol during acute laboratory psychological stress", *Physiology & Behavior*, 97(3-4) (2009), pp. 304-12.

26 Gallup, A. C. e Eldakar, O. T. "The thermoregulatory theory of yawning: What we know from over 5 years of research", *Frontiers in Neuroscience*, 6 (2013), p. 188.

27 DeBoer, L. B., Powers, M. B., Utschig, A. C., Otto, M. W. e Smits, J. A. "Exploring exercise as an avenue for the treatment of anxiety disorders", *Expert Review of Neurotherapeutics*, 12(8) (2012), pp. 1011-22.

28 Powers, M. B., Asmundson, G. J. e Smits, J. A. "Exercise for mood and anxiety disorders: The state-of-the-science", *Cognitive Behaviour Therapy*, 44(4) (2015), pp. 237-9.

29 Stonerock, G. L., Hoffman, B. M., Smith, P. J. e Blumenthal, J. A. "Exercise as Treatment for Anxiety: Systematic Review and Analysis", Annals of behavioral medicine: a publication of the Society of Behavioral Medicine Vol. 49, 4 (2015): 542-56. DOI: 10.1007/s12160-014-9685-9.

30 Abramowitz, J. S., Deacon, B. J. e Whiteside, S. P. H. *Exposure Therapy for Anxiety: Principles and Practice*, Guilford Publications, 2019.

31 Burcaş, S., e Creţu, R. Z. "Perfectionism and neuroticism: Evidence for a common genetic and environmental etiology", *Journal of Personality*, 89(4) (2021), pp. 819-30.

32 Lopes, B. e Yu, H. "Who do you troll and why: An investigation into the relationship between the Dark Triad Personalities and online trolling behaviours towards popular and less popular Facebook profiles", *Computers in Human Behavior*, 77 (2017), pp. 69-76.

33 Avast, 2021. "Avast Foundation survey reveals trolling becoming an accepted behaviour for younger generations". Available at: https://press.avast.com/en-gb/avast-foundation-survey-reveals-trolling-becoming-an-accepted-behaviour-for-younger-generations (acesso em 29 mai. 22).

34 Cheng, J., Bernstein, M., Danescu-Niculescu-Mizil, C. e Leskovec, J. "Anyone can become a troll: Causes of trolling behavior in online discussions", em Proceedings of the 2017 ACM Conference on Computer Supported Cooperative Work and Social Computing (fevereiro de 2017), pp. 1217-30.

35 Suler, J. "The online disinhibition effect", *International Journal of Applied Psychoanalytic Studies*, 2(2) (2005), pp. 184-8.

36 Referência ao filme *Frozen: Uma aventura congelante*, da Disney, e à música-tema da personagem Elsa, "Let it Go". (N.E.)

37 Rosenbaum, D. A., Fournier, L. R., Levy-Tzedek S. e outros. "Sooner rather than later: Precrastination rather than procrastination", *Current Directions in Psychological Science*, 28(3) (2019), pp. 229-33, DOI: 10.1177/0963721419833652.

38 Wiehler, A., Branzoli, F., Adanyeguh, I., Mochel, F. e Pessiglione, M. "A neuro-metabolic account of why daylong cognitive work alters the control of economic decisions", *Current Biology*, 32(16) (2022), pp. 3564-75.e5. DOI: 10.1016/j.cub.2022.07.010.

39 STEM é um acrônimo para os campos profissionais de ciência, tecnologia, engenharia e matemática.

40 Sakulku, J. "The impostor phenomenon", *The Journal of Behavioral Science*, 6(1) (2011), pp. 75-97.

[41] Gravois, J. "You're not fooling anyone", *Chronicle of Higher Education*, 54(11) (2007).

[42] Bernard, D. L., Hoggard, L. S. e Neblett, E. W. Jr. "Racial discrimination, racial identity, and impostor phenomenon: A profile approach", *Cultural Diversity and Ethnic Minority Psychology*, 24(1) (2018), pp. 51-61.

[43] Cokley, K., Awad, G., Smith, L. e outros. "The roles of gender stigma consciousness, impostor phenomenon and academic self-concept in the academic outcomes of women and men", *Sex Roles*, 73 (2015), pp. 414-26; https://doi.org/10.1007/s11199-015-0516-7.

[44] Bravata, D. M., Watts, S. A., Keefer, A. L., Madhusudhan, D. K., Taylor, K. T., Clark, D. M. e Hagg, H. K. "Prevalence, predictors and treatment of impostor syndrome: A systematic review", *Journal of General Internal Medicine,* 35(4) (2020), pp. 1252-75.

[45] Sue, D. W. *Microaggressions in Everyday Life: Race, Gender, and Sexual Orientation*, John Wiley & Sons, 2010.

[46] Feiler, D. e Müller-Trede, J. "The one that got away: Overestimation of forgone alternatives as a hidden source of regret", *Psychological Science*, 33(2) (2022), pp. 314-24.

[47] Carney, D. R., Cuddy, A. J. e Yap, A. J. "Power posing: Brief nonverbal displays affect neuroendocrine levels and risk tolerance", *Psychological Science*, 21(10) (2010), pp. 1363-8.

[48] Kerr, M. e Charles, N. "Servers and providers: The distribution of food within the family", *The Sociological Review*, 34(1) (1986), pp. 115-57.

[49] Evers, C., Marijn Stok, F. e de Ridder, D. T. "Feeding your feelings: Emotion regulation strategies and emotional eating", *Personality and Social Psychology Bulletin*, 36(6) (2010), pp. 792-804.

[50] 10 = Morto de fome (fraco, tonto); 9 = Voraz (irritadiço, baixa energia); 8 = Muita fome (estômago roncando, preocupado com comida); 7 = Levemente faminto (pensando em comida); 6 = Neutro (nem faminto, nem satisfeito); 5 = Levemente satisfeito (agradavelmente satisfeito); 4 = Satisfeito (um tanto desconfortável); 3 = Empanzinado (empanturrado, a calça parecendo apertada); 2 = Muito empanzinado (empanturrado e levemente nauseado); 1 = Saturado a ponto de doer (dolorosamente empanturrado e sentindo-me meio enjoado).

[51] Parker, G., Parker, I. e Brotchie, H. "Mood state effects of chocolate", *Journal of Affective Disorders,* 92(2) (2006), pp. 149-59.

[52] Cota, D., Tschöp, M. H., Horvath, T. L. e Levine, A. S. "Cannabinoids, opioids ant eating behavior: The molecular face of hedonism?", *Brain Research Reviews*, 51(1) (2006), pp. 85-107.

[53] Brouwer, A. M. e Mosack, K. E. "Motivating healthy diet behaviors: The self-as-doer identity", *Self and Identity*, 14(6) (2015), p. 638.

[54] Skorka-Brown, J., Andrade, J., Whalley, B. e May, J. "Playing Tetris decreases drug and other cravings in real world settings", *Addictive Behaviors,* 51 (2015), pp. 165-70.

[55] Hung, I. W. e Labroo, A. A. "From firm muscles to firm willpower: Understanding the role of embodied cognition in self-regulation", *Journal of Consumer Research,* 37(6) (2011), pp. 1046-64.

[56] Por favor, me perdoe, porque essas são versões muito simplificadas de histórias complexas e intrincadas!

[57] Stein, H., Koontz, A. D., Allen, J. G., Fultz, J., Brethour, J. R., Allen, D., Evans, R. B. e Fonagy, P. "Adult attachment questionnaires: Disagreement rates, construct and criterion validity", Topeka, Kansas, The Menninger Clinic Research Dept, 2000.

[58] Cohen, S., Janicki-Deverts, D., Turner, R. B. e Doyle, W. J. "Does hugging provide stress-buffering social support? A study of susceptibility to upper respiratory infection and illness". *Psychological Science*, 26(2) (2015), pp. 135-47.

[59] Hodgson, K., Barton, L., Darling, M., Antao, V., Kim, F. A. e Monavvari, A. "'Pets' impact on your patients' health: Leveraging benefits and mitigating risk", *The Journal of the American Board of Family Medicine*, 28(4) (2015), pp. 526-34.

[60] Parrott, W. G. e Smith, R. H. "Distinguishing the experiences of envy and jealousy", *Journal of Personality and Social Psychology*, 64(6) (1993), p. 906.

[61] Dunbar, R., *How Many Friends Does One Person Need? Dunbar's Number and Other Evolutionary Quirks*, Faber & Faber, 2010.

[62] Grusec, J. E. "Social learning theory and developmental psychology: The legacies of Robert R. Sears and Albert Bandura", em R. D. Parke, P. A. Ornstein, J. J. Rieser e C. Zahn-Waxler (eds), *A Century of Developmental Psychology*, American Psychological Association, 1994, pp. 473-97.

[63] McGill, J. M., Burke, L. K. e Adler-Baeder, F., "The dyadic influences of mindfulness on relationship functioning", *Journal of Social and Personal Relationships*, 37(12) (2020), pp. 2941-51.

[64] Cunnington, D., Junge, M. F. e Fernando, A. T. "Insomnia: Prevalence, consequences and effective treatment", *The Medical Journal of Australia*, 199(8) (2013), S36-40. DOI: 10.5694/mja 13.10718.

[65] Hirshkowitz, M., Whiton, K., Albert, S. M., Alessi, C., Bruni, O., DonCarlos, L., Hazen, N., Herman, J., Katz, E. S., Kheirandish-Gozal, L. e Neubauer, D. N. "National Sleep Foundation's sleep time duration recommendations: Methodology and results summary", *Sleep Health*, 1(1) (2015), pp. 40-3.

[66] Herzog-Krzywoszanka, R. e Krzywoszanski, L., "Bedtime procrastination, sleep-related behaviors, and demographic factors in an online survey on a Polish sample", *Frontiers in Neuroscience* (2019), p. 963.

[67] Sturm, R e Cohen, D. A., "Free time and physical activity among Americans 15 years or older: Cross-sectional analysis of the American Time Survey", *Preventing Chronic Disease* (2019), p. 16.

[68] Schulte, B. *Overwhelmed: How to Work, Love and Play When No One Has the Time*, Macmillan, 2015 [Ed. bras. *Sobrecarregados: Trabalho, amor e lazer quando ninguém tem tempo*. São Paulo: Figurati, 2017].

[69] Sjöström, S. "Labelling theory", em *Routledge International Handbook of Critical Mental Health*, Routledge, 2017, pp. 15-23.

[70] Aron, E. N., *The Highly Sensitive Person: How to Thrive When the World Overwhelms You*, Nova York, Harmony Books, 1997 [Ed. bras. *Pessoas altamente sensíveis: Como lidar com o excesso de estímulos emocionais e usar a sensibilidade a seu favor*. Rio de Janeiro: Sextante, 2012].

71 Lionetti, F., Aron, A., Aron, E. N., Burns, G. L., Jagiellowicz, J. e Pluess, M. "Dandelions, tulips and orchids: Evidence for the existence of low-sensitive, medium-sensitive and high-sensitive individuals", *Translational Psychiatry*, 8(1) (2018), pp. 1-11.

72 Domhoff, G. W. "The content of dreams: Methodologic and theoretical implications", *Principles and Practices of Sleep Medicine*, 4 (2005), pp. 522-34.

73 Cartwright, R. D., *The Twenty-four Hour Mind: The Role of Sleep and Dreaming in Our Emotional Lives*, Oxford University Press, 2010.

74 https://sleepeducation.org/sleep-caffeine/

75 Schmidt, R. E., Curvoisier, D. S., Cullati, S., Kraehenmann, R. e Linden M. V. D. "Too imperfect to fall asleep: Perfectionism, pre-sleep counterfactual processing, and insomnia", *Frontiers in Psychology*, 9 (2018), p. 1288.

76 Akram, U., Ellis J. G. e Barclay, N. L. "Anxiety mediates the relationship between perfectionism and insomnia symptoms: A longitudinal study", *PloS One*, 10(10) (2015), p. e0138865.

77 Erikson, E. H. *Insight and Responsibility*, Norton, 1994; Levinson, D. J. *The Seasons of a Man's Life*, Knopf, 1994.

78 Kim, A. M., Tingen, C. M. e Woodruff, T. K., "Sex bias in trials and treatment must end", *Nature*, 465(7299) (2010), pp. 688-9.

79 Beery, A. K. e Zucker, I., "Sex bias in neuroscience and biomedical research", *Neuroscience & Biobehavioral Reviews*, 35(3) (2011), pp. 565-72.

80 Doherty, M. A. "Sexual bias in personality theory", *The Counseling Psychologist*, 4(1) (1973), pp. 67-75.

81 Jackson, M., *Broken Dreams: An Intimate History of de Midlife Crisis*, Reaktion Books, 2021.

82 Neugarten, B. L., "Time, age, and the life cycle", *The American Journal of Psychiatry*, 136 (1979), pp. 887-94.

83 Rook, K. S., Catalano, R. e Dooley, D. "The timing of major life events: Effects of departing from the social clock", *American Journal of Community Psychology*, 17(2) (1989), pp. 233-58.

84 Shale, S. "Moral injury and the COVID-19 pandemic: Reframing what it is, who it affects and how care leaders can manage it", *BMJ Leader*, 4(4) (2020), pp. 224-7.

85 Panchal, S. e Jackson, E. "'Turning 30' transitions: Generation Y hits quarter-life", *The Coaching Psychologist*, 3(2) (2007), pp. 46-51.

86 O'Riordan, S., Palmer, S. e Panchal, S. "The bigger picture: Building upon the Developmental Coaching: Transitions Continuum", *European Journal of Applied Positive Psychology*, 1(6) (2017), pp. 1-4.

87 Wels, H., Van der Waal, K., Spiegel, A. e Kamsteeg, F. "Victor Turner and liminality: An introduction", *Anthropology Southern Africa*, 34(1-2) (2011), pp. 1-4.

88 Oeppen, J. e Vaupel, J. W. "Broken limits do life expectancy", *Science*, 296(5570) (2002), pp. 1029-31.

89 Rubinstein, H. R. e Foster, J. L. "'I don't know whether it is to do with age or to do with hormones and whether it is to do with a stage in your life', Making

sense of menopause and the body", *Journal of Health Psychology*, 18(2) (2013), pp. 292-307.

[90] Hvas, L. "Menopausal women's positive experience of growing older", *Maturitas*, 54(3) (2006), pp. 245-51.

[91] Hayes, S. C., Strosahl, K. D. e Wilson, K. G. (2011). *Acceptance and Commitment Therapy: The Process and Practice of Mindful Change* (2ª ed.), Guilford Press, 2006.

[92] Lee, J. e Smith, J. P. "Work, retirement, and depression", *Journal of Population Ageing*, 2(1) (2009), pp. 57-71.

[93] James, J. B., Besen, E., Matz-Costa, C. e Pitt-Catsouphes, M. "Engaged as we age: The end of retirement as we know it", The Sloan Center on Aging and Work, *Issue Brief*, 24 (2010). pp. 1-20.

[94] Chernev, A., Böckenholt, U. e Goodman, J. "Choice overload: A conceptual review and meta analysis", *Journal of Consumer Psychology*, 25(2) (2015), pp. 333-58.

[95] Burnett, B. e Evans, D. *Designing Your Life: Build a Life that Works For You*, Random House, 2016 [Ed. bras. *O design da sua vida: Como criar uma vida boa e feliz*: Rio de Janeiro: Rocco, 2017].

[96] Chepesiuk, R. "Missing the dark: Health effects of light pollution", *Environmental Health Perspectives*, 117(1) (2009), A20-A27. https://doi.org/10.1289/ehp.117-a20.

[97] Anglin, R. E., Samaan, Z., Walter, S. D. e McDonald, S. D. "Vitamin D deficiency and depression in adults: Systematic review and meta-analysis", *The British Journal of Psychiatry*, 202(2) (2013), pp. 100-7.

[98] Callard, F. "Hubbub: Troubling rest through experimental entanglements", *The Lancet*, 384(9957) (2014), p. 1839.

[99] Dalton-Smith, S. *Sacred Rest: Recover Your Life, Renew Your Energy, Restore Your Sanity*, FaithWords, 2017.

[100] Pilliavin, J. A. e Siegl, E. "Health benefits of volunteering in the Wisconsin longitudinal study", *Journal of Health and Social Behavior*, 48(4) (2007), pp. 405-64.

[101] Global Wellness Institute (sem data). Wellness Industry Statistics & Facts. Disponível em: https://globalwellnessinstitute.org/press-room/statistics-and-facts (acesso em: 20 maio 2022).

[102] Longo, V. D. e Anderson, R. M. "Nutrition, longevity and disease: From molecular mechanisms to interventions", *Cell*, 185(9) (2022), pp. 1455-70.

[103] Miller, J. C. e Krizan, Z. "Walking facilitates positive affect (even when expecting the opposite)", *Emotion*, 16(5) (2016), p. 775.

[104] Boothby, E. J., Cooney, G., Sandstrom, G. M. e Clark, M. S. "The liking gap in conversations: Do people like us more than we think?", *Psychological Science*, 29(11) (2018), pp. 1742-56.

[105] Aganov, S., Nayshtetik, E., NagibinV. e Lebed, Y. "Pure purr virtual reality technology: Measuring heart rate variability and anxiety levels in healthy volunteers affected by moderate stress", *Archives of Medical Science*, 18(2) (2022), p. 336.

[106] "Emotion regulation, procrastination, and watching cat videos online: Who watches Internet cats, why, and to what effect?", *Computers in Human Behavior*, 52 (2015), pp. 168-76.

[107] Lee, M. S., Lee, J., Park, B. J. e Miyazaki, Y. "Interaction with indoor plants may reduce psychological and physiological stress by suppressing autonomic nervous system activity in young adults: A randomized crossover study", *Journal of Physiological Anthropology* 34(1) (2015), pp. 1-6.

[108] Wood, A. M., Froh, J. J. e Geraghty, A. W. "Gratitude and well-being: A review and theoretical integration", *Clinical Psychology Review*, 30(7) (2010), pp. 890-905.

[109] Hoge, E. A., Chen, M. M., Orr, E., Metcalf, C. A., Fischer, L. E., Pollack, M. H., DeVivo, I. e Simon, N. M. "Loving-kindness meditation practice associated with longer telomeres in women", *Brain, Behavior, and Immunity*, 32 (2013), pp. 159-63.

Este livro foi composto com tipografia Adobe Garamond Pro e
impresso em papel Off-White 70g/m² na Formato Artes Gráficas.